Nicholas Sparks

BEZPIECZNA
PRZYSTAŃ

Z angielskiego przełożyła
EWA WOJTCZAK

ALBATROS

Wydawnictwo
A. Kuryłowicz

Tytuł oryginału:
SAFE HAVEN

Copyright © Nicholas Sparks 2010
All rights reserved
Polish edition copyright © Wydawnictwo Albatros A. Kuryłowicz 2011
Polish translation copyright © Ewa Wojtczak 2011

Redakcja: Anna Kubalska
Ilustracja na okładce: Image Source/Getty Images/Flash Press Media
Zdjęcie autora: Gaspar Tringale
Projekt graficzny okładki i serii: Andrzej Kuryłowicz
Skład: Laguna

ISBN 978-83-7659-362-3

Książka dostępna także jako
(czyta Krzysztof Gosztyła)

Dystrybutor
Firma Księgarska Olesiejuk sp. z o.o. sp. k.-a.
Poznańska 91, 05-850 Ożarów Maz.
t./f. 22.535.0557, 22.721.3011/7007/7009
www.olesiejuk.pl

Sprzedaż wysyłkowa – księgarnie internetowe
www.merlin.pl
www.empik.com
www.amazonka.pl

Wydawca
WYDAWNICTWO ALBATROS A. KURYŁOWICZ
Hlonda 2A/25, 02-972 Warszawa
www.wydawnictwoalbatros.com

2012. Wydanie III
Druk: WZDZ – Drukarnia Lega, Opole

Pamięci kochanych Paula i Adrienne Cote.
Moja cudowna rodzino — już za wami tęsknię.

PODZIĘKOWANIA

Ilekroć ukończę nową powieść, zaczynam myśleć o osobach, które pomagały mi w trakcie pisania. Jak zawsze na szczycie listy widnieje imię mojej żony, Cathy — nie tylko musi znosić humory twórcy, którym nierzadko ulegam, lecz także przeżyła bardzo trudny rok, gdyż straciła ostatnio oboje rodziców. Kocham cię i żałuję, że nie mogłem zrobić nic, co pomogłoby umniejszyć twoją stratę. Jestem z tobą całym sercem.

Chciałbym także podziękować moim dzieciom: Milesowi, Ryanowi, Landonowi, Lexie i Savannah. Miles wyjechał już do college'u, a najmłodsze bliźniaczki chodzą do trzeciej klasy; obserwacja ich dorastania jest dla mnie nieustannym źródłem radości.

Moja agentka, Theresa Park, zawsze zasługuje na moją wdzięczność za wszystko, co robi, pomagając mi w stworzeniu najlepszej na moją miarę powieści. Mam szczęście, że z tobą pracuję, Thereso!

Podobnie Jamie Raab, moja redaktorka. Nauczyłem się od ciebie mnóstwa rzeczy związanych z pisaniem i dziękuję ci za to, że jesteś.

Denise DiNovi, moja hollywoodzka przyjaciółka i producentka kilku moich filmów, zasługuje na wdzięczność za czułą przyjaźń, którą obdarza mnie przez te lata. Dziękuję ci za wszystko, co dla mnie zrobiłaś.

David Young, dyrektor generalny wydawnictwa Hachette Book Group, to niesamowity, inteligentny człowiek. Dzięki, że mnie tolerujesz, mimo iż ciągle spóźniam się z dostarczaniem rękopisów.

Howie Sanders i Keya Khayatian, moi agenci filmowi, pracują ze mną od lat i dużą część sukcesu zawdzięczam ich ciężkiej pracy.

Jennifer Romanello, moja rzeczniczka z Grand Central Publishing, pracowała ze mną przy każdej powieści i uważam się za szczęściarza, że tyle dla mnie robi.

Edna Farley, specjalistka od reklamy, to osoba fachowa, sumienna i cudownie skuteczna, gdy chodzi o pomoc w organizacji spotkań. Dzięki tobie przebiegają bez problemów.

Scott Schwimer, mój prawnik i specjalista od prawa autorskiego, jest nie tylko przyjacielem, lecz także wyjątkowym negocjatorem najdrobniejszych nawet kwestii z moich kontraktów. Jestem zaszczycony, że ze mną pracujesz.

Abby Koons i Emily Sweet, dwie panie z Park Literary Group, zasłużyły na dozgonną wdzięczność za wszelkie ustalenia z zagranicznymi wydawcami, pracę nad moją stroną internetową i umowy, które mi załatwiają. Jesteście najlepsze!

Marty Bowen i Wyck Godfrey, którzy jako producenci *Wciąż ją kocham* wykonali niezwykłą pracę, również zasłużyli na moje podziękowanie. Wysoce sobie cenię troskę okazaną temu projektowi.

Podobnie Adam Shankman i Jennifer Gibgot, producenci *Ostatniej piosenki*. Wspaniale pracowaliście i dziękuję za wszystko, co zrobiliście.

Courtenay Valenti, Ryan Kavanaugh, Tucker Tooley, Mark Johnson, Lynn Harris i Lorenzo di Bonaventura, którzy z wielką pasją pracowali przy filmach nakręconych na podstawie moich powieści. Chcę podziękować wam za wszystko, czego dokonaliście.

Dziękuję także Sharon Krassney, Flag i zespołowi adiustatorów i korektorów, którzy musieli siedzieć do późnych godzin wieczornych, aby przygotować tę powieść do druku.

Jeff Van Wie, współscenarzysta *Ostatniej piosenki*, zasługuje na wdzięczność za pasję i wysiłek włożony w stworzenie scenariusza, a także za przyjaźń, którą mnie obdarza.

1

Kiedy Katie sunęła wśród stołów, włosy zmierzwił jej podmuch wiejącego od Atlantyku wiatru. Ubrana w dżinsy i podkoszulek z napisem U IVANA: SPRÓBUJ NASZYCH RYB, SZCZEGÓLNIE HALIBUTA, niosła trzy talerze w lewej ręce i jeden w prawej. Postawiła je przed czterema mężczyznami w koszulkach polo; siedzący najbliżej osobnik przyciągnął jej uwagę i uśmiechnął się. Chociaż usiłował udawać zwykłego, miłego faceta, Katie wiedziała, że obserwował ją, gdy odchodziła. Melody wspomniała, że mężczyźni przyjechali z Wilmington w poszukiwaniu plenerów do filmu. Katie wzięła dzbanek z mrożoną herbatą, napełniła im szklanki, po czym wróciła na stanowisko kelnerek. Wyjrzała przez okno. Był późny kwiecień, temperatura niemal wymarzona, błękitne niebo ciągnęło się aż po horyzont. Mimo bryzy na kanale za nią panowała cisza, a kolor wody zdawał się lustrzanym odbiciem nieba. Kilkanaście mew przysiadło na balustradzie, czekając, aż jakiś gość rzuci pod stolik przysmak, na który zapolują.

Właściciel lokalu, Ivan Smith, nienawidził mew. Nazywał je skrzydlatymi szczurami i dziś już dwukrotnie zjawiał się przy balustradzie, próbując wystraszyć ptaki szczotką do czyszczenia toalet o drewnianej rączce. Wówczas Melody pochyliła się do Katie i szepnęła, że bardziej niż o mewy martwi się o to, gdzie ta szczotka była wcześniej. Katie nie zareagowała.

Wyjęła z lodówki kolejny dzbanek z herbatą i wytarła stanowisko. Chwilę później poczuła, że ktoś klepie ją w ramię. Odwróciła się i zobaczyła córkę Ivana, Eileen, ładną dziewiętnastolatkę z kucykiem, która dorabiała sobie w restauracji jako hostessa.

— Katie... Możesz obsłużyć kolejnych klientów?

Odwróciła się i z uwagą obejrzała swój rewir, szukając wzrokiem nowych osób.

— Jasne. — Skinęła głową.

Eileen zeszła po schodach. Z pobliskich stolików Katie słyszała urywki rozmów — ludzie gawędzili o przyjaciołach, rodzinie, pogodzie lub łowieniu ryb. Przy stole w rogu dostrzegła dwie osoby zamykające menu. Pospiesznie podeszła i przyjęła zamówienie, po czym od razu odeszła, zamiast pozostać chwilę przy stoliku i pogawędzić z gośćmi, jak miała w zwyczaju Melody. Nie nazwałaby siebie mistrzynią prowadzenia rozmów towarzyskich, lecz była skuteczną i uprzejmą kelnerką, toteż klienci nigdy się na nią nie skarżyli.

Pracowała w tej restauracji od początku marca. Ivan zatrudnił ją w chłodne, słoneczne popołudnie, kiedy niebo miało odcień jaj drozda wędrownego. Usłyszawszy, że może zacząć pracę już w następny poniedziałek, musiała zapanować nad sobą ze wszystkich sił, gdyż nie chciała rozpłakać się na oczach właściciela lokalu. Odreagowała dopiero w domu. W owym czasie była bowiem naprawdę bez grosza i nie jadła już od dwóch dni.

Dolała gościom wody lub mrożonej herbaty i skierowała się do kuchni. Ricky, jeden z kucharzy, jak zwykle do niej mrugnął. Dwa dni temu chciał się z nią umówić, odparła jednak, że woli nie spotykać się z żadnym ze współpracowników. Podejrzewała, że mężczyzna spróbuje ponownie, ale miała nadzieję, że instynkt ją zawodzi.

— Pewnie dziś ruch nie zelżeje aż do zamknięcia — zauważył Ricky. Był tyczkowatym blondynem, może rok czy dwa lata młodszym od Katie, i nadal mieszkał z rodzicami. — Ilekroć sądzimy, że nadążamy, spada na nas kolejna porcja zamówień.

— Jest piękny dzień.

— Więc czemu ludzie przyszli tutaj? W taki ładny dzień powinni pójść na plażę albo łowić ryby. Dokładnie takie mam plany, gdy skończę pracę.

— Dobry pomysł.

— Mogę cię później odwieźć do domu?

Proponował jej podwiezienie co najmniej dwa razy na tydzień.

— Dziękuję ci, ale nie. Nie mieszkam aż tak daleko.

— Nic nie szkodzi — nalegał. — Chętnie cię odwiozę.

— Wolę się przejść.

Wręczyła mu karteczkę z zamówieniem, którą Ricky przypiął na kole, a potem wydał Katie jeden z zamówionych wcześniej posiłków. Zaniosła talerz odpowiedniemu gościowi i postawiła przed nim na stoliku.

Lokal U Ivana stanowił swego rodzaju miejscową instytucję — był restauracją, która działała nieprzerwanie od prawie trzydziestu lat. Katie zaczęła już rozpoznawać stałych klientów, toteż przechodząc wśród stolików, przesunęła wzrokiem po znajomych, szukając spojrzeniem obcych. Dostrzegała wiele par; jedne flirtowały, inne traktowały się obojętnie.

Dużo rodzin. Nie zauważyła nikogo, kto by tu nie pasował, i nikt nigdy o nią nie pytał, a jednak bywały sytuacje, gdy ręce zaczynały jej się trząść. Ciągle też jeszcze sypiała przy włączonym świetle.

Jej krótkie włosy były teraz kasztanowe. Farbowała je nad kuchennym zlewem w małym domku, który wynajmowała. Nie malowała się i wiedziała, że policzki ma rumiane, może nawet za bardzo. Pamiętała, że powinna kupić krem z filtrem przeciwsłonecznym, lecz po uiszczeniu czynszu i innych opłat nie pozostawało jej dużo pieniędzy na luksusy. Nawet krem z filtrem przekraczał obecnie jej możliwości. W restauracji U Ivana miała dobrą pracę i cieszyła się z tego, lecz jedzenie było tam niedrogie, więc i napiwki — niewielkie. Ponieważ w ostatnich czterech miesiącach jadała głównie ryż, fasolkę, makaron czy owsiankę, schudła. Wyczuwała pod koszulką żebra, a jeszcze kilka tygodni temu miała ciemne kręgi pod oczami i myślała, że nigdy nie znikną.

— Tamci faceci chyba ci się przyglądają — powiedziała Melody, kiwając głową w stronę stolika, który zajmowali czterej przedstawiciele studia filmowego. — Szczególnie ten brunet. Przystojniak.

— Och — mruknęła Katie.

Zaparzyła dzbanek kawy. Melody cechował przykry zwyczaj przekazywania dalej wszystkich otrzymanych informacji, toteż zwykle mówiła jej bardzo niewiele.

— No co? Uważasz, że nie jest przystojny?

— Naprawdę nie zauważyłam.

— Jak możesz nie wiedzieć, czy facet ci się podoba?

Melody wpatrywała się w nią z niedowierzaniem.

— Nie wiem — odparła Katie.

Podobnie jak Ricky, Melody była parę lat młodsza od Katie, na oko liczyła sobie jakieś dwadzieścia pięć. Kasztanowe włosy i zielone oczy kokietki. Spotykała się z niejakim Steve'em, który rozwoził towary ze znajdującego się po drugiej stronie miasta marketu budowlanego. Jak wszyscy inni pracownicy restauracji, Melody dorastała w Southport, nazywając miasteczko rajem dla dzieci, rodzin i ludzi starszych, a równocześnie najposępniejszym na ziemi miejscem dla samotnych. Co najmniej raz na tydzień opowiadała Katie o planowanej przeprowadzce do Wilmington, gdzie mieściły się bary, kluby i było znacznie więcej sklepów. Najwyraźniej wiedziała wszystko o wszystkich. Katie czasem myślała, że w rzeczywistości Melody jest z zawodu plotkarą.

— Słyszałam — zmieniła temat — że Ricky chciał się z tobą umówić, ale go przegoniłaś.

— Nie lubię się spotykać z facetami z pracy.

Udawała, że jest zajęta układaniem srebrnych tac.

— Mogłybyśmy umówić się na podwójną randkę — nalegała Melody. — Ricky i Steve łowią razem ryby.

Katie zastanowiła się, czy to Ricky podsunął dziewczynie ten pomysł, czy też sama na niego wpadła. Może jedno i drugie. Wieczorami, po zamknięciu restauracji, większość członków personelu zostawała jeszcze na kilka piw. Wszyscy oprócz Katie pracowali w lokalu U Ivana od lat.

— Nie sądzę, żeby to był dobry pomysł — sprzeciwiła się Katie.

— Dlaczego?

— Miałam raz kiepskie doświadczenia — tłumaczyła się. — To znaczy, kiedy spotykałam się z pewnym facetem z pracy... Od tamtej pory wyznaję zasadę, żeby nie powtarzać tego błędu.

Melody przewróciła oczami, po czym pospieszyła do jednego ze swoich stolików. Katie zaniosła dwa rachunki i zabrała puste talerze. Jak zawsze starała się być ciągle w ruchu, ciągle skutecznie pracować i nie rzucać się w oczy. Głowę trzymała spuszczoną i stale sprawdzała, czy stanowisko kelnerskie jest nieskazitelnie czyste. W ten sposób dzień mijał szybciej. Nie zamierzała flirtować z filmowcem, toteż wychodząc, nawet się nie obejrzał.

Pracowała na różne zmiany — czasem w porze lunchu, czasem wieczorami. Kiedy zapadał zmierzch, uwielbiała obserwować, jak barwa nieba na zachodnim horyzoncie zmienia się z błękitnej, przez szarą, w pomarańczowożółtą. O zachodzie słońca woda skrzyła się, a burty żaglówek przechylały w wiejącej bryzie. Igiełki na sosnach błyszczały. Gdy tylko słońce zachodziło za horyzont, Ivan włączał grzejniki na propan, których zwoje zaczynały się jarzyć niczym halloweenowe latarnie z wydrążonych dyń. Katie nieco zbyt mocno opaliła się dziś na twarzy, toteż pod wpływem bijącego od grzejnika gorąca czuła bolesne ukłucia na skórze.

Wieczorami Melody i Ricky'ego zastępowali Abby i Duży Dave. Abby była stale chichoczącą licealistką, a Duży Dave gotował w lokalu U Ivana obiady niemal od dwudziestu lat. Był żonaty, miał dwoje dzieci, a na prawym przedramieniu zrobił sobie tatuaż przedstawiający skorpiona. Ważył dobrze ponad sto trzydzieści kilo, a w kuchni twarz wiecznie mu błyszczała. Dla wszystkich osób wymyślał przezwiska, ją nazywał Katie Kat.

Ruch w porze kolacyjnej trwał aż do dwudziestej pierwszej. Kiedy malał, Katie sprzątała i zamykała stanowisko kelnerskie. Wraz z pomocnikami zanosiła talerze do zmywarki, podczas gdy ostatnie stoliki w jej rewirze pustoszały. Dzisiaj przy jednym z nich siedziała młoda para, a ponieważ mężczyzna i kobieta trzymali się za ręce nad stolikiem, Katie zauważyła obrączki na ich palcach. Oboje byli atrakcyjni i szczęśliwi, toteż przez moment doświadczyła déjà vu. Była kiedyś taka jak oni — kiedyś, dawno temu i zaledwie przez chwilę. Tak w każdym razie myślała obecnie, gdyż szybko odkryła, że chwilowe szczęście jest jedynie ułudą. Odwróciła się teraz od niczego nieświadomych małżonków, żałując, że nie potrafi na zawsze wymazać złych wspomnień. Nigdy więcej nie chciałaby się czuć tak źle jak w tej chwili.

2

Następnego ranka wyszła na werandę z filiżanką kawy. Deski pod jej gołymi stopami zaskrzypiały. Oparła się o balustradę. W miejscu, gdzie niegdyś znajdowała się rabata, wśród traw rosły lilie, toteż podnosząc filiżankę i wypijając łyk, Katie równocześnie delektowała się aromatem kwiatów. Dobrze jej się tutaj mieszkało. Southport było zupełnie inne niż Boston, Filadelfia czy Atlantic City — miasta wypełnione odgłosami ruchu ulicznego, zapachami i ludźmi, którzy pospiesznie przemierzali chodniki. W dodatku po raz pierwszy w życiu Katie miała dom, który mogła nazwać własnym. Nie był zbyt duży, ale mieszkała w nim sama, stał z dala od głównej drogi i to jej wystarczało. Stanowił jeden z dwóch identycznych budyneczków, które niegdyś były chatkami myśliwskimi o drewnianych ścianach. Postawiono je na końcu żwirowej dróżki, wtulonej w dębowo-sosnowy zagajnik rosnący na skraju lasu, który ciągnął się aż do wybrzeża. Salon i kuchnia domu były małe, a w sypialni brakowało szafy, lecz pomieszczenia były umeblowane, łącznie z fotelami bujanymi na frontowej werandzie, czynsz zaś naprawdę niski. Budynek był w dobrym stanie, choć zakurzony, ponieważ przez lata stał pusty, toteż właściciel zaproponował, żeby Katie trochę ogarnęła i odnowiła pokoje, deklarując się równocześnie, że sam dostarczy materiały. Z tego też względu odkąd się wprowadziła, poświęciła sporo wolnego czasu na sprzątanie i remont, klęcząc lub wspinając się na krzesła. Wyszorowała łazienkę, aż lśniła, umyła sufit wilgotną szmatką, przetarła okna ściereczką nasączoną octem i spędziła wiele godzin na czworakach, ze wszystkich sił starając się usunąć rdzę i brud z linoleum w kuchni. Wypełniła otwory w ścianach gipsem, a następnie tarła powierzchnię papierem ściernym tak długo, aż ją idealnie wygładziła. Pomalowała ściany w kuchni na wesoły żółty odcień, szafki natomiast ożywiła błyszczącą białą farbą. Sypialnia była teraz jasnoniebieska, salon zaś — beżowy, a w ubiegłym tygodniu kupiła nową narzutę na kanapę, toteż mebel wyglądał niemal jak nowy.

Po wykonaniu dużej partii pracy lubiła popołudniami usiąść na frontowej werandzie i poczytać jedną z książek, które wypożyczyła z biblioteki. Poza kawą czytanie było jej jedyną przyjemnością. Nie posiadała telewizora, radia, telefonu komórkowego, kuchenki mikrofalowej ani nawet samochodu, a wszystkie swoje rzeczy mogła spakować w jedną torbę. Miała dwadzieścia siedem lat, włosy, niegdyś blond, farbowane i obcięte i była bez choćby jednego prawdziwego przyjaciela. Gdy przeprowadzała się tutaj, nie posiadała prawie nic, a i teraz, kilka miesięcy później, wciąż miała niewiele. Oszczędzała połowę napiwków i co noc wkładała pieniądze do puszki po kawie, którą ukryła w niskim korytarzyku pod werandą. Trzymała te pieniądze na czarną godzinę i wolałaby chodzić głodna, niż je tknąć. Czuła się lepiej już dzięki samej świadomości, że istnieją, ponieważ nigdy nie zapomniała, co jej się przydarzyło, i wiedziała, że zło w każdej chwili może powrócić. Ktoś jej szukał i gniew tej osoby z każdym dniem rósł.

— Dzień dobry! — zawołał jakiś głos, wyrywając ją z zadumy. — Pewnie jesteś Katie.

Odwróciła się. Na zapadającej się werandzie sąsiedniego domu dostrzegła kobietę o długich, niesfornych brązowych włosach. Machała do niej. Wyglądała na jakieś trzydzieści pięć lat i nosiła dżinsy oraz zapinaną koszulę, której rękawy zawinęła do łokci. W jej lokach połyskiwały okulary przeciwsłoneczne. Trzymała mały dywanik i wyraźnie zastanawiała się, czy go wytrzepać, aż w końcu zrezygnowała, odrzuciła go na bok i ruszyła ku Katie. Przemieszczała się energicznie i z lekkością osoby, która regularnie się gimnastykuje.

— Irv Benson powiedział mi, że będę miała sąsiadkę.

Właściciel, pomyślała Katie.

— Nie zdawałam sobie sprawy, że obok mnie ktoś się wprowadził.

— Och, on również był zaskoczony. Na wieść, że chcę tu zamieszkać, o mało nie spadł z krzesła. — Kobieta dotarła do werandy Katie i wyciągnęła rękę. — Przyjaciele nazywają mnie Jo — dodała.

— Witaj — odparła Katie, ściskając jej dłoń.

— Co za pogoda, prawda? Jest cudownie, no nie?

— Piękny poranek — zgodziła się z nią Katie, przestępując z nogi na nogę. — Kiedy się wprowadziłaś?

— Wczoraj po południu. A wówczas, żeby nie było zbyt fajnie, przez większą część nocy kichałam. Miałam wrażenie, że Benson zebrał cały kurz, jaki zauważył, po czym zmagazynował go w moim domu. Nie uwierzyłabyś, jak tam jest.

Katie kiwnęła głową ku drzwiom.

— U mnie było tak samo.

— Trudno uwierzyć. Wybacz, ale nie mogłam się powstrzymać i zajrzałam z kuchni w twoje okna. U ciebie jest jasno

20

i wesoło. A ja najwyraźniej wynajęłam zakurzony, wypełniony pająkami loch.

— Pan Benson pozwolił mi przemalować.

— Wyobrażam sobie. Benson na pewno i mnie pozwoli, jeśli tylko nie będzie musiał ruszyć palcem. Odwalę za niego całą robotę, a on dostanie ładny, czysty domek. — Posłała sąsiadce cierpki uśmieszek. — Jak długo tu mieszkasz?

Katie skrzyżowała ramiona na piersi, czując, że poranne słońce zaczyna ogrzewać jej twarz.

— Prawie dwa miesiące.

— Nie jestem pewna, czy wytrzymam tutaj tak długo. Jeśli stale będę kichać tak jak ubiegłej nocy, prawdopodobnie szybko odpadnie mi głowa. — Sięgnęła po okulary i zaczęła wycierać szkła dołem koszuli. — Jak ci się podoba Southport? Inny świat, nie sądzisz?

— Co masz na myśli?

— Sądząc po akcencie, nie pochodzisz stąd. Raczej z Północy? — Katie po chwili kiwnęła głową. — Tak właśnie pomyślałam — kontynuowała Jo. — A tutaj... Trzeba czasu, aby się przyzwyczaić. Wiesz, zawsze kochałam Southport, ale ja mam słabość do małych miasteczek.

— Pochodzisz stąd?

— Dorastałam tu, potem wyjechałam, ale w końcu wróciłam. Stara historia, prawda? Zresztą nigdzie indziej nie znajdziesz równie zakurzonych domów.

Katie uśmiechnęła się i przez moment obie milczały. Jo stała bez ruchu, prawdopodobnie czekając na jakiś gest towarzyszki. A Katie wypiła łyk kawy, spojrzała na drzewa i w tym momencie przypomniała sobie o manierach.

— Napijesz się kawy? Właśnie zaparzyłam.

Jo podniosła okulary przeciwsłoneczne i ponownie wsunęła sobie we włosy.

21

— Miałam nadzieję, że mnie zaprosisz. Z wielką chęcią napiję się kawy. Moja kuchnia jest jeszcze praktycznie w pudłach, a samochód oddałam do warsztatu. Masz pojęcie, jak to jest zacząć dzień bez kofeiny?

— O tak.

— No cóż, musisz wiedzieć, że jestem naprawdę uzależniona od kawy. Szczególnie potrzebuję jej, gdy czeka mnie rozpakowywanie. Wspomniałam ci, że nie cierpię tego robić?

— Chyba nie.

— To jedna z czynności, których najbardziej nie lubię. Męczy mnie ciągłe decydowanie, gdzie włożyć kolejną rzecz, którą wyjmuję, i stałe potykanie się o rupiecie. Ale nie martw się... Nie należę do osób, które wiecznie proszą o pomoc. Jednak kawa...

— Wejdź, proszę. — Katie zaprosiła ją gestem do środka. — Tylko pamiętaj, że większość mebli już tutaj była. — Katie weszła do kuchni, wyjęła z szafki filiżankę i nalała do niej kawy aż po brzeg, po czym wręczyła ją Jo. — Wybacz, nie mam ani śmietanki, ani cukru.

— Wystarczy czarna i gorzka — zapewniła ją Jo, odbierając filiżankę. Zanim wypiła łyk, podmuchała płyn. — No dobrze, teraz będę poważna — powiedziała po chwili. — Odtąd jesteś najlepszą przyjaciółką, jaką mam. Kawa jest świetna.

— Dzięki — odparła Katie.

— Więc... Benson mówił, że pracujesz U Ivana...

— Jestem kelnerką.

— Czy Duży Dave nadal tam gotuje? — Gdy Katie skinęła głową, Jo kontynuowała: — Zaczął pracować w lokalu, jeszcze zanim poszłam do liceum. Wciąż wymyśla dla wszystkich przezwiska?

— Tak — przyznała.

— A Melody? Ciągle opowiada, jacy przystojni są niektórzy klienci?

— Na każdej zmianie.

— A Ricky? Nadal podrywa nowe kelnerki? — Kiedy Katie ponownie pokiwała głową, Jo się roześmiała. — Ten lokal nigdy się nie zmieni.

— Pracowałaś tam?

— Nie, ale Southport to małe miasto, a restauracja U Ivana jest tutaj powszechnie znana. Poza tym jeśli dłużej pomieszkasz w miasteczku, zrozumiesz, że w Southport nie istnieją sekrety. Wszyscy znają sprawy wszystkich, a niektóre osoby, jak, powiedzmy... Melody... podnoszą plotkę do rangi sztuki. Kiedyś doprowadzało mnie to do szaleństwa. Tyle że połowa mieszkańców Southport jest taka sama. Nie ma tutaj zbyt dużo do roboty poza plotkowaniem.

— A jednak wróciłaś.

Jo wzruszyła ramionami.

— Tak, no cóż. Co mogę powiedzieć? Może lubię się wściekać. — Wypiła kolejny łyk kawy i wskazała na okno. — Wiesz, gdy mieszkałam w Southport, nawet nie zdawałam sobie sprawy z istnienia tych dwóch domów.

— Właściciel powiedział mi, że nocowali tu myśliwi. Zanim zaczął te domy wynajmować, należały praktycznie do lasu.

Jo potrząsnęła głową.

— Nie mogę uwierzyć, że tu zamieszkałaś.

— Ty przecież też — wytknęła jej Katie.

— Tak, ale rozważyłam ten pomysł tylko ze względu na ciebie, ponieważ wiedziałam, że nie będę jedyną kobietą mieszkającą na końcu żwirowej drogi pośrodku pustki. Jesteś tu dość odizolowana.

Oto, dlaczego tak bardzo się ucieszyłam, że mogę coś takiego wynająć, pomyślała Katie.

— Nie jest tak źle — powiedziała na głos. — Do tej pory już się przyzwyczaiłam.

— Mam nadzieję, że i ja się przyzwyczaję — odparła Jo. Dmuchała na kawę, usiłując ją schłodzić. — Ale powiedz... Dlaczego właściwie przyjechałaś do Southport? Jestem pewna, że nie przywiodła cię do nas emocjonująca perspektywa kariery w restauracji U Ivana. Masz jakąś rodzinę w miasteczku? Rodziców? Braci? Siostry?

— Nie — odparła Katie. — Jestem sama.

— Przyjechałaś tutaj z powodu jakiegoś faceta?

— Nie.

— Po prostu... przeprowadziłaś się tu, i już?

— Tak.

— Do diabła, dlaczego właśnie tutaj?!

Katie nie odpowiedziała. Te same pytania zadawali jej wcześniej Ivan, Melody i Ricky. Wiedziała, że pytają bez ukrytych motywów, że przemawia przez nich tylko naturalna ciekawość, a mimo to nigdy nie była całkiem pewna, co powiedzieć i jaki inny powód poza prawdziwym mogłaby podać.

— Po prostu potrzebowałam miejsca, w którym mogłabym zacząć wszystko od nowa.

Jo wypiła kolejny łyk kawy, na pozór rozważając odpowiedź sąsiadki, lecz — co zaskoczyło Katie — nie zadała żadnych dalszych pytań; skinęła jedynie głową.

— To ma sens — oznajmiła. — Czasami człowiek musi zacząć wszystko od początku. Osobiście uważam, że to godne podziwu. Wielu osobom brakuje odwagi, która jest do tego potrzebna.

— Tak sądzisz?

— Wiem o tym — zapewniła. — Więc jakie masz plany na dziś? Podczas gdy ja będę jęczeć, rozpakowując kartony i sprzątając, aż obetrę sobie dłonie do żywego mięsa.

24

— Później pracuję. Ale poza tym niewiele. Muszę pod-
skoczyć do sklepu i kupić parę rzeczy.

— Wybierasz się do Fisher's czy pojedziesz do miasta?

— Tylko do Fisher's — odparła Katie.

— Spotkałaś właściciela? Siwego faceta?

Katie kiwnęła głową.

— Raz czy dwa razy.

Jo skończyła pić kawę i wstawiła filiżankę do zlewu, po
czym westchnęła.

— No dobra — bąknęła bez entuzjazmu. — Dość od-
suwania tego, co nieuniknione. Jeśli nie zacznę teraz, nigdy
nie skończę. Życz mi powodzenia.

— Powodzenia.

Jo pomachała lekko.

— Miło było cię poznać, Katie.

*

Z okna w kuchni Katie widziała, jak Jo trzepie dywanik,
który wcześniej odłożyła. Wyglądała na osobę całkiem przy-
jazną, ale Katie nie była pewna, czy jest już gotowa na tak
bliskie sąsiedztwo innej osoby. Chociaż może byłoby przyjemnie móc co jakiś czas odwiedzić sąsiadkę, przyzwyczaiła się
do samotności.

Z drugiej strony wiedziała, że wybierając na miejsce zamieszkania małe miasto, nie może liczyć na to, iż dobrowolne
odosobnienie będzie trwać wiecznie. Pracowała przecież,
robiła zakupy i chodziła po ulicach, a niektórzy z klientów
w restauracji już ją rozpoznawali. Musiała zresztą przyznać,
że pogawędka z Jo sprawiła jej prawdziwą przyjemność.
Z jakiegoś powodu czuła, że sąsiadka jest kimś więcej, niż
można by pomyśleć w pierwszej chwili. Wydawała jej się...
godna zaufania, choć nie potrafiłaby wyjaśnić, skąd wzięło

25

się w niej to wrażenie. Jo również była samotną kobietą, co stanowiło niewątpliwy plus. Katie wolała nie myśleć, jak by zareagowała, gdyby do sąsiedniego domu wprowadził się mężczyzna, i zadała sobie pytanie, dlaczego nigdy nawet nie brała pod uwagę takiej ewentualności.

Umyła w zlewie obie filiżanki po kawie, potem wstawiła je do szafki kuchennej. Czynność ta była tak naturalna, że na chwilę jej myśli całkowicie wypełniły wspomnienia życia, które zostawiła za sobą. Ręce zaczęły jej się trząść, więc zacisnęła dłonie w pięści, po czym wzięła kilka głębokich wdechów i wreszcie przestała drżeć. Przed dwoma miesiącami nie zdołałaby tego dokonać; nawet jeszcze dwa tygodnie temu nie umiała nad sobą zapanować. Chociaż ucieszyła się, że potrafi już oddalić ataki lęku, z drugiej strony jednak fakt ten oznaczał, że zaczęła czuć się bezpiecznie w miasteczku, i ta myśl ją przestraszyła. Ponieważ człowiek, który ma poczucie bezpieczeństwa, traci czujność, a Katie nigdy nie mogła sobie na coś takiego pozwolić.

Tak czy inaczej cieszyła się, że trafiła właśnie do Southport. Była to mała, stara, zamieszkana przez kilka tysięcy osób miejscowość zlokalizowana przy ujściu rzeki Cape Fear do kanału zwanego Wewnętrzną Przybrzeżną Drogą Wodną. W miasteczku były chodniki, duże, rzucające cień drzewa i kwiaty, które bez trudu przyjmowały się w piaszczystej glebie. Z gałęzi drzew zwisały oplątwy brodaczkowate nazywane potocznie brodami starca, a pomarszczone pnie porastało kudzu. Katie z przyjemnością przyglądała się dzieciom, które jeździły na rowerach i grały na ulicach w piłkę, zachwycała się też licznymi kościołami pobudowanymi niemal na każdym rogu. Wieczorami odzywały się świerszcze i żaby, a wtedy znajdowała potwierdzenie, że wybrała właściwe miejsce. Naprawdę czuła się tu bezpiecznie, jak gdyby Southport samo ją przywołało, obiecując schronienie.

Włożyła jedyną posiadaną parę butów — rozpadające się converse'y.

Komoda w dużym stopniu pozostała pusta, w kuchni zaś niemal nie było jedzenia, a jednak gdy Katie wyszła z domu i w blasku słońca skierowała się do sklepu, pomyślała, że to jest jej dom.

Głęboko do płuc zaczerpnęła haust powietrza pachnącego hiacyntami i świeżo skoszoną trawą.

Wiedziała, że tak szczęśliwa nie była od lat.

3

Jego włosy posiwiały, kiedy miał niewiele ponad dwadzieścia lat, co stało się powodem dobrodusznych żartów ze strony przyjaciół. W dodatku zmiana nie dokonała się ani powoli, ani stopniowo — kilka srebrzystych włosów tu czy tam — lecz niemal nagle. Można by rzec, że w styczniu jednego roku Alex Wheatley miał czuprynę czarnych włosów, a dokładnie rok później na jego głowie nie został niemal żaden ciemny włos. Co ciekawe, jego dwóm starszym braciom ten los został oszczędzony i dopiero w ostatnich paru latach w ich bokobrodach pojawiły się srebrzyste pasma. Ani matka Alexa, ani ojciec nie potrafili wytłumaczyć przyczyny jego przedwczesnej siwizny; z tego, co wiedzieli, w obu rodzinach nie było przykładu podobnego wybryku natury.

O dziwo, Alex nigdy nie przejmował się tym stanem rzeczy. •Czasami podejrzewał, że w wojsku siwe włosy wręcz pomogły mu w awansie. Pracował w Dowództwie Dochodzeń Kryminalnych Sił Lądowych, stacjonował w Niemczech oraz w Gruzji i spędził dziesięć lat w wydziale kryminalnym, gdzie prowadził śledztwa w sprawie popełnianych przez żołnierzy przestępstw, poczynając od samowolnego oddalenia od jednostki, przez kradzieże z włamaniem, przemoc w rodzinie, po gwałty, a nawet morderstwa. Awansował regularnie, aż w końcu odszedł na emeryturę jako trzydziestodwuletni major. Po zakończeniu kariery wojskowej przeprowadził się do Southport, rodzinnego miasta żony. Byli świeżo po ślubie i spodziewali się pierwszego dziecka, toteż początkowo zamierzał ubiegać się o pracę jako stróż prawa, wówczas jednak teść postanowił odsprzedać mu rodzinny interes.

Chodziło o staroświecki wiejski sklepik, który mieścił się w budynku o białych drewnianych ścianach, miał niebieskie okiennice, werandę o spadzistym dachu i ławeczkę przed wejściem, obok drzwi. Tego typu sklepy prosperowały dawno temu i obecnie nie zostało ich wiele. Nad sklepikiem znajdowało się mieszkanie. Jedną ścianę budynku zacieniała potężna magnolia, a przed wejściem z kolei rósł dąb. Jedynie połowę parkingu pokrywał asfalt, druga natomiast była żwirowa, lecz parking i tak rzadko pozostawał pusty. Teść Alexa otworzył ten sklepik jeszcze przed narodzinami córki Carly, w czasach, kiedy wokół mieściły się głównie farmy, wiedział jednak doskonale, czego mogą potrzebować farmerzy, a ponieważ pragnął zaoferować wszystko, co przyjdzie im do głowy kupić, w sklepie produktów było mnóstwo i panował tu prawdziwy chaos. Alex myślał podobnie jak teść i prowadził sklep w sposób niemal identyczny. Na ciągnących się w pięciu czy sześciu rzędach półkach leżały zatem artykuły spożywcze i przybory toaletowe, a lodówki o szklanych frontach przepełnione były najrozmaitszymi napojami bezalkoholowymi, wodą oraz piwem i winem, poza tym — jak w każdym innym sklepie ogólnospożywczym — mieściło się tu kilka stojaków z chipsami, słodyczami i wszelkimi gatunkami śmieciowego jedzenia, które ludzie kupują w ostatniej chwili, przed kasami. Na tym jednak podobieństwo się kończyło. W sklepie można było bowiem również znaleźć bogate wyposażenie dla wędkarzy, łącznie ze świeżą przynętą, a także grill obsługiwany przez Rogera Thompsona, niegdyś maklera z Wall Street, który przeniósł się do Southport w poszukiwaniu prostszego życia. Roger przygotowywał na grillu hamburgery, kanapki i hot dogi, które klienci spożywali przy stolikach. W sklepie Alexa można było również wypożyczyć filmy na DVD, kupić różne rodzaje amunicji, kurtki przeciwdeszczowe i parasole oraz kilkanaście powieści — bestsellery lub klasykę. Poza tym były tu świece zapłonowe do aut, paski klinowe do wentylatorów i kanistry na benzynę, a Alex dorabiał klucze, gdyż dysponował stojącym na zapleczu odpowiednim urządzeniem. Miał trzy dystrybutory paliwa oraz czwarty na nabrzeżu — dla łodzi, które poza przystanią mogły zatankować jedynie tutaj. Rzędy słoików z ogórkami konserwowymi, paczuszki prażonych orzeszków ziemnych i koszyki ze świeżymi warzywami czekały blisko lady.

Co zaskakujące, Alex bez trudu uzupełniał zapasy. Niektóre produkty schodziły regularnie, inne nie. Podobnie jak teść miał całkiem niezłe wyczucie, czego potrzebuje osoba wchodząca do sklepu. Zawsze zauważał i zapamiętywał szczegóły, których inni ludzie nie dostrzegali — cecha ta niezmiernie mu pomagała w trakcie lat pracy w dochodzeniówce. Ostatnio bez ustanku ulepszał stan magazynu, próbując nadążyć za zmiennymi gustami klientów.

Nigdy nie wyobrażał sobie, że będzie prowadził sklep, lecz była to dobra decyzja, choćby dlatego, że miał oko na dzieci. Josh chodził już do szkoły, ale Kristen zacznie naukę dopiero jesienią, toteż dziewczynka spędzała całe dnie wraz z ojcem w sklepie. Bawiła się za ladą, gdzie — bystra i gadatliwa — wydawała się najszczęśliwsza. Chociaż miała zaledwie pięć lat, umiała już obsłużyć kasę i wydać resztę, tyle że chcąc dosięgnąć przycisków, musiała wspinać się na dziecięcy podest. Alexa nieodmiennie bawiły miny nieznajomych klientów, gdy Kristen zaczynała podliczać ceny ich zakupów.

A jednak nie było to idealne dzieciństwo dla osóbki w jej wieku, nawet jeśli córeczka nie znała innego. Ilekroć uczciwie zastanawiał się nad własnym życiem, musiał szczerze przyznać, że zajmowanie się sklepem i opieka nad dziećmi pochłaniały całą jego energię. Czasami czuł, że nie starczy mu sił na wszystko — przygotowanie lunchu Joshowi i odwiezienie chłopca do szkoły, zamawianie towarów, spotkania ze sprzedawcami, obsługę klientów... A równocześnie musiał się starać, aby Kristen nigdy się nie nudziła. Tak wyglądał dzień, a wieczory Alex spędzał — jak czasami sądził — jeszcze bardziej pracowicie. Bardzo pragnął jak najdłużej przebywać z dziećmi i oddawać się wraz z nimi ich ulubionym zajęciom, organizował więc wyprawy rowerowe, puszczał latawce lub łowił ryby z Joshem. Tyle że Kristen lubiła bawić się lalkami, wycinać albo rysować, a Alex nigdy nie był dobry w zajęciach przedszkolnych. Jeśli dodać do tego przygotowanie kolacji i sprzątanie domu, pod wieczór ledwie trzymał się na nogach. Na dodatek nawet gdy dzieci w końcu leżały w łóżkach, nie mógł odpocząć, ponieważ zawsze pozostawało jeszcze coś do zrobienia. Alex nie był właściwie pewny, czy w ogóle potrafi się odprężyć.

Dzieci spały, a on spędzał wieczory samotnie. Chociaż znał prawie wszystkich mieszkańców miasta, miał niewielu prawdziwych przyjaciół. Pary, do których wraz z Carly chodzili czasem na grilla lub kolację, powoli, lecz niewątpliwie oddalały się od niego. Częściowo z jego winy, gdyż praca w sklepie i wychowanie dzieci zabierały mu mnóstwo czasu, nierzadko jednak miał wrażenie, że znajomi czują się przy nim nieswojo, jak gdyby swoją obecnością przypominał im, że los jest nieprzewidywalny i straszny i że wszystko, co dobre, może w jednej chwili runąć niczym domek z kart.

Jego życie było męczące i nierzadko samotnicze, nie przestawał się jednak koncentrować na Joshu i Kristen. Chociaż rzadziej niż kiedyś, to jednak zarówno syn, jak i córka miewali jeszcze od czasu do czasu nocne koszmary związane ze śmiercią matki. Kiedy dzieci budziły się w środku nocy, szlochając żałośnie, Alex trzymał je w ramionach i szeptał, że wszystko będzie dobrze, aż wreszcie ponownie zapadały w sen. Od razu po pogrzebie spotkali się z psycholożką. Dzieci kreśliły wówczas rysunki i opowiadały o swoich uczuciach. Te spotkania nie pomogły w takim stopniu, jakiego Alex oczekiwał. Koszmary śniły się obojgu prawie przez rok. Gdy rysował coś wraz z Kristen albo łowił z Joshem, nagle któreś z dzieci cichło i wiedział, że tęsknią za mamą. Kiedy Kristen czasami mówiła dziecinnym, drżącym głosikiem, a łzy spływały jej po policzkach, niemal słyszał, jak pęka mu serce, wiedział bowiem, że nic, co zrobi dla córki lub jej powie, nie pomoże. Psycholożka zapewniała go, że dzieci są odporne i jeśli czują się kochane, przestaną śnić koszmary, a i płakać będą znacznie rzadziej. Czas pokazał, że kobieta miała rację, teraz jednak Alex musiał stawić czoło kolejnej stracie. Na myśl o niej ogarniała go rozpacz. Wiedział, że dzieciom z każdym miesiącem jest łatwiej, ponieważ związane z matką wspomnienia powoli, lecz nieuchronnie bledną. Były bardzo małe, gdy umarła — czterolatek i trzylatka — co oznaczało, że nadejdzie taki dzień, w którym matka stanie się dla nich bardziej pojęciem niż osobą. To było oczywiście nieuniknione, lecz nie czuł się dobrze z myślą, że zapomną głos Carly lub jej czuły dotyk, gdy brała je na ręce, albo przestaną pamiętać, jak ogromnie je kochała.

Nie zrobił żonie zbyt wielu zdjęć. Zazwyczaj to właśnie

ona sięgała po aparat, wskutek czego w domu znajdowały się tuziny jego fotografii z dziećmi. Tylko na kilku widniała Carly i chociaż starał się codziennie opowiadać o niej Joshowi i Kristen i często pokazywał im jej zdjęcia w albumie, podejrzewał, że te historie w końcu staną się dla nich właśnie tylko i wyłącznie historiami, niczym więcej. Emocje związane z matką były jak zamki z piasku, które fale zmywają do morza. Podobnie działo się z portretem Carly, który wisiał w jego sypialni. Został wykonany w pierwszym roku małżeństwa i mimo jej protestów. Cieszył się, że go ma. Na fotografii wyglądała pięknie i była tą niezależną, upartą kobietką, która podbiła niegdyś jego serce, toteż nocami, kiedy dzieci już spały, czasem wpatrywał się w jej podobiznę i doświadczał sprzecznych uczuć. Ale Josh i Kristen ledwie zauważali portret.

Alex myślał o Carly często i tęsknił za jej towarzystwem i przyjaźnią, która ich połączyła, stając się podstawą miłości. W chwilach szczerości odkrywał, że pragnie nowego związku. Był samotny, chociaż rzadko przyznawał się do tego uczucia nawet przed sobą. Przez pierwsze miesiące po śmierci Carly nie potrafił sobie wyobrazić, że inna kobieta mogłaby pojawić się w jego życiu, a możliwości pokochania kogoś zupełnie nie brał pod uwagę. Nawet rok po pogrzebie nie dopuszczał do siebie takich myśli. Ból był wciąż zbyt świeży, wspomnienia chwil cierpienia za bardzo żywe. Ale kilka miesięcy temu Alex zabrał dzieci do akwarium i kiedy stali przed zbiornikiem z rekinami, nawiązał rozmowę z pewną atrakcyjną kobietą. Tak jak on przyprowadziła dzieci i tak jak on nie miała na palcu obrączki. Jej dzieci były w tym samym wieku co Josh i Kristen, a gdy tak stały we czworo, wskazując ryby, kobieta roześmiała się z jakiegoś jego żartu, on zaś poczuł do niej lekki pociąg, przypominający mu, co stracił wraz ze śmiercią ukochanej żony. Pogawędka dobiegła końca i po prostu się rozeszli, lecz w drodze do wyjścia Alex zobaczył kobietę jeszcze raz. Pomachała mu, toteż przez chwilę zastanawiał się, czy nie pobiec za nią do samochodu i nie poprosić o numer telefonu. Nie zrobił tego jednak, a ona minutę później wyjechała z parkingu. Nigdy więcej jej nie zobaczył.

Tamtej nocy czekał na falę wyrzutów sumienia i żalu, lecz — co dziwne — niczego takiego nie poczuł. Wcale nie miał wrażenia, że postąpił niewłaściwie! Wręcz przeciwnie, było mu... dobrze. Nie czuł się świetnie czy wspaniale, ale całkiem dobrze, więc uprzytomnił sobie, że rana na jego sercu najwyraźniej zaczyna się wreszcie goić. Nie oznaczało to naturalnie, że gotów jest rzucić się na oślep w nowe życie. Co ma być — będzie. A jeśli nic się nie zdarzy? Trudno. Postanowił poczekać, aż spotka właściwą kobietę, która nie tylko na nowo wniesie radość w jego świat, lecz także — równie mocno jak on — pokocha jego dzieci. Szybko wszakże zdał sobie sprawę z tego, że w miasteczku szanse znalezienia takiej kobiety są niewielkie. Southport było zbyt małe. Prawie wszystkie znane mu przedstawicielki płci przeciwnej były mężatkami, emerytkami lub uczęszczały do jednej z lokalnych szkół. Singielek w odpowiednim wieku było niedużo, a cóż dopiero szukać wśród nich takiej, która zechce wziąć sobie na głowę dodatkowy ciężar w postaci czyichś dzieci. A inna sytuacja oczywiście nie wchodziła w grę. Może Alex czuł się samotny, może potrzebował kobiecego towarzystwa, nie zamierzał jednak zaspokajać swoich potrzeb kosztem dzieci. Dość już przeszły, biedactwa. I zawsze będą dla niego najważniejsze.

A jednak... jakiś czas temu pojawiła się pewna kobieta. Zainteresowała go, chociaż nie wiedział o niej niemal nic, jedynie tyle, że mieszka sama. Od początku marca przychodziła do jego sklepu raz czy dwa razy na tydzień. Gdy zobaczył ją po raz pierwszy, była blada, wymizerowana i koszmarnie chuda. W normalnej sytuacji całkowicie by ją zignorował. Przejeżdżający przez miasto ludzie często wpadali do jego sklepu po jakiś napój, benzynę czy przekąskę; rzadko widywał takie osoby ponownie. Nieznajoma kobieta niczego takiego nie kupiła; podeszła do rzędu z produktami spożywczymi z opuszczoną głową, jakby próbowała wtopić się w tło, niczym cień w ludzkiej postaci. Na nieszczęście dla niej, zupełnie jej się to nie udało. Była zbyt atrakcyjna, aby mogła pozostać niezauważona. Miała na oko pod trzydziestkę i kasztanowe włosy nieco nierówno ścięte nad ramionami. Dzięki wydatnym kościom policzkowym i okrągłym, szeroko rozstawionym oczom wydała mu się elegancka i jednocześnie dość delikatna, mimo braku makijażu.

Przy kasie zauważył, że z bliska jest jeszcze ładniejsza. Oczy miała zielonkawoorzechowe ze złotymi plamkami, a jej krótki, nerwowy uśmiech zniknął równie szybko, jak się pojawił. Na ladzie położyła wyłącznie podstawowe artykuły: kawę, ryż, owsiankę, makaron, masło orzechowe i przybory toaletowe. Alex wyczuł, że rozmowa ją krępuje, więc zaczął w milczeniu wstukiwać ceny jej towarów. Nagle po raz pierwszy usłyszał jej głos.

— Ma pan jakąś suchą fasolę? — spytała.

— Nie, przykro mi — odparł. — Zazwyczaj nie miewam żadnej w sprzedaży.

Pakując jej zakupy, zauważył, że kobieta patrzy przez okno i w zamyśleniu przygryza dolną wargę. Z jakiegoś powodu miał dziwne wrażenie, że klientka zaraz się rozpłacze...

Odchrząknął.

— Jeśli chciałaby pani kupować fasolę regularnie, chętnie zamówię. Proszę tylko powiedzieć, jaki gatunek pani preferuje.

— Nie chcę pana trudzić — odpowiedziała głosem niewiele głośniejszym od szeptu.

Zapłaciła banknotami o niskim nominale, wzięła torbę i wyszła ze sklepu. Zaskoczyło go, że opuściła parking na piechotę, a gdy uświadomił sobie, że nie przyjechała samochodem, jego ciekawość jedynie wzrosła.

W następnym tygodniu zaczął sprzedawać fasolę. Zamówił trzy gatunki: odmianę pinto, czerwoną i półksiężycowatą, chociaż tylko po jednym woreczku każdego gatunku, toteż następnym razem, gdy kobieta weszła, ostentacyjnie wspomniał, że fasola leży na dolnej półce w narożniku, tuż obok ryżu. Nieznajoma przyniosła do kasy wszystkie trzy woreczki i spytała Alexa, czy ma może przypadkiem cebulę. Wskazał dość dużą paczkę cebul obok drzwi, lecz kobieta pokręciła głową.

— Potrzebna mi tylko jedna sztuka — szepnęła z niepewnym, skruszonym uśmiechem.

Kiedy odliczała banknoty, trzęsły jej się ręce. I znowu odeszła na piechotę.

Od tamtej pory w sklepie zawsze znajdowała się fasola, cebulę można było kupić na sztuki, a klientka w następnych tygodniach przychodziła na zakupy mniej więcej regularnie. Chociaż ciągle cicha, w miarę upływu czasu wydawała mu się mniej krucha i mniej zdenerwowana. Jej ciemne kręgi pod oczami stopniowo znikały, a podczas ostatniego okresu dobrej pogody opaliła się lekko. Przytyła też trochę — niezbyt dużo, lecz wystarczająco, aby rysy jej twarzy złagodniały. Głos również miała silniejszy i chociaż nie okazywała żadnego zainteresowania Alexem, zdołała czasem wytrzymać jego spojrzenie nieco dłużej, zanim w końcu odwracała wzrok. Nie posuwali się poza dialog składający się z pytania: „Znalazła pani wszystko, czego pani potrzebuje?" i jej odpowiedzi:

„Tak, dziękuję panu", ale kobieta przestała uciekać ze sklepu jak zaszczuty jeleń; czasami kręciła się trochę wśród półek, a gdy była sama z Kristen, zaczynała rozmowę z małą. W takiej sytuacji Alex po raz pierwszy zauważył, że potrafiła się rozluźnić i otworzyć. Jej zrelaksowana postawa i szczery uśmiech sugerowały miłość do dzieci, w dodatku Alexowi przemknęło przez głowę, że widzi teraz kobietę taką, jaka była dawniej i jaka może będzie kiedyś znowu, o ile zmienią się okoliczności. Kristen także doceniła szczerość klientki, gdyż po jej wyjściu oznajmiła ojcu, że ma nową przyjaciółkę, która nazywa się panna Katie.

Na razie jednak Katie nie czuła się równie zrelaksowana w jego towarzystwie. W ubiegłym tygodniu, tuż po lekkiej i łatwej pogawędce Katie z Kristen dostrzegł, że kobieta czyta opisy na tylnych okładkach powieści, które sprzedawał. Nie kupiła żadnej książki, toteż kiedy odeszła od półek, Alex bezceremonialnie spytał, czy ma ulubionego autora, i wówczas zobaczył w jej oczach błysk dawnej nerwowości. Uderzyła go myśl, że nie powinien przyznawać się klientce do tego, iż ją obserwował.

— Och, mniejsza o to — dodał szybko. — Nieważne.

W drodze do drzwi Katie zatrzymała się jednak na moment z torbą na ręce i na wpół odwróciła się w jego stronę.

— Lubię Dickensa — wyszeptała.

Potem otworzyła drzwi, wyszła i ruszyła w zwykłym kierunku.

Od tamtej pory Alex dumał o niej coraz częściej, ale w sposób niezbyt konkretny, choć intrygowała go jej tajemniczość. Wiedział, że chciałby poznać Katie lepiej, niestety, nie miał pojęcia, jak się do tego zabrać. Oprócz roku, gdy zabiegał o względy Carly, w sprawach damsko-męskich radził sobie raczej kiepsko. W trakcie nauki w college'u, pomiędzy pływaniem i zajęciami na uczelni miał mało czasu na spotkania z kobietami. Jako wojskowy skupiał się głównie na karierze zawodowej, toteż pracował wiele godzin dziennie, a wraz z każdym awansem przenoszono go w inne miejsce. Chociaż umówił się w tamtym okresie z kilkoma kobietami, były to przeważnie przelotne romanse, które zaczynały się i kończyły w sypialni. Czasami, gdy wspominał tamten okres, ledwie rozpoznawał w sobie mężczyznę, którym wówczas był, i uprzytamniał sobie, że zmieniła go Carly. Tak, czasami było mu trudno i czuł się opuszczony. Tęsknił za żoną i chociaż nigdy nikomu o tym nie mówił, w niektórych momentach mógłby przysiąc, że naprawdę wciąż czuje jej bliską obecność. Carly strzegła go i równocześnie próbowała zapewnić, że wszystko będzie dobrze.

*

Z powodu pięknej pogody w sklepie panował większy ruch niż zazwyczaj w niedzielę. Kiedy Alex otwierał drzwi o siódmej rano, na włączenie dystrybutorów z paliwem już czekały trzy łodzie przywiązane do nabrzeża. Podczas płacenia za benzynę właściciele łodzi jak zwykle ładowali nabyte przekąski, napoje i woreczki z lodem. Roger — który zawsze obsługiwał grill — odkąd założył fartuch, nie miał ani minuty przerwy, a przy wszystkich stolikach panował tłok, gdyż ludzie jedli hot dogi i cheeseburgery, wypytując przy okazji o wskazówki dotyczące grania na giełdzie.

Zazwyczaj Alex stał za kasą aż do południa, kiedy zmieniała go Joyce, której pomoc — podobnie jak Rogera — znacznie ułatwiała mu prowadzenie sklepu. Joyce do emerytury pracowała w administracji hrabstwa. Teść Alexa zatrudnił ją dziesięć lat temu, toteż można by rzec, że Alex odziedziczył ją razem z biznesem. A teraz, choć przekroczyła już siedemdziesiątkę, nie objawiała żadnych oznak starzenia. Jej mąż umarł wiele lat wcześniej, a dzieci się usamodzielniły, toteż Joyce traktowała klientów jak członków rodziny. Była dla sklepu niemal tak samo ważna jak artykuły na półkach.

W dodatku doskonale rozumiała, że Alex pragnie spędzać z dziećmi jak najwięcej czasu z dala od sklepu, chętnie więc zgadzała się zastępować go w pracy w niedziele. Ilekroć weszła, zawsze natychmiast stawała za kasą i oddalała Alexa, a z tonu bardziej przypominała szefową niż pracownicę. Często również zajmowała się dziećmi i była jedyną zaufaną osobą, pod której opieką mógł je pozostawić, gdy musiał wyjechać z miasta. Zdarzało się to jednak niezwykle rzadko (dokładniej mówiąc, w przeszłości jedynie dwukrotnie — parę lat temu, kiedy spotkał się z dawnym kumplem w Raleigh), co nie zmieniało faktu, iż uważał Joyce za prawdziwy dar od losu, jeden z najlepszych, jakie otrzymał w życiu. Mógł na nią liczyć zawsze, kiedy najbardziej jej potrzebował.

Czekając teraz na jej przyjście, przeszedł sklep, sprawdzając półki. System komputerowy świetnie się przydawał przy liczeniu zapasów, lecz Alex wiedział, że szeregi liczb nie zawsze odzwierciedlają całą prawdę. Czasami czuł, że więcej wie, jeśli faktycznie przejrzy półki i sprawdzi, które towary sprzedały się poprzedniego dnia. Jeśli sklep ma prosperować, trzeba dbać o gusta klientów, co oznaczało, że Alex czasami wprowadzał do sprzedaży produkty, których nie miały inne sklepy. Można było zatem u niego dostać domowe dżemy i galaretki, „sekretne" mieszanki przypraw w proszku do wołowiny i wieprzowiny, był także szeroki wybór lokalnych owoców i warzyw w puszkach. Nawet osoby, które regularnie robiły zakupy w Food Lion albo w Piggly Wiggly, często wpadały po drodze do domu po regionalne specjały, które Alex starał się zawsze mieć na półkach.

Bardziej niż rzeczywista wielkość sprzedaży liczył się dla niego dokładny moment, w którym konkretny towar się sprzedał, co niekoniecznie uwidaczniało się w liczbach. Zauważył na przykład, że bułki na hot dogi szczególnie dobrze sprzedają się w weekendy, dość rzadko za to w dni robocze, a z bochenkami zwykłego chleba było zaś dokładnie odwrotnie. Od dnia, w którym Alex zauważył ten szczegół, potrafił zwiększać ilości pieczywa wtedy, kiedy było to potrzebne, i w ten sposób sprzedaż rosła. Były to drobiazgi, lecz zapewniały mu utrzymanie małego biznesu w stanie płynności finansowej, obecnie bowiem markety należące do sieci handlowych doprowadzały do bankructwa większość małych sklepów.

Przeglądając dziś półki, zastanawiał się, jakie zajęcia dla dzieci wymyślić na popołudnie, i postanowił zabrać je na wycieczkę rowerową. Carly uwielbiała, gdy sadzali i przypinali maluchy w wózku rowerowym, a potem jeździli wraz z nimi po całym mieście. Alex wiedział jednak, że samą przejażdżką nie wypełni dzieciom popołudnia. Chyba że pojechaliby do parku... Może Joshowi i Kristen spodoba się tam.

Szybko zerknął ku frontowym drzwiom, upewniając się, że nie nadchodzi żaden klient, po czym pospiesznie przeszedł magazyn na tyłach i wystawił głowę na zewnątrz. Josh łowił ryby na nabrzeżu, oddając się zajęciu, które było zdecydowanie jego ulubionym. Alexowi nie podobało się, że synek jest tam sam — nie miał wątpliwości, że niektóre osoby uznałyby go za złego ojca, ponieważ na to pozwalał — lecz Josh zawsze pozostawał w zasięgu kamery wideo połączonej z monitorem, który wisiał za kasą. Chłopiec wiedział, że nie wolno mu się oddalać, i nigdy nie łamał tej zasady. Kristen jak zwykle siedziała przy stoliku za kasą w rogu pomieszczenia. Rozdzielała ubranka na kilka kupek i wyglądała na zadowoloną, przebierając lalkę z jednego stroju w inny. Za każdym razem, gdy skończyła, patrzyła na ojca z bystrą, niewinną minką i pytała, czy podoba mu się lalka w nowym zestawie, jak gdyby istniała możliwość, że Alexowi któraś kreacja może się nie spodobać.

Och, te małe dziewczynki! Potrafią zmiękczyć najtwardsze serce.

Ustawiał właśnie przyprawy, kiedy usłyszał brzęk dzwonka zawieszonego nad frontowymi drzwiami. Podniósłszy głowę nad rząd półek, zobaczył, że do sklepu wchodzi Katie.

— Dzień dobry, panno Katie! — zawołała Kristen, wyskakując zza kasy. — Jak pani zdaniem wygląda moja lalka?

Z miejsca, w którym Alex stał, ledwie widział czubek głowy córki nad ladą, ale zauważył, że Kristen trzyma... hm... Vanessę? Rebeccę? Jakkolwiek lalka o brązowych włosach miała na imię, dziewczynka pokazywała ją Katie.

— Jest piękna, Kristen — odrzekła kobieta. — Czy to nowa sukienka?

— Nie, ma ją już od jakiegoś czasu. Ale nie nosiła jej ostatnio.

— Jak ma na imię?

— Vanessa.

Vanessa, pomyślał Alex z ulgą. Kiedy będzie chwalił Vanessę później, jego akceptacja zabrzmi bardziej jak słowa zainteresowanego ojca.

— Ty ją tak nazwałaś?

— Nie, miała już imię. A może mi pani pomóc włożyć jej botki? Jakoś sobie nie radzę.

Alex przypatrywał się, jak Kristen wręcza lalkę Katie, która natychmiast zaczęła się męczyć z delikatnymi plastikowymi bucikami. Wiedział z doświadczenia, że włożenie ich jest znacznie trudniejsze, niż może się wydawać na pierwszy rzut oka, i mała dziewczynka ma niewielkie szanse na wykonanie zadania wymagającego takiej precyzji. Jemu udawało się je w końcu włożyć, choć nie bez kłopotów, natomiast Katie poradziła sobie naprawdę bez problemu.

— Jak wygląda? — spytała kobieta, oddając lalkę.

— Doskonale — zapewniła ją Kristen. — Sądzi pani, że powinna mieć jeszcze płaszczyk?

— Nie, nie jest aż tak zimno.

— Wiem, ale Vanessa czasem się przeziębia. Chyba powinnam ubrać ją w płaszcz. — Głowa dziewczynki zniknęła za kontuarem, ponownie pojawiając się po chwili. — Który pani zdaniem? Niebieski czy fioletowy?

Katie podniosła palec do ust i przybrała poważną minę.

— Myślę, że fioletowy powinien pasować.

Dziewczynka skinęła głową.

— Myślę tak samo. Dziękuję.

Katie uśmiechnęła się, po czym się odwróciła, a Alex szybko skupił uwagę na półkach, zanim kobieta przyłapie go na obserwacji. Przesunął słoiki z musztardą i cieszył wzrok widokiem półki. Kątem oka dostrzegł, że Katie podnosi mały koszyk na zakupy i idzie ku innemu rzędowi.

Skierował się z powrotem za kasę. Kiedy Katie go zobaczyła, pomachał jej przyjaźnie.

— Dzień dobry — zagaił.

— Dzień dobry. — Usiłowała wsunąć za ucho kosmyk włosów, lecz były zbyt krótkie. — Muszę tylko kupić kilka rzeczy.

— Proszę mnie powiadomić, jeśli nie będzie mogła pani czegoś znaleźć. Czasami przekładam produkty w inne miejsce.

Kiwnęła głową i poszła dalej, wzdłuż rzędu. Alex wszedł za kasę i zerknął na monitor. Josh łowił ryby dokładnie tam, gdzie wcześniej, a do nabrzeża dopływała powoli jakaś łódź.

— Jak uważasz, tatusiu?

Kristen szarpnęła jego nogawkę, równocześnie podnosząc lalkę.

— No, no, no! Wygląda pięknie. — Kucnął obok niej. — Bardzo mi się podoba ten płaszczyk. Vanessa czasami się przeziębia, prawda?

— Tak — przyznała Kristen. — Ale powiedziała mi, że chce iść na huśtawki, więc prawdopodobnie się przebierze.

— To całkiem dobry pomysł — zauważył. — Może wszyscy poszlibyśmy później do parku? Jeśli i ty chcesz się pohuśtać.

— Nie, nie ja chcę się huśtać, tylko Vanessa. Zresztą to wszystko i tak jest tylko na niby, tatusiu.

— Ach tak — mruknął. — No tak.

Wstał. Skreślamy zatem pomysł z pójściem do parku, pomyślał.

Zagubiona we własnym świecie Kristen ponownie zaczęła rozbierać lalkę. Alex sprawdził na monitorze, co robi Josh. W tym momencie do sklepu wszedł nieznajomy nastolatek tylko w szortach. Wręczył Alexowi plik banknotów.

— Zatankowaliśmy w doku. To za paliwo — powiedział, po czym wybiegł ze sklepu.

Alex akurat wbijał kwotę, gdy przy kasie zjawiła się Katie. Kupowała te same produkty co zawsze oraz tubkę kremu z filtrem przeciwsłonecznym. Zerknęła nad kontuarem na Kristen i Alex znów zauważył dziwną barwę jej oczu.

— Znalazła pani wszystko, czego pani szukała?

— Tak, dziękuję panu.

Zaczął pakować jej torbę.

— Moja ulubiona powieść Dickensa to *Wielkie nadzieje* — ciągnął. Próbował mówić przyjaznym, towarzyskim tonem, nie przestając wkładać towarów do reklamówki. — A pani którą lubi najbardziej?

43

Przez chwilę nic nie mówiła, mało tego — wyglądała na zaskoczoną, że Alex pamięta jej odpowiedź dotyczącą Dickensa.

— Opowieść o dwóch miastach — odrzekła w końcu cicho.

— Ja również ją lubię. Ale jest smutna.

— Tak — przyznała Katie. — Właśnie dlatego mi się podoba.

Ponieważ Alex wiedział, że kobieta wróci na piechotę, włożył jej zakupy do podwójnej torby.

— Pomyślałem, że skoro poznała już pani moją córkę, pewnie i ja powinienem się przedstawić — kontynuował. — Jestem Alex. Alex Wheatley.

— Ona nazywa się panna Katie — zaszczebiotała siedząca za nim Kristen. — Ale mówiłam ci wcześniej, pamiętasz?

Zerknął przez ramię na córeczkę. Kiedy się odwrócił, kobieta z uśmiechem wręczała mu pieniądze.

— Po prostu Katie — poprosiła.

— Miło mi cię poznać, Katie. — Stuknął w klawisze i szuflada kasy wysunęła się z brzękiem. — Zakładam, że mieszkasz gdzieś w okolicy?

Nie odpowiadała, więc spojrzał na nią i zobaczył, że jej oczy rozszerzają się z przerażeniem. Odwrócił się, chcąc ustalić, co dostrzegła na monitorze za jego plecami. Josh był w wodzie, w panice straszliwie machając rękami! Alex poczuł, że strach nagle ściska go za gardło. Instynktownie wypadł zza lady i przebiegł sklep, a później magazyn. Pchnął drzwi i wpadł na stosy papierowych ręczników, które spadły na wszystkie strony, lecz nie zwolnił.

W końcu znalazł się za sklepem. W jego żyłach szalała adrenalina, kiedy przeskakiwał rząd krzewów, aby skrócić sobie drogę do doków. Na drewniane deski wpadł w pełnym biegu. Z nabrzeża zobaczył Josha dławiącego się w wodzie i bezradnie młócącego ramionami.

Z sercem walącym w piersi skoczył do wody i znalazł się zaledwie parę metrów od synka. Woda nie była tu głęboka — chyba poniżej dwóch metrów — lecz kiedy Alex dotknął stopami miękkiego mułu dna, zapadł się weń aż po golenie. Machał rękami i nogami, starając się jak najszybciej wrócić na powierzchnię, aż wreszcie dotarł do chłopca i chwycił go.

— Mam cię! — krzyknął. — Mam cię!

Ale Josh wciąż się szamotał i kaszlał, wyraźnie nie mogąc złapać oddechu, toteż Alex równocześnie starał się go uspokoić i przemieścić wraz z nim na płytszą wodę. Wreszcie, dzięki ogromnym wysiłkom, zdołał zanieść Josha na trawiasty nasyp, szaleńczo rozmyślając, co powinien teraz zrobić — wykonać sztuczne oddychanie, płukanie żołądka, a może masaż serca? Chciał, żeby syn leżał spokojnie, ten jednak gwałtownie stawiał mu opór. Wciąż walczył z ojcem i krztusił się, lecz Alex, chociaż nadal bał się o niego, odzyskał przytomność umysłu i wiedział, że chłopcu prawdopodobnie nic już nie grozi.

Nie wiedział, jak długo trwała cała akcja, prawdopodobnie zaledwie kilka sekund (chociaż odnosił wrażenie, że znacznie dłużej), aż wreszcie syn zakaszlał sucho, wycharczał wodę i po raz pierwszy zrobił normalny wdech. Josh ostro wciągnął powietrze do płuc i znów zakaszlał. Kolejna próba wdechu również skończyła się atakiem kaszlu, tym razem jednak odgłos przypominał raczej odchrząkiwanie. Chłopiec zaczerpnął powietrza jeszcze kilka razy, długo, ciągle w panicznym strachu, a wtedy nagle przypomniał sobie, co się zdarzyło.

Wyciągnął ręce do ojca, a Alex objął go mocno i przytulił. Wtedy malec zaczął płakać, ramionka mu drżały, a mężczyzna poczuł mdłości na samą myśl, jak ten wypadek mógł się zakończyć. Co by się stało, gdyby nie zauważył, że Katie wpatruje się w monitor? Co by było, gdyby upłynęła jeszcze minuta lub dwie? Pod wpływem tych pytań zaczął dygotać równie mocno jak Josh.

W tym samym momencie chłopiec przestał płakać i wypowiedział pierwsze słowa, odkąd Alex wyniósł go z wody.

— Przepraszam, tatusiu — wydukał.

— I ja ciebie przepraszam — wyszeptał w odpowiedzi, wciąż tuląc synka, jakby bał się, że jeśli wypuści go z ramion, czas się cofnie, lecz tym razem rezultat akcji ratunkowej będzie zupełnie inny.

Kiedy w końcu wypuścił Josha z objęć, dostrzegł tłum za sklepem. Był tam Roger, goście, którzy jedli przy stolikach, a także parę innych osób, prawdopodobnie nowi, dopiero co przybyli klienci. W grupie ludzi zauważył też Kristen. Nagle znowu poczuł bezradność samotnego ojca, widział bowiem, że mała płacze i boi się. Córeczka także go potrzebowała, na szczęście w tym momencie była bezpieczna w ramionach Katie.

*

Dopiero kiedy obaj z Joshem przebrali się w suche ubrania, Alex zdołał odtworzyć bieg zdarzeń. Roger przygotował dzieciom hamburgery i frytki, a później całą grupą usiedli przy stole obok grilla, tyle że żadne z nich nie miało ochoty jeść.

— Żyłka zaczepiła się o coś, kiedy odpływała tamta łódź, a ja nie chciałem stracić wędki. Myślałem, że żyłka zaraz się odczepi, ale szarpnęła i wpadłem do wody, a potem za dużo się jej napiłem. Nie mogłem oddychać i bałem się, bo woda mnie wciągała. — Josh się zawahał. — Chyba wypuściłem wędkę i została w rzece.

Siedząca obok brata Kristen wciąż miała czerwone, podpuchnięte od płaczu oczy. Poprosiła Katie, żeby została z nią przez jakiś czas, toteż kobieta aż do tej chwili jej towarzyszyła i nawet teraz trzymała ją za rękę.

— Nic nie szkodzi. Pójdę jej potem poszukać, a jeśli nie znajdę, zdobędę dla ciebie nową. Ale obiecaj mi, że następnym razem w takiej sytuacji od razu puścisz wędkę, dobrze?

Josh pociągnął nosem i skinął głową.

— Naprawdę przepraszam — bąknął.

— To był wypadek — zapewnił go ojciec.

— Ale teraz już nigdy nie pozwolisz mi łowić.

Miałbym znów zaryzykować, że go stracę? — pomyślał Alex. Nie ma mowy! Zamiast tego głośno powiedział:

— Porozmawiamy o tym później, dobrze?

— A jeśli przyrzeknę, że następnym razem na pewno od razu ją puszczę?

— Jak powiedziałem, porozmawiamy o tym później. Na razie może coś zjesz?

— Nie jestem głodny.

— Wiem. Jest jednak pora obiadu i musisz coś zjeść.

Josh sięgnął po frytkę, ugryzł ją i zaczął mechanicznie żuć. Jego siostra zrobiła to samo. Przy stole prawie zawsze naśladowała brata. Zazwyczaj doprowadzała go tym do szału, dziś jednak chłopiec nie miał chyba siły zaprotestować.

Alex odwrócił się do Katie. Nagle zdenerwowany przełknął ślinę.

— Mogę pomówić z tobą przez minutkę? — Kiedy wstała od stołu, poprowadził ją z dala od dzieci. Wreszcie znaleźli się w takiej odległości, że ani Josh, ani Kristen nie mogli ich usłyszeć, a wtedy Alex odchrząknął i powiedział: — Chcę podziękować ci za to, co zrobiłaś.

— Niczego szczególnego nie zrobiłam — zaprotestowała.

— Ależ tak — upierał się. — Zrobiłaś bardzo wiele. Gdybyś nie popatrzyła na monitor, w ogóle bym nie odkrył, co się dzieje, i może nie dotarłbym do synka na czas. — Przerwał na moment. — Dziękuję ci również za opiekę nad Kristen. To najsłodsza istota na świecie, ale jest bardzo wrażliwa. Cieszę się, że nie zostawiłaś jej samej i nie uciekłaś. Nawet kiedy ja i Josh poszliśmy się przebrać.

— Każdy na moim miejscu zrobiłby to samo — odparowała Katie. W milczeniu, które zapadło, nagle wyraźnie uprzytomniła sobie, jak blisko mężczyzny stoi, i natychmiast cofnęła się o pół kroku. — Teraz jednak naprawdę powinnam już pójść.

— Poczekaj — poprosił Alex. Ruszył ku chłodniejszej części magazynu na tyłach sklepu. — Lubisz wino? — spytał.

Skinęła głową.

— Czasami, ale...

Zanim zdążyła dokończyć zdanie, Alex odwrócił się i otworzył skrzynkę, z której wyjął butelkę chardonnay.

— Proszę — powiedział. — Chcę, żebyś je przyjęła. To naprawdę bardzo dobre wino. Wiem, może trudno ci uwierzyć, że w takim sklepiku można znaleźć dobre wina, ale widzisz, podczas pobytu w wojsku zaprzyjaźniłem się z człowiekiem, dzięki któremu wiele wiem o winie. Jest koneserem amatorem, lecz świetnie się zna na trunkach i do dziś je dla mnie wybiera. Na pewno będzie ci smakowało.

— Nie musisz mi go dawać.

— To najmniejszy dowód wdzięczności, jaki mogę ci ofiarować. — Uśmiechnął się. — Proszę, weź je jako podziękowanie.

Po raz pierwszy, odkąd ją poznał, wytrzymała jego spojrzenie.

— Dobrze — zgodziła się ostatecznie.

Zabrała zakupy i wyszła ze sklepu, a Alex wrócił do stołu. Po wielu prośbach i namowach Josh i Kristen kończyli lunch, on tymczasem poszedł na nabrzeże szukać wędki. Gdy wrócił, Joyce zdążyła już włożyć fartuch, Alex mógł więc zabrać dzieci na przejażdżkę rowerową. Później pojechali do Wilmington, gdzie poszli do kina i zjedli pizzę, co wybierał zawsze, ilekroć nie miał innego pomysłu na spędzenie popołudnia z dziećmi. Kiedy wrócili, słońce zachodziło. Byli tak zmęczeni, że od razu umyli się i włożyli piżamy. Alex położył się w łóżku pomiędzy dziećmi i przez godzinę im czytał, po czym wyłączył światło i wyszedł.

W salonie włączył telewizor, wziął pilota i przez chwilę przeskakiwał po kanałach, ale właściwie nie miał ochoty nic oglądać. Zamiast tego pomyślał więc znowu o Joshu i chociaż wiedział, że syn jest bezpieczny w pokoiku na piętrze, ponownie poczuł napływ tego samego strachu, który ogarnął go wcześniej, i miał to samo poczucie niepowodzenia. Tak bardzo się starał i na pewno nikt nie kochał bardziej jego dzieci niż on, nie potrafił jednak pozbyć się wrażenia, że wciąż robi dla nich za mało.

Później, długo po tym jak Josh i Kristen zasnęli, poszedł do kuchni i wyjął z lodówki piwo. Usiadł na kanapie i popijał. Znów zamyślił się nad minionym dniem, tym razem wszakże skupił się na córeczce. Przypomniał sobie, jak kurczowo mała przylgnęła do Katie i niemal przykleiła policzek do szyi kobiety.

Uświadomił sobie, że po raz ostatni widział taki obrazek za życia Carly.

4

Kwiecień zmienił się w maj. Dni mijały jeden po drugim. W restauracji panował coraz większy tłok, a puszka po kawie wypełniała się pieniędzmi z napiwków, ciesząc oko Katie. Już nie panikowała na myśl, że zabraknie jej środków na wyjazd z miasteczka, jeśli będzie musiała uciekać.

Nawet po opłaceniu czynszu i rachunków po raz pierwszy od lat miała pieniądze również na inne wydatki niż jedzenie. Zostawało wprawdzie niewiele, lecz nawet dzięki tej drobnej kwocie czuła się beztroska i wolna. W piątkowy ranek zatrzymała się przy Anna Jean's — sklepie z używanymi ubraniami. Spędziła w nim większą część poranka, ale przymierzyła mnóstwo rzeczy i w końcu kupiła dwie pary butów, kilka par spodni i szortów, trzy modne koszulki z krótkim rękawem oraz bluzki, z których większość była markowa, a wszystkie wyglądały prawie jak nowe. Katie zaskoczyła myśl, że istnieją kobiety posiadające tak wiele bardzo drogich, ładnych ubrań, iż niektóre mogą ofiarować biednym.

Dotarłszy do domu, zauważyła, że Jo wiesza dzwonek wietrzny. Od pierwszego spotkania nie rozmawiały zbyt dużo. Praca Jo, jakakolwiek była, zajmowała sąsiadce mnóstwo czasu, a Katie brała tyle zmian, ile mogła. Którejś nocy dostrzegła, że u Jo palą się światła, ale pora była zbyt późna na odwiedziny, a w ubiegły weekend sąsiadka gdzieś wyjechała.

— Dawno nie rozmawiałyśmy — zagaiła teraz Jo i pomachała.

Postukała w dzwonek wietrzny, który zadźwięczał, po czym ruszyła do niej przez dziedziniec.

Katie dotarła na werandę i postawiła torby.

— Gdzie byłaś? — spytała.

Jo wzruszyła ramionami.

— Wiesz, jak to jest. Wracasz późno w nocy, wychodzisz wcześnie rano, bywasz tu i tam. Przez połowę czasu czuję się tak, jak gdyby wiele osób równocześnie ciągnęło mnie w różne strony. — Wskazała na bujane fotele. — Masz coś przeciwko? Muszę chwilę odsapnąć. Sprzątałam przez cały ranek i właśnie powiesiłam dzwonek. Lubię jego odgłos.

— Wejdź — zaprosiła ją Katie.

Jo usiadła, przeciągnęła się i zadumała.

— Opaliłaś się trochę — oceniła. — Byłaś na plaży?

— Nie — odparła Katie. Odsunęła jedną z toreb, robiąc sąsiadce miejsce. — W ubiegłych tygodniach wzięłam kilka dodatkowych zmian dziennych i pracowałam na tarasie.

— Słońce, woda... czegóż więcej trzeba? Praca w lokalu U Ivana przypomina pewnie wakacje.

Katie się roześmiała.

— Niezupełnie. A co u ciebie?

— Ostatnio ani słońca, ani zabawy. — Kiwnęła głową ku torbom. — Chciałam dziś rano wpaść i poprosić o filiżankę kawy, ale już wyszłaś.

— Pojechałam na zakupy.

— Widzę. Kupiłaś coś fajnego?

— Tak sądzę — przyznała się Katie.

— No cóż, więc nie siedź tak, tylko pokaż mi, co znalazłaś.

— Jesteś pewna?

Jo się roześmiała.

— Mieszkam w małym domku stojącym na końcu żwirowej dróżki gdzieś pośrodku pustki i przez cały ranek myłam kuchenne szafki. Myślisz, że mam inne atrakcje?

Katie wyjęła parę dżinsów i wręczyła je Jo, która obejrzała je z przodu i z tyłu.

— No, no, no! — mruknęła. — Pewnie kupiłaś je w Anna Jean's. Uwielbiam ten sklep.

— Skąd wiesz, że pojechałam do Anna Jean's?

— Ponieważ żaden inny z okolicznych sklepów nie sprzedaje tak pięknych rzeczy. Te spodnie pochodzą z czyjejś szafy i była to szafa bogaczki. Dużo ciuchów z tego sklepu jest praktycznie nowych. — Odkładając dżinsy, przesunęła palcem po szwach na kieszeniach. — Są świetne. Uwielbiam ten model! — Zerknęła ku torbie. — Co tam jeszcze masz?

Katie podawała jej rzeczy jedną po drugiej i słuchała, jak sąsiadka każdą się zachwyca. Kiedy torba opustoszała, Jo westchnęła.

— No dobrze, powiem wprost, jestem zazdrosna. I niech zgadnę: nic podobnego już w tym sklepie nie zostało, zgadza się?

Katie wzruszyła ramionami, nagle zażenowana.

— Wybacz — odparła. — Spędziłam tam nieco czasu.

— No cóż, świetnie zrobiłaś. To same skarby.

Katie skinęła głową ku domowi Jo.

— I jak sobie radzisz? — spytała. — Zaczęłaś malować?

— Jeszcze nie.

— Za dużo zajęć w pracy?

Jo się skrzywiła.

— Prawda jest taka, że gdy skończyłam się rozpakowywać i wysprzątałam dom od podłogi po sufit, chyba wyczerpały mi się zasoby energii. Dobrze, że jesteś moją przyjaciółką, bo dzięki temu mogę przyjść tutaj, gdzie ściany są czyste, ładne i wesołe.

— Zawsze jesteś tu mile widziana.

— Dzięki. Doceniam zaproszenie. Ale niedobry pan Benson ma mi dostarczyć jutro puszki z farbą. Z tego też względu przyszłam dziś do ciebie. Drżę na samą myśl o spędzeniu całego weekendu obryzgana farbą.

— Nie jest tak źle. Pójdzie ci szybko.

— Widzisz te dłonie? — spytała Jo, podnosząc ręce. — Zostały stworzone do gładzenia po plecach jakiegoś przystojniaka. Powinny być zadbane, przyozdobione pierścionkiem z brylantem, a paznokcie wypielęgnowane. Nie pasują do wałka czy pędzla. Ani do innej pracy fizycznej.

Katie zachichotała.

— Chcesz, żebym przyszła i ci pomogła?

— Absolutnie nie! Jestem największą zwolenniczką hasła: „Co powinnaś zrobić dziś, zrób jutro", ale nie myśl, że mam dwie lewe ręce. Wierz mi, naprawdę wiele potrafię.

Nagle stado szpaków niemal równocześnie zerwało się z drzew. Od ruchu bujanych foteli nieznacznie skrzypiały deski werandy.

— A czym się zajmujesz zawodowo? — spytała Katie.

— Jestem kimś w rodzaju psychologa.

— Pracujesz w szkole średniej?

— Nie — odparła, kręcąc głową. — Jestem specjalistką od... żałoby.

— Ach tak... — Katie się zadumała. Przez chwilę wahała się, w końcu wyznała: — Nie jestem pewna, co to znaczy.

Jo wzruszyła ramionami.

53

— Odwiedzam osoby zrozpaczone i próbuję je wesprzeć. Zwykle trafiam do tych, którym umarł ktoś bliski. — Przerwała na moment, a później podjęła ciszej: — Ludzie w żałobie reagują na wiele różnych sposobów, toteż do każdej osoby muszę podchodzić indywidualnie i za każdym razem ustalać, jak mogę dopomóc w akceptacji tego, co się stało... Wiesz, tak na marginesie, nienawidzę tego słowa w tym kontekście, ponieważ nie spotkałam jeszcze nikogo, kto chciałby takie zdarzenie zaakceptować... Ale wiem, co robię, bo mimo iż czasem mam naprawdę dużo pracy, w ostatecznym rozrachunku przyjęcie do wiadomości faktów, choćby częściowe, pomaga ludziom żyć dalej. Chociaż czasami... — Zamilkła. W ciszy, która zapadła, Jo zaczęła zdrapywać z oparcia fotela łuszczący się kawałek lakieru. — Czasami — podjęła — kiedy pracuję z kimś takim, pojawiają się inne kwestie. Akurat ostatnio miałam podobną sprawę. Chcę powiedzieć, że moi pacjenci nierzadko potrzebują także innego typu pomocy...

— Ale ta praca daje chyba satysfakcję.

— Ogromną. Nawet jeśli stawia przede mną potężne wyzwania. — Odwróciła się do Katie. — A ty?

— Wiesz, że pracuję w restauracji U Ivana.

— Tak, lecz nie powiedziałaś mi jeszcze o sobie nic więcej.

— Bo nie ma o czym — zaprotestowała Katie, mając nadzieję, że uda jej się wymigać od odpowiedzi na to pytanie.

— Ależ oczywiście, że jest o czym. Każdy z nas ma jakąś historię. — Odczekała chwilę. — Co na przykład tak naprawdę sprowadziło cię do Southport?

— Już ci mówiłam — jęknęła Katie. — Chciałam zacząć wszystko od nowa.

Jo przypatrywała jej się z uwagą, Katie odnosiła wręcz wrażenie, że przyjaciółka widzi ją na wylot.

— No dobrze — powiedziała w końcu lekkim tonem. — Masz rację. To nie moja sprawa.

— Nie powiedziałam tego...

— Właśnie że powiedziałaś. Tyle że ujęłaś to znacznie uprzejmiej. A ja szanuję twoją reakcję, ponieważ nie powinnam się wtrącać w twoje życie. Rozumiesz jednak na pewno, że mnie jako psychologa natychmiast zastanowiły powody, dla których poczułaś potrzebę rozpoczęcia wszystkiego od nowa. A jeszcze ważniejsze pytanie brzmi, co zostawiłaś za sobą? — Katie poczuła napięcie w ramionach. Jej rozmówczyni najwyraźniej wyczuła, że sąsiadka nie ma ochoty kontynuować tego tematu. — Może zrobimy tak... — zaproponowała już łagodniej. — Zapomnij, że w ogóle zadałam ci to pytanie. Po prostu pamiętaj, że gdybyś kiedyś chciała pogadać, jestem tutaj, okay? Umiem świetnie słuchać, szczególnie zwierzeń przyjaciół. A wierz mi lub nie, rozmowa naprawdę czasami pomaga.

— Może nie potrafię o tym mówić? — wyszeptała bezwiednie Katie.

— Może zatem... Hm, może w takim razie zignoruj fakt, że jestem psychologiem. Jesteśmy zwykłymi przyjaciółkami, a przyjaciele mogą rozmawiać o wszystkim. Na przykład o tym, gdzie się urodziłaś albo co cię uszczęśliwiało, gdy byłaś dzieckiem.

— Czemu to takie ważne?

— Wcale nie jest ważne. I o to chodzi. Nie musimy poruszać żadnego tematu, który ci nie odpowiada.

Katie rozważała przez chwilę słowa Jo, a potem popatrzyła na nią spod przymrużonych powiek.

— Jesteś bardzo dobra w swoim fachu, zgadza się?

— Staram się, jak mogę — przyznała tamta skromnie.

Katie splotła palce na kolanie.

— No dobrze. Urodziłam się w Altoonie — odparła. Jo wygodniej rozparła się w fotelu na biegunach.

— Nigdy tam nie byłam. Ładna miejscowość?

— Jedno z tych starych miast kolejowych — odparła Katie. — Znasz ten typ? Mieszkają w nim dobrzy, pracowici ludzie, którzy marzą jedynie o nieco lepszym życiu. Tak, miejscowość jest ładna, szczególnie jesienią, kiedy liście zaczynają zmieniać barwę. Kiedyś uważałam, że na całym świecie nie ma piękniejszego miejsca. — Spuściła wzrok, na wpół zatopiona we wspomnieniach. — Miałam przyjaciółkę imieniem Emily i razem kładłyśmy drobniaki na torach kolejowych. Gdy pociąg przejechał po monetach, wspinałyśmy się na nasyp i próbowałyśmy je znaleźć, a ilekroć nam się udało, zawsze się dziwiłyśmy, jak to możliwe, że zniknął kompletnie cały grawerunek po obu stronach. Czasami monety były wciąż gorące. Pamiętam, że prawie parzyły palce. Kiedy myślę o moim dzieciństwie, przeważnie przypominają mi się takie małe przyjemności jak ta. — Wzruszyła ramionami, lecz Jo nijak nie skomentowała, chcąc, aby Katie mówiła dalej. — W każdym razie — podjęła zatem — tam chodziłam do szkoły podstawowej, tam też skończyłam liceum. A potem... no nie wiem... Chyba poczułam zmęczenie. Znużyło mnie to wszystko, rozumiesz? Małomiasteczkowe życie, gdzie każdy weekend jest taki sam. Ci sami ludzie bywający na tych samych imprezach, ci sami chłopcy pijący piwo w pick-upach. Zapragnęłam czegoś więcej, ale nie dostałam się do college'u, więc... Krótko mówiąc, skończyłam w Atlantic City. Pracowałam w tym mieście przez jakiś czas, później trochę się przemieszczałam, a teraz, po latach, trafiłam tutaj.

— Do kolejnego miasteczka, w którym każdy dzień wygląda tak samo.

Katie pokręciła głową.

— Nie, tutaj jest inaczej, tutaj czuję się...

Ponieważ wyraźnie się zawahała, Jo dokończyła tę myśl za nią:

— Bezpieczna? — Widok strachu w oczach Katie jawnie zdeprymował Jo. — Nie tak trudno się domyślić — bąknęła. — Jak wspomniałaś, postanowiłaś zacząć wszystko od nowa, a pokaż mi lepsze miejsce na nowy początek niż to! To znaczy... lepsze niż takie, w którym nic nigdy się nie dzieje. — Przerwała na moment. — No cóż, nie jest to cała prawda. Słyszałam, że jakieś dwa tygodnie temu zdarzyło się tutaj coś niezwykłego. Wtedy, gdy byłaś w sklepie.

— Słyszałaś o tym?!

— Southport jest małym miastem. Nie mogłam nie usłyszeć o takim zdarzeniu. Co się właściwie stało?

— Och, coś strasznego. W jednej minucie rozmawiałam z Alexem, a w następnej dostrzegłam na monitorze, co się dzieje. Alex chyba zauważył moją minę i podążył za moim spojrzeniem, ponieważ sekundę później bez słowa mnie minął i przebiegł przez sklep jak błyskawica. Wówczas mała Kristen zerknęła na monitor i wpadła w panikę. Wzięłam ją na ręce i poszłam wraz z nią za jej ojcem. Gdy dotarłam na nabrzeże, Alex właśnie wychodził z wody, niosąc Josha. Naprawdę się cieszę, że chłopiec jest cały i zdrów.

— Ja także. — Jo pokiwała głową. — Co sądzisz o Kristen? Czyż nie jest słodziutka?

— Nazywa mnie panną Katie.

— Uwielbiam tę małą — powiedziała Jo. Przyciągnęła kolana do piersi i objęła je. — Ale nie zaskakuje mnie fakt, że ty i ona tak dobrze się dogadujecie. Ani że szukała u ciebie wsparcia, kiedy się przestraszyła.

— Dlaczego tak mówisz?

— Ponieważ to jest spostrzegawcza dziewczynka. Wie, że masz dobre serce.

Katie przybrała sceptyczną minę.

— Może po prostu bała się o brata, a kiedy jej ojciec wybiegł, zostałam jej tylko ja.

— Masz o sobie zbyt niskie mniemanie. Jak wspomniałam, Kristen jest spostrzegawczą istotką — upierała się Jo. — A jak Alex...? To znaczy... co zrobił później?

— Był wstrząśnięty, ale poza tym chyba czuł się dobrze.

— Często rozmawiałaś z nim od tamtej pory?

Katie obojętnie wzruszyła ramionami.

— Niezbyt. Kiedy przychodzę do sklepu, zawsze jest miły i zamawia towary, których potrzebuję, ale to wszystko.

— Jest w tym dobry — stwierdziła Jo z pełnym przekonaniem.

— Mówisz tak, jakbyś całkiem dobrze go znała.

Jo przez chwilę kołysała się w fotelu.

— Myślę, że tak jest.

Katie czekała na ciąg dalszy, ale sąsiadka milczała.

— Chcesz o tym porozmawiać? — spytała ją niewinnym tonem. — Ponieważ rozmowa czasami pomaga, szczególnie z przyjaciółką.

W oczach Jo pojawiły się iskierki.

— O widzisz, od początku podejrzewałam, że jesteś znacznie przebieglejsza, niż mogłoby się wydawać. Ale żeby mi wytykać moje własne słowa! Powinnaś się wstydzić.

Katie uśmiechnęła się, nie odpowiedziała jednak, dokładnie tak samo, jak zrobiła wcześniej Jo. I, co ją zaskoczyło, osiągnęła zamierzony efekt.

— Nie jestem pewna, ile powinnam powiedzieć — podjęła tamta. — Ale zapewniam cię, że to dobry człowiek. Taki, o którym wiesz na pewno, że postąpi właściwie. Jego dobroć widać choćby po jego stosunku do dzieci, które bardzo kocha.

Katie na moment zacisnęła usta.

— Spotykaliście się kiedyś?

Jo dobierała słowa ostrożnie.

— Tak, lecz może nie w sensie, o jakim myślisz. I żebyśmy się dobrze zrozumiały: to było dawno temu i wszyscy już o tym zapomnieliśmy.

Katie nie do końca zrozumiała to wyjaśnienie, ale nie chciała naciskać.

— Jaka jest jego historia, tak przy okazji? Przypuszczam, że jest rozwiedziony. Nie mylę się, prawda?

— Powinnaś spytać jego, nie mnie.

— Ja? Dlaczego miałabym go pytać?

— Mnie przecież o to zagadnęłaś — odparowała Jo, unosząc brwi. — Co oczywiście oznacza, że Alex cię interesuje.

— Nie interesuje mnie.

— Dlaczego w takim razie zastanawiasz się nad jego życiem?

Katie się nachmurzyła.

— Jak na przyjaciółkę, jesteś niezłą manipulantką.

Jo wzruszyła ramionami.

— Mówię ludziom jedynie to, co już wiedzą, lecz do czego boją się przyznać.

Katie rozważyła jej odpowiedź.

— I żebyśmy się dobrze zrozumiały: oficjalnie wycofuję ofertę pomocy w pomalowaniu twojego domu.

— Przecież sama się zadeklarowałaś.

— Wiem, ale teraz cofam ofertę.

Jo wybuchnęła śmiechem.

— W porządku — powiedziała. — Hej, co robisz dziś wieczorem?

— Dziś pracuję. Właściwie powinnam już chyba zacząć się przygotowywać.

— A jutro wieczorem? Też pracujesz?

— Nie. Mam wolny weekend.

— Może więc przyniosę butelkę wina? Jestem pewna, że będę miała ochotę się napić, a poza tym naprawdę wolałabym nie wdychać oparów farby dłużej, niż trzeba. Zgadzasz się?

— Cóż, może być nawet zabawnie.

— Dobrze. — Jo postawiła stopy na deskach werandy i wstała z fotela. — Jesteśmy umówione.

5

W sobotni poranek niebo było błękitne, lecz wkrótce się zachmurzyło. W narastającym wietrze wirowały i zmieniały kształty szare, gęste chmury. Temperatura zaczęła spadać, więc Katie, wychodząc, wałożyła bluzę od dresu. Sklep Alexa mieścił się nieco ponad trzy kilometry od jej domu, czyli mniej więcej w odległości może półgodzinnego spaceru w miarę szybkim krokiem. Wiedziała, że musi się pospieszyć, jeśli nie chce, by złapała ją burza. Dotarłszy do głównej ulicy, usłyszała dudnienie grzmotu. Zwiększyła tempo marszu, czując, jak powietrze wokół niej gęstnieje. Obok przemknął samochód ciężarowy i z drogi podniósł się kurz, toteż Katie zeszła na piaszczyste pobocze. Pachniało tutaj solą, którą bryza niosła od oceanu. Niebo od czasu do czasu przecinał walczący z silnym wiatrem myszołów rdzawosterny.

Idąc pewnym, równym krokiem, mimowolnie zaczęła rozpamiętywać rozmowę z Jo. Nie wspominała własnych słów, lecz opinie sąsiadki na temat właściciela sklepu. Szybko uznała, że Jo nie rozumie, o czym do niej mówiła. Podczas gdy Katie chciała po prostu pogawędzić, tamta przekręcała jej słowa i interpretowała w sposób, który dla Katie nie miał szczególnego sensu. Zgoda, Alex wydawał się sympatycznym facetem, a Kristen, tak jak sąsiadka wspomniała, była słodką dziewczynką, ale ogólnie rzecz biorąc, Katie nie była zainteresowana tym mężczyzną. Ledwie go przecież znała. Od dnia, kiedy Josh wpadł do rzeki, Katie i Alex nie zamienili więcej niż kilka zdań. Nowy związek był zresztą ostatnią rzeczą, której w tej chwili pragnęła.

Czemu więc odnosiła wrażenie, że Jo próbuje ich wyswatać? Nie była pewna i szczerze mówiąc, fakt ten nie miał dla niej praktycznie znaczenia. Cieszyła się, że sąsiadka wpadnie wieczorem. Ot, dwie przyjaciółki, które razem wypiją trochę wina... Wiedziała, że to nic szczególnego. Inne kobiety, inni ludzie spotykali się przez cały czas. Zmarszczyła czoło. Hm, no może nie widywali się codziennie, lecz większość prawdopodobnie czuła, że w dowolnej chwili może spróbować zorganizować takie spotkanie. Na tym jej zdaniem polegała różnica między nią a nimi. Jak dawno temu po raz ostatni zrobiła coś, co mogłaby nazwać zwyczajnym, normalnym zachowaniem?

Po zastanowieniu przyznała się przed sobą, że tak naprawdę było to chyba w dzieciństwie. Właśnie w owym czasie, gdy kładła monety na tory. Nie była jednak całkowicie szczera w rozmowie z Jo. Nie powiedziała jej, że często wówczas chodziła na nasyp kolejowy, ponieważ pragnęła uciec przed odgłosami kłótni rodziców, przed ich bełkotliwymi głosami i wściekłymi obelgami, którymi się obrzucali. Nie zwierzyła się, że nieraz trafiała w sam środek tych sprzeczek, a kiedy miała dwanaście lat, przypadkiem dostała w głowę ozdobną szklaną kulą z wirującymi śnieżynkami, którą ojciec rzucił w matkę. Została jej blizna po ranie, która krwawiła godzinami, lecz ani matka, ani ojciec nie uznali za konieczne odwiezienia córki do szpitala. Katie nie wyznała też Jo, że ojciec po alkoholu robił się złośliwy, dlatego nigdy nie zapraszała do domu nikogo, nawet Emily. Ani o tym, że nie poszła do college'u, ponieważ rodzice uważali dalszą naukę za stratę czasu i pieniędzy. Ani że wyrzucili ją z domu w dniu, w którym ukończyła liceum.

Pomyślała, że może kiedyś opowie sąsiadce o tych sprawach. A może nie. Te szczegóły nie były wcale takie ważne. Co z tego, że nie miała przyjemnego dzieciństwa? Tak, jej rodzice byli alkoholikami i często bywali bezrobotni, ale poza wypadkiem z kulą nigdy jej nie skrzywdzili. Cóż, nie otrzymała od nich samochodu i nie organizowali jej przyjęć z okazji urodzin, lecz nigdy też nie kładła się do łóżka głodna, a jesienią, niezależnie od tego, jak było im ciężko, miała nowe ubranie do szkoły. Ojciec może nie był najwspanialszym człowiekiem na ziemi, ale nie zakradał się nocami do jej sypialni i nie molestował jej, jak ojcowie niektórych przyjaciółek Katie. Jako osiemnastolatka nie uważała się za osobę zranioną. Trochę może rozczarowała ją sprawa college'u i nie do końca może potrafiła sobie znaleźć miejsce w świecie, nie cierpiała jednak z powodu żadnej strasznej traumy. Radziła sobie. W Atlantic City nie było źle. Poznała tam paru miłych facetów i, teraz sobie przypominała, niejeden wieczór spędziła do późnej nocy, śmiejąc się i gawędząc ze znajomymi z pracy.

Nie, powiedziała sobie, dzieciństwo nie ukształtowało jej i nie miało związku z rzeczywistymi przyczynami, dla których przyjechała do Southport. Chociaż Jo była kimś jej najbliższym w miasteczku, sąsiadka zupełnie nic o niej nie wiedziała. Nikt o niej nic nie wiedział.

*

— Cześć, panno Katie — zapiszczała ze swego stolika Kristen.

Dziś dziewczynka nie bawiła się lalkami, lecz pochylała nad książeczką do kolorowania. W rękach trzymała kredki i pracowała nad obrazkiem przedstawiającym jednorożce i tęcze.

— Witaj, Kristen. Co u ciebie?

— Dobrze. — Mała podniosła wzrok znad kolorowanki. — Dlaczego zawsze przychodzi pani tutaj na piechotę?

Katie zatrzymała się w pół kroku, potem obeszła ladę i przykucnęła obok dziewczynki.

— Ponieważ nie mam samochodu.

— Dlaczego pani nie ma?

Bo nie mam prawa jazdy, pomyślała Katie. A nawet gdybym miała, nie stać by mnie było na auto. A na głos odpowiedziała:

— Powiem ci coś. Pomyślę, czy nie kupić sobie samochodu, w porządku?

— W porządku — zgodziła się Kristen. Podniosła książeczkę. — Co pani sądzi o moim obrazku?

— Jest ładny. Widać, że bardzo się starasz.

— Dziękuję — odparła mała. — Dam go pani, gdy skończę.

— Nie musisz tego robić.

— Wiem — odrzekła z czarującą pewnością siebie. — Ale chcę go pani podarować. Może pani powiesić go sobie na lodówce.

Katie uśmiechnęła się i wstała.

— Dokładnie takie miejsce przyszło mi do głowy.

— Potrzebuje pani pomocy przy zakupach?

— Chyba dziś poradzę sobie sama. A dzięki temu ty możesz dokończyć rysunek.

— Dobrze — zgodziła się dziewczynka.

Biorąc koszyk, Katie zauważyła, że nadchodzi Alex. Pomachał jej, a ona, chociaż taka opinia nie miała podstaw ani sensu, odniosła wrażenie, że tak naprawdę widzi go po raz pierwszy. Chociaż włosy miał siwe, to dostrzegła na jego twarzy jedynie kilka zmarszczek w kącikach oczu, które zresztą wcale go nie postarzały, wręcz przeciwnie — dzięki nim wyglądał bardziej witalnie. Alex miał szerokie ramiona i szczupłą talię, toteż pomyślała, że jest mężczyzną, który nie ma zwyczaju jeść lub pić bez umiaru.

— Witaj, Katie. Jak się miewasz?

— Dobrze, a ty?

— Nie narzekam. — Uśmiechnął się. — Cieszę się, że przyszłaś. Chciałem ci coś pokazać.

Wskazał na monitor, a ona zobaczyła na nim Josha, który siedział na nabrzeżu z wędką w rękach.

— Pozwoliłeś mu tam łowić? — spytała.

— Widzisz kamizelkę, którą nosi?

Zbliżyła się i przypatrzyła, przymrużywszy oczy.

— Kamizelka ratunkowa?

— Trochę się naszukałem takiej, która by nie była ani zbyt duża na niego, ani zbyt ciężka. Ale w końcu znalazłem idealną. Wiesz, tak naprawdę nie mogłem mu zabronić łowienia. Nie masz pojęcia, jak okropnie był nieszczęśliwy. Nie sposób zliczyć, ile razy błagał mnie, żebym zmienił zdanie. Nie mogłem już znieść jego ciągłych próśb i pomyślałem, że kamizelka to zawsze jakieś rozwiązanie.

— Dobrze się w niej czuje?

— Wprowadziłem nową zasadę: albo będzie ją nosił, albo nie będzie łowił. Wydaje mi się jednak, że kompletnie mu nie przeszkadza.

— Czy Josh złowił kiedyś jakąś rybę?

— Nie tyle, ile by chciał, ale tak, czasem jakąś złowi.

— Zjadacie je?

— Czasami. — Skinął głową. — Zazwyczaj jednak syn wrzuca je z powrotem. Nie przeszkadza mu, że być może wielokrotnie łapie tę samą rybę.

— Cieszę się, że znalazłeś rozwiązanie.

— Lepszy ojciec prawdopodobnie wpadłby na taki pomysł wcześniej.

Katie po raz pierwszy spojrzała na niego uważnie.

— Sądzę, że jesteś naprawdę świetnym ojcem.

Przez moment patrzyli sobie w oczy, po czym odwróciła wzrok. Alex, wyczuwając jej skrępowanie, zaczął udawać, że szuka czegoś za ladą.

— Mam coś dla ciebie — powiedział, wyciągając torbę i stawiając ją na kontuarze. — Jest takie małe gospodarstwo rolne, z którym współpracuję. Potrafią w swoich szklarniach wyhodować naprawdę niezwykłe warzywa i owoce. Właśnie wczoraj otrzymałem dostawę świeżych produktów. Pomidory, ogórki, kilka gatunków dyniowatych. Może chciałabyś skosztować? Moja żona przysięgała, że lepszych nigdy nie jadła.

— Twoja żona?

Pokręcił głową.

— Wybacz. Ciągle jeszcze tak o niej mówię. Chodzi o moją zmarłą żonę. Odeszła dwa lata temu.

— Przykro mi — wymamrotała Katie, przypominając sobie rozmowę z Jo.

Spytała wtedy sąsiadkę o przeszłość Alexa, lecz kobieta odparła, że sama powinna go spytać.

Jo najwyraźniej wiedziała, że właściciel sklepu jest wdowcem, lecz zachowała tę informację dla siebie. Dziwne!

Alex nie zauważył, że Katie się zamyśliła.

— Dziękuję ci — podjął przygnębionym tonem. — Była wspaniałą kobietą. Polubiłabyś ją. — Na jego twarzy pojawiła się tęsknota, ale tylko na chwilę. — W każdym razie — dodał w końcu — ręczyła za tych producentów. To farma ekologiczna, rodzina nadal zbiera plony ręcznie. Zwykle wyłożone produkty znikają w przeciągu kilku godzin, ale zostawiłem

trochę dla ciebie, na wypadek gdybyś chciała spróbować. —
Uśmiechnął się. — Przecież jesteś wegetarianką, prawda?
A te przysmaki są wręcz stworzone dla wegetarian, wierz mi.
Katie zmrużyła oczy i popatrzyła na niego bacznie.

— Dlaczego uważasz mnie za wegetariankę?

— A nie jesteś nią?

— Nie.

— Och — bąknął i wcisnął ręce głęboko w kieszenie. —
Mój błąd.

— Nic nie szkodzi — zapewniła go. — Zarzucano mi
gorsze rzeczy.

— Szczerze wątpię.

Nie wątp, odrzekła mu w myślach. A głośno:

— No dobrze. — Kiwnęła głową. — Wezmę te warzywa,
dziękuję ci bardzo.

6

Kiedy Katie robiła zakupy, Alex majstrował przy kasie, obserwując ją kątem oka. Posprzątał ladę, sprawdził, co robi Josh, obejrzał obrazek Kristen i znowu poprawiał przedmioty na ladzie — wszystko po to, aby udawać zapracowanego. W ostatnich tygodniach Katie bardzo się zmieniła. Była już lekko opalona i jej cera nabrała ciepłej świeżości i rumieńca. Równocześnie przestała już się płoszyć na jego widok, czego miał przykład choćby dziś. Nie, nie zadziwiliby świata błyskotliwością rozmowy, lecz początki wyglądały obiecująco, prawda?

Ale początki... czego?

Od pierwszej chwili Alex wyczuwał, że Katie ma jakieś kłopoty, i instynktownie pragnął jej pomóc. No a poza tym dziewczyna była naprawdę ładna mimo kiepskiej fryzury i nieciekawego stroju. Sposób, w jaki pocieszała Kristen tego dnia, gdy Josh wpadł do wody, autentycznie Alexa poruszył. Jeszcze bardziej wstrząsająca była reakcja córeczki. Jego mała dziewczynka wyciągała do tej skądinąd obcej młodej kobiety ręce niczym do matki.

Aż mu się gardło ściskało na wspomnienie, że tak jak on

tęsknił za żoną, tak jego dzieci tęskniły za mamą. Wiedział, że nadal ją opłakują, i z całych sił starał się wynagrodzić im stratę, dopiero jednak widząc Katie i Kristen razem, uprzytomnił sobie, że smutek jest jedynie częścią ich doznań. Samotność dzieci odzwierciedlała jego własną. Zmartwiła go myśl, że wcześniej nie zdawał sobie z tego wszystkiego sprawy.

Co do Katie, to dziewczyna wciąż pozostawała dla niego tajemnicą. Mało o niej wiedział, czegoś mu więc w jej obrazie brakowało, coś go gnębiło. Przyglądał się jej i zastanawiał, kim tak naprawdę jest i co ją sprowadza do Southport. Stała teraz przed chłodnią i wpatrywała się w produkty za szkłem. Pomyślał, że chyba widzi ją tam po raz pierwszy. Zauważył też, że zastanawiając się, co kupić, zmarszczyła brwi, a palcami prawej ręki objęła palec serdeczny lewej, jak gdyby bawiła się pierścionkiem, którego tam nie było. Gest ten był dla niego zarówno swojski, jak i dawno zapomniany.

Tak, ten zwyczaj, czy raczej nerwowy nawyk, dostrzegał u kobiet w trakcie lat pracy w dochodzeniówce — najczęściej tych, których twarze były posiniaczone lub wręcz oszpecone. Podczas rozmów kobiety te nie mogły się powstrzymać i stale dotykały obrączek niczym pęt, które łączyły je z okrutnymi mężami. Zwykle zaprzeczały, że partnerzy je biją, a w tych rzadkich przypadkach, gdy się przyznawały, upierały się zazwyczaj, że mężczyźni nie są winni; twierdziły wręcz, że same ich sprowokowały. Mówiły Alexowi, że przypaliły obiad albo nie pozmywały naczyń. Albo że mąż był pijany. I zawsze, zawsze, te same kobiety przysięgały, że partnerowi zdarzyło się coś takiego po raz pierwszy. Za każdym razem powtarzały mu, że nie chcą wnosić oskarżenia, gdyż zniszczyłyby w ten sposób mężowi karierę. Powszechnie było wiadomo, że w wojsku nie ma zrozumienia dla przemocy domowej.

Zdarzały się również takie kobiety, które — przynajmniej na początku — twierdziły, że pragną oskarżyć męża. A gdy Alex zaczynał pisać raport, pytały, dlaczego robota papierkowa jest ważniejsza od aresztowania. Dlaczego jest ważniejsza niż egzekwowanie przestrzegania prawa. Tak czy owak, on kończył raport, a później — zanim poprosił o podpis — czytał kobiecie jej własne słowa. Nierzadko wtedy opuszczała ją odwaga i Alex miał przed sobą przerażoną istotę, która skrywała lęk pod gniewną fasadą. Wiele ofiar ostatecznie nie podpisywało protokołu z przesłuchania, a te, które podpisywały, później, na widok męża, odwoływały zeznania. A jednak niezależnie od decyzji poszkodowanej sprawy toczyły się dalej normalnym trybem. Tyle że jeśli żona nie zeznawała, sąd ostatecznie wymierzał niewysoką karę. Alex zrozumiał z czasem, że tylko te, które wniosły oskarżenie, naprawdę uwalniały się od mężów, ponieważ wcześniej ich życie było więzieniem, nawet jeżeli większość z nich nigdy by się do tego nie przyznała.

Istniał wszakże jeszcze inny sposób ucieczki przed horrorem, w jaki zmieniało się życie tych kobiet, chociaż w trakcie tych wszystkich lat pracy Alex miał do czynienia tylko z jedną, która rzeczywiście się na to zdecydowała. Rozmawiał kiedyś mianowicie z kobietą, która tak jak inne usiłowała wyprzeć z myśli prawdę i obwiniała siebie. A jednak parę miesięcy później dowiedział się, że uciekła. Nie do rodziny czy przyjaciół, lecz zupełnie gdzie indziej, w miejsce, w którym mąż w żaden sposób nie mógłby jej znaleźć. A ten, wściekły, że odeszła, przez całą noc pił, po czym dostał szału i zranił jakiegoś żołnierza żandarmerii wojskowej. Skończył w więzieniu Leavenworth i Alex pamiętał, że słysząc tę nowinę, uśmiechał się z satysfakcją. A kiedy pomyślał o uciekinierce, z jeszcze szerszym uśmiechem powiedział do siebie: Świetnie, dziewczyno.

Teraz, gdy patrzył, jak Katie muska palcami miejsce po pierścionku, poczuł w sobie instynkt śledczego, którym tyle lat był. Miała męża, pomyślał z przekonaniem. Mąż Katie był tym brakującym elementem, bez którego nie mógł zrozumieć historii dziewczyny. Albo nadal pozostawała zamężna, albo nie była już mężatką, lecz wciąż, co podpowiadało mu silne przeczucie, obawiała się tamtego mężczyzny.

*

Sięgając po krakersy, Katie zauważyła, że burza jest już blisko. Niebo przecięła błyskawica, a kilka sekund później grzmot przewalił się z łoskotem. Do sklepu wbiegł Josh, w ostatniej chwili umykając przed ulewą. Trzymał kurczowo pudełko na sprzęt wędkarski i wędkę z kołowrotkiem. Twarz miał zaczerwienioną i dyszał niczym zawodowy biegacz, który przekracza linię mety.

— Hej, tato.

Alex podniósł wzrok.

— Złapałeś coś?

— Znowu tylko suma. Tego samego, którego łapię za każdym razem.

— Przebierz się i wróć na lunch, dobrze?

Josh zniknął w magazynie, a potem Alex usłyszał, że syn wchodzi po schodach do domu.

Na dworze mocno się rozpadało i wiatr zacinał, smagając kroplami deszczu o szyby. Gałęzie uginały się, poddając się sile wichury. Ciemne niebo przecięła błyskawica, a grzmot zadudnił tak głośno, że okna aż drżały. Alex zauważył, że Katie wzdryga się, a jej twarz wygląda jak maska zaskoczenia i strachu. Przyłapał się na pytaniu, czy tak samo przerażał ją mąż.

71

Drzwi sklepu otworzyły się i wbiegł nieznany mężczyzna, zachlapując starą drewnianą podłogę. Strząsnął z rękawów strugi deszczu i kiwnął głową Alexowi, po czym ruszył w stronę grilla.

Katie odwróciła się do półki, na której leżały krakersy. Nie było dużego wyboru, gdyż regularnie sprzedawały się jedynie dwie marki — Saltines i Ritz. Katie wybrała te drugie. Dorzuciła do koszyka produkty, które kupowała zazwyczaj, i zaniosła go do kasy. Kiedy Alex skończył wbijać ceny oraz pakować towary do reklamówki, dotknął torby, którą wcześniej postawił na ladzie.

— Nie zapomnij o warzywach.

Zerknęła na sumę.

— Na pewno je dodałeś?

— Oczywiście.

— Pytam, gdyż kwota nie jest większa niż zwykle.

— Były w promocji.

Zmarszczyła czoło, zastanawiając się, czy powinna mu wierzyć, a potem włożyła rękę do torby z warzywami. Wyjęła pomidora i podniosła do nosa.

— Ładnie pachnie.

— Jadłem je wczoraj wieczorem. Wspaniale smakują z odrobiną soli. A ogórków nawet solić nie trzeba.

Skinęła głową, ale wzrok skupiała na drzwiach. W porywach wiatru deszcz uderzał o nie wściekłymi falami. Drzwi uchyliły się ze skrzypnięciem i wichura usiłowała wtargnąć do środka. Obraz świata za szybą był nieostry.

Ludzie kręcili się w części grillowej, odwlekając wyjście. Alex słyszał, jak mruczą, że przeczekają tu burzę.

Dla uspokojenia Katie zrobiła głęboki wdech i sięgnęła po torby.

— Panno Katie! — krzyknęła Kristen głośno, niemal w panice. Stała, wymachując pokolorowanym przez siebie obrazkiem. Już wydarła kartkę z książeczki. — O mało nie zapomniała pani o swoim obrazku.

Katie sięgnęła po karteczkę. Gdy ją oglądała, ożywiła się. Alex zauważył, że przynajmniej na chwilę zapomniała o całym bożym świecie.

— Jest piękny — szepnęła. — Nie mogę się doczekać, kiedy go powieszę.

— Pokoloruję dla pani następny, zanim pani znowu przyjdzie.

— Będzie mi bardzo miło — powiedziała Katie.

Kristen rozpromieniła się, po czym znowu zajęła miejsce przy stole. Katie zwinęła obrazek, upewniła się, że go nie pogniotła, i wsunęła do torby. Tym razem błyskawica pojawiła się prawie jednocześnie z grzmotem. Krople deszczu z łomotem uderzały o ziemię, kałuże na parkingu powiększały się i łączyły, tworząc małe jeziorka. Niebo przybrało ciemną barwę północnych mórz.

— Jak długo może potrwać taka burza? — spytała Katie.

— Zapowiadali, że może padać przez cały dzień — odparł Alex.

Kobieta popatrzyła na drzwi. Kiedy zastanawiała się, co robić, ponownie przesunęła palcami po brakującym pierścionku. Zapadło milczenie. Nagle Kristen podeszła do Alexa i pociągnęła go za rękaw koszuli.

— Powinieneś odwieźć pannę Katie do domu — oznajmiła poważnie. — Ona nie ma samochodu, a strasznie leje.

Alex popatrzył na kobietę, wiedząc, że doskonale słyszała stwierdzenie jego córki.

— Odwieźć cię do domu? — spytał.

Katie pokręciła głową.

— Nie, dziękuję, poradzę sobie.

— Ale co będzie z obrazkiem? — naciskała dziewczynka. — Przecież może zamoknąć.

Ponieważ Katie nic nie odpowiedziała, Alex wyszedł zza kasy.

— Chodź. — Zrobił ruch głową. — Nie musisz moknąć. Mój samochód stoi o tam, na tyłach.

— Nie chcę ci się narzucać...

— Nie narzucasz się. — Poklepał się po kieszeni i wyjął kluczyki od auta, po czym sięgnął po torby z zakupami. — Zaniosę je — zadeklarował się i podniósł. — Kristen, kochanie, pobiegniesz na górę i powiesz Joshowi, że wrócę za dziesięć minut?

— Pewnie, tatusiu — odparła.

— Roger?! — zawołał Alex. — Popilnuj przez parę minut sklepu i dzieci, dobrze?

— Jasne, nie ma sprawy.

Mężczyzna pomachał im.

Alex kiwnął głową ku tylnemu wyjściu sklepu.

— Jesteś gotowa? — spytał.

*

W szaleńczym tempie dotarli do jeepa, osłaniając się parasolami, które gięły się pod atakiem wichury i ulewnego deszczu. Błyskawice wciąż rozjaśniały niebo; Katie miała wrażenie, że od czasu do czasu mrugają do niej chmury. Kiedy oboje opadli na siedzenia w samochodzie, przetarła zaparowane okno ręką.

— Nie spodziewałam się takiej pogody, gdy wychodziłam z domu.

— Wiesz, nikt nigdy nie spodziewa się burzy, póki ta się naprawdę nie rozpęta. Stale słyszymy w prognozie pogody ostrzeżenia przed burzą, więc przestajemy jej oczekiwać. Jeśli pogoda jest lepsza, niż zapowiadano, narzekamy. Jeśli jest gorsza, narzekamy jeszcze bardziej. A jeśli dokładnie sprawdzają się przewidywania, również się skarżymy, ponieważ wcześniej tak często się nie sprawdzały, że nie braliśmy pod uwagę, iż tym razem będą prawdziwe. Każdy powód jest dobry, aby utyskiwać.

— Mówisz na przykład o klientach przy grillu?

Alex pokiwał głową i wyszczerzył zęby w uśmiechu.

— Ale oni wszyscy to z gruntu dobrzy ludzie. Przeważnie są pracowici, uczciwi i ogromnie uprzejmi. Jeśli poproszę, każda z tych osób chętnie popilnuje dla mnie sklepu i rozliczy się co do centa. Tak to jest tutaj, na Południu. Ponieważ w duszy każdy z tych ludzi wie, że w takim małym mieście jak nasze wszyscy potrzebujemy siebie nawzajem. Wspaniale, chociaż minęło trochę czasu, zanim się do takiego życia przyzwyczaiłem.

— Nie jesteś stąd?

— Nie. Stąd pochodziła moja żona. Ja jestem ze Spokane. Kiedy przeprowadziłem się tutaj, pomyślałem sobie, świetnie to pamiętam, że na pewno tu nie zostanę. Ani mi się śniło! Wiesz, to małe miasto na Południu, którego mieszkańców zupełnie nie obchodzi, co myśli reszta świata. Długo się do nich przyzwyczajałem, oj, długo. Ale w końcu się udało. Dzięki temu teraz potrafię się skupiać na tym, co ważne.

— A co jest ważne? — spytała cicho Katie.

Alex wzruszył ramionami.

— Zależy dla kogo, prawda? Dla mnie w tej chwili najważniejsze są dzieci. Tu jest ich dom, a po wszystkim, co przeszły, potrzebują normalnej, przewidywalnej codzienności. Kristen musi mieć miejsce, gdzie może rysować i ubierać lalki, a Josh łowisko. I oboje powinni wiedzieć, że jestem blisko, ilekroć tylko zechcą mojej pomocy. Ten dom i sklep zaspokajają obecnie ich wszystkie potrzeby. Tego właśnie teraz najbardziej pragnę. — Zamilkł, zakłopotany, że tak wiele jej powiedział. — Nawiasem mówiąc, dokąd właściwie mam jechać?

— Prosto. Zobaczysz żwirową drogę, w którą trzeba będzie skręcić. Dom jest kawałek za zakrętem.

— Chodzi ci o żwirową drogę obok lasu?

Katie potwierdziła.

— Właśnie tę.

— Nawet nie wiedziałem, że ta droga dokądś prowadzi. — Uniósł brwi. — Spory kawałek na piechotę — zauważył. — Ile to będzie? Ze trzy kilometry?

— Och, nie jest aż tak źle — sprzeciwiła się.

— Może podczas ładnej pogody. Ale dzisiaj musiałabyś chyba dopłynąć do domu. W każdym razie długo byś szła. A obrazek od Kristen kompletnie by się zniszczył. — Gdy wspomniał o córeczce, dostrzegł na ustach Katie leciutki uśmieszek, kobieta nic jednak nie powiedziała. — Ktoś chyba mówił, że pracujesz w restauracji U Ivana — odezwał się po chwili.

Pokiwała głową.

— Od marca.

— I jak ci się u niego podoba?

— Praca jest dobra. Och, to tylko praca, ale właściciel jest dla mnie bardzo miły.

— Ivan?

— Znasz go?

— Wszyscy go tu znają. Wiedziałaś, że każdej jesieni wkłada mundur generała konfederatów i odtwarza słynną bitwę pod Southport? Wtedy, gdy Sherman spalił miasto. Wszystko świetnie, tyle że... Tak naprawdę podczas wojny secesyjnej wcale nie było bitwy pod Southport. Zresztą miasteczko nie nazywało się wtedy wcale Southport, lecz Smith-ville. A Sherman nigdy nie podszedł do osady bliżej niż na odległość pięćdziesięciu kilometrów.

— Poważnie? — spytała Katie.

— Nie zrozum mnie źle. Lubię Ivana. To dobry człowiek, a jego restauracja jest ważnym miejscem w Southport. Kristen i Josh uwielbiają tamtejsze panierowane i smażone w głębokim tłuszczu kukurydziane kulki, a właściciel zawsze traktuje nas serdecznie, ilekroć się zjawimy. Czasami jednak zastanawiam się nad jego motywami. Jego rodzina przybyła tu z Rosji dopiero w latach pięćdziesiątych. Innymi słowy, Ivan jest Amerykaninem w pierwszym pokoleniu. Nikt z jego pozostałej rodziny prawdopodobnie nawet nie słyszał o wojnie secesyjnej. On jednak spędza cały weekend, wymachując szablą i wy-krzykując rozkazy pośrodku drogi przed budynkiem adminis-tracji hrabstwa.

— Czemu nigdy nic o tym nie słyszałam?

— Ponieważ tutejsi ludzie nie lubią się tym chwalić. To takie małe... dziwactwo, nie sądzisz? Nawet mieszkańcy miasta, którzy naprawdę lubią Ivana, próbują ignorować jego bzika. Jeśli zobaczą go w mundurze w centrum Southport, często odwracają wzrok i zaczynają mówić rzeczy w stylu: „Uwierzyłbyś, że takie piękne chryzantemy rosną obok budyn-ku administracji?".

Katie roześmiała się po raz pierwszy, odkąd wsiadła do samochodu.

— Nie jestem pewna, czy ci wierzę.

— Nieważne, czy mi wierzysz. Jeśli będziesz tutaj w paź-dzierniku, sama zobaczysz. Ale jeszcze raz cię proszę, nie zrozum mnie źle. Ivan jest miłym facetem, a restaurację ma wspaniałą. Zachodzimy do niej niemal po każdym dniu spę-dzonym na plaży. Przy następnej okazji spytam o ciebie.

Katie się zawahała.

— No dobrze.

— Lubi cię — ciągnął Alex. — Mam na myśli Kristen.

— Ja też lubię Kristen. Jest jak iskierka... i ma osobowość.

— Przekażę jej twoje słowa. I dziękuję.

— Ile ma lat?

— Pięć. Kiedy pójdzie jesienią do szkoły, nie wiem, co pocznę. W sklepie zapanuje straszna cisza.

— Będziesz tęsknił — spostrzegła Katie.

Alex skinął głową.

— Bardzo. Wiem, że polubi szkołę, ale strasznie się cieszę, póki mam córeczkę blisko.

Podczas ich rozmowy pogoda się nie zmieniła. Deszcz wciąż uderzał w szyby, niebo co rusz przecinały błyskawice, gasnąc i pojawiając się niczym dyskotekowe światła stroboskopowe. Towarzyszył im niemal nieustanny grzmot.

Zatopiona w myślach Katie zapatrzyła się w okno po swojej stronie. Alex czekał cierpliwie. Skądś wiedział, że kobieta pierwsza przerwie milczenie.

— Jak długo byłeś żonaty? — spytała wreszcie.

— Pięć lat. Przed ślubem chodziliśmy ze sobą przez rok. Spotkałem ją, kiedy stacjonowałem w Fort Bragg.

— Byłeś w wojsku?

— Dziesięć lat. Mam dobre wspomnienia i cieszę się, że coś takiego przeżyłem. A równocześnie cieszę się, że mam już za sobą te doświadczenia.

Katie wskazała na przednią szybę.

— Tam jest ten zakręt — powiedziała.

Alex skręcił na żwirową drogę i zwolnił. Nierówna nawierzchnia została nieco podtopiona i woda z kałuż chlapała zarówno w przednią, jak i w boczne szyby. Chociaż skupiał się na jeździe wśród głębokich kałuż, nagle uderzyła go myśl, że pierwszy raz od śmierci żony jest sam na sam w samochodzie z jakąś kobietą.

— Który to dom? — spytał, wpatrując się zmrużonymi oczami w zarysy dwóch małych budynków.

— Ten z prawej — odparła.

Wjechał na prowizoryczny podjazd i zatrzymał się najbliżej wejścia, jak mógł.

— Zaniosę ci siatki pod drzwi.

— Nie musisz tego robić.

— Nie wiesz, jak mnie wychowano — odparował, wyskakując, zanim Katie zdążyła zaprotestować. Złapał torby i wbiegł wraz z nimi na werandę. Gdy je postawił i zaczął otrząsać się z kropli deszczu, kobieta dołączyła do niego pospiesznie. W ręce trzymała mocno parasol, który jej pożyczył.

— Dziękuję! — zawołała, usiłując przekrzyczeć odgłosy ulewy.

Chciała mu oddać parasol, lecz pokręcił głową.

— Zatrzymaj go na jakiś czas. Albo na zawsze. Nieważne. Skoro przemieszczasz się na piechotę, będziesz go potrzebowała.

— Mogę ci zapłacić... — zaczęła.

— Daj spokój.

— Ale jest ze sklepu.

— W porządku, naprawdę — zapewnił ją. — Naprawdę! Jeżeli jednak uważasz, że nie powinnaś go przyjąć, w takim razie rozliczymy się w trakcie twojej kolejnej wizyty w sklepie.

— Alex, proszę cię...

Nie pozwolił jej skończyć.

— Jesteś dobrą klientką, a ja lubię pomagać klientom.

Zanim odpowiedziała, zastanawiała się przez moment.

— Dziękuję ci bardzo — wydukała ostatecznie. Wpatrywała się w niego z uwagą, a jej oczy wydały mu się teraz ciemnozielone. — I dzięki za podwiezienie.

Lekko pochylił głowę.

— Do usług.

*

Co zrobić z dziećmi? To pytanie stale wracało i często pozostawało bez odpowiedzi. Zwłaszcza w weekendy. Dziś, jak zwykle, Alex nie miał zielonego pojęcia, jakie rozrywki wymyślić dla Josha i Kristen.

Z powodu wciąż szalejącej burzy i ponieważ nic nie zapowiadało, by niebo miało się przejaśnić, nie wchodziły w rachubę żadne zajęcia na dworze. Alex mógł oczywiście zabrać dzieci do kina, ale nie znalazł w programie żadnego filmu, który zainteresowałby zarówno syna, jak i córkę. Przez jakiś czas mógłby po prostu pozwolić im się bawić. Wiedział, że wielu rodziców właśnie w ten sposób sobie radzi. Z drugiej strony jego dzieci były ciągle małe — za małe, ażeby pozostawić je samym sobie i całkowicie zdać się na ich pomysły. Co gorsza, i tak zbyt wiele godzin spędzały na samotnych zabawach w czasie, gdy ich ojciec pracował w sklepie. Teraz, w trakcie grillowania kanapek z serem, rozważał różne możliwości, wkrótce jednak jego myśli podążyły ku Katie. Chociaż najwyraźniej ze wszystkich sił starała się nie zwracać na siebie niczyjej uwagi, w tak małym mieście było to prawie niemożliwe. Alex doskonale o tym wiedział. Tak atrakcyjna kobieta nie mogła po prostu wtopić się w tłum, a gdy ludzie zorientują się, że wszędzie chodzi na piechotę, co samo w sobie było podejrzane, zaczną gadać i na pewno pojawią się pytania o jej przeszłość.

Alex pragnął temu zapobiec. Nie z jakichś egoistycznych pobudek, lecz dlatego, że Katie miała prawo do takiego życia, jakiego szukała, przyjeżdżając tutaj. A chciała bez wątpienia po prostu normalnie żyć, korzystać z prostych przyjemności, takich jakie większość ludzi uważa za normalne: móc pójść, dokąd i kiedy się chce, mieszkać w domu, w którym człowiek czuje się bezpiecznie i spokojnie... Tak, Katie na pewno potrzebowała swobody.

— Hej, dzieci, mam pomysł. Zróbmy coś dla panny Katie — zaproponował, wykładając kanapki na talerze.

— Świetnie, zróbmy coś! — entuzjastycznie zgodziła się Kristen.

A Josh, z którym zawsze można było się dogadać, tylko pokiwał głową.

7

Ciężki od deszczu wiatr szalał pod ciemnym niebem Karoliny Północnej, a wielkie krople wciąż uderzały w kuchenne okna. Wcześniej tego popołudnia, gdy Katie prała w zlewie (po tym jak przykleiła na lodówce taśmą klejącą obrazek Kristen), zaczął przeciekać sufit w salonie. Od razu podstawiła pod szczelinę rondel, który od tej pory opróżniła już dwukrotnie. Rano zamierzała zadzwonić do Bensona, wątpiła jednak, czy właściciel domu zjawi się natychmiast i zabezpieczy miejsce przecieku. O ile oczywiście w ogóle zechce przyjechać i naprawić dach.

W kuchni pokroiła w nieduże kostki kawałek cheddara, podczas pracy pogryzając większy kawałek. Na żółty plastikowy talerz wyłożyła krakersy oraz plastry pomidorów i ogórków, chociaż nie udało jej się ich rozmieścić tak, jak chciała. Nic nie wyglądało dokładnie tak, jak sobie zamierzyła. W poprzednim domu miała ładną drewnianą tacę i srebrny nóż do sera z wygrawerowanym kardynałem, a także komplet kieliszków do wina. Miała tam duży, wykonany z drewna czereśniowego stół w jadalni i białe firanki w oknach, tutaj natomiast stolik się chybotał, krzesła nie pasowały, okna były gołe, a wino wraz z Jo będą musiały pić z kubków. Mimo iż wcześniejsze życie Katie było okropne, uwielbiała swoje domowe sprzęty, tyle że teraz — tak jak wszystko, co pozostawiła za sobą — wspominała je jak zdrajców, którzy przeszli na stronę wroga.

Przez okno zobaczyła, że światło w domu Jo gaśnie, ruszyła więc do frontowych drzwi. Otworzyła je i obserwowała, jak sąsiadka biegnie, przeskakując przez kałuże z parasolem w jednej ręce i butelką wina w drugiej. Jeszcze kilka kroków i Jo znalazła się na werandzie domu Katie. Z żółtego błyszczącego płaszcza przeciwdeszczowego kobiety ściekały strumyczki wody.

— Teraz rozumiem, jak czuł się Noe. Widzisz tę burzę? Mam jeziorka w całej kuchni.

Gospodyni wskazała przez ramię.

— U mnie przeciek jest w salonie.

— Wszędzie dobrze, ale w domu najlepiej, prawda? Proszę — powiedziała Jo, wręczając wino. — Zgodnie z obietnicą. I wierz mi, naprawdę go potrzebuję.

— Ciężki dzień?

— Nawet sobie nie wyobrażasz.

— Wejdź.

— Poczekaj, zostawię płaszcz tu, na werandzie, w przeciwnym razie będziesz miała w salonie drugą kałużę — zreflektowała się sąsiadka i zdjęła okrycie. — Przemokłam w ciągu tych kilku sekund, które spędziłam na dworze.

Rzuciła płaszcz i parasol na fotel bujany, a później weszła do domu za Katie, która podążyła do kuchni.

Od razu postawiła wino na blacie. Kiedy Jo dotarła do stolika, Katie otworzyła szufladę przy lodówce, wyjęła z niej lekko zardzewiały szwajcarski scyzoryk i odgięła korkociąg.

— Och, świetnie! Umieram z głodu. Nie jadłam przez cały dzień.

— Częstuj się. Jak ci poszło malowanie?

— No cóż, skończyłam salon. Ale nie miałam dobrego dnia.

— A co się stało?

— Powiem ci później. Najpierw muszę się napić wina. A ty? Co dziś robiłaś?

— Nic wielkiego. Pobiegłam do sklepu, sprzątałam, prałam...

Jo zajęła miejsce przy stole i sięgnęła po krakersa.

— Innymi słowy, pamiętny dzień.

Katie roześmiała się i zaczęła otwierać wino.

— O tak. Naprawdę ekscytujący.

— Mam ci pomóc? — spytała sąsiadka.

— Sądzę, że sobie poradzę.

— To dobrze. — Jo uśmiechnęła się znacząco. — Ponieważ jestem gościem i oczekuję, że będziesz mi dogadzać. — Katie przytrzymała butelkę między kolanami i wyciągnęła korek. — Ale tak serio, dzięki za zaproszenie. — Westchnęła. — Nie masz pojęcia, jak bardzo się cieszyłam na ten wieczór.

— Naprawdę?

— Nie rób tego.

— Czego? — spytała Katie.

— Nie udawaj zaskoczonej, że chciałam cię odwiedzić. I że chciałam pogawędzić przy butelce wina. Tak postępują przecież przyjaciele. — Uniosła brew. — Och, tak à propos, zanim zaczniesz się zastanawiać, czy faktycznie jesteśmy przyjaciółkami i jak dobrze się znamy, zaufaj mi, bo ja to wiem. Uważam cię za przyjaciółkę, i już! — Poczekała chwilę, aż jej słowa trafią do Katie. — No... To może napijemy się wina?

*

Burza skończyła się wreszcie wczesnym wieczorem i Katie otworzyła kuchenne okno. Temperatura spadła, chłodne powietrze pachniało czysto i świeżo. Tuż nad ziemią wisiała mgła, chmury pędziły, to przesłaniając księżyc, to pozwalając mu się przebić. Liście na drzewach zmieniały barwę ze srebrzystej na czarną, po czym znów pokrywały się srebrem, toteż migotały w wieczornym wietrze.

Katie rozmyślała o winie, wieczornym wietrze i beztroskim śmiechu Jo. Delektowała się smakiem maślanych krakersów i ostrego, intensywnego sera, przypominając sobie, jak bardzo wcześniej bywała głodna. W pewnym okresie była tak chudziutka jak rozgrzany fragment dmuchanego szkła. Jej myśli pobiegły ku przeszłości. Przypomniała sobie rodziców, nie te przykre sytuacje związane z nimi, lecz dobre wspomnienia, kiedy „demony obojga spały". Matka smaży jajka na bekonie i zapach wypełnia cały dom. Ojciec wchodzi do kuchni, podchodzi do matki, odgarnia jej włosy i całuje w szyję, a ona chichocze... Katie przypomniała sobie też, że ojciec zabrał je kiedyś do Gettysburga. Wziął ją wtedy za rękę i spacerowali. Do dziś zapamiętała rzadkie uczucie siły i delikatności jego uścisku. Był wysoki i barczysty, miał ciemnobrązowe włosy, a na ramieniu tatuaż z czasów marynarki. Przez cztery lata pełnił służbę na niszczycielu, był w Japonii, Korei i Singapurze, niewiele jednak mówił o doświadczeniach z tamtego czasu.

Matka Katie była drobną blondynką, która niegdyś wystartowała w konkursie piękności i zdobyła tytuł drugiej wicemiss. Kochała kwiaty i wiosną sadziła bulwy w ceramicznych doniczkach, które stawiała na dziedzińcu. Tulipany i żonkile, piwonie i fiołki wybuchały kolorami tak jaskrawymi, że aż kłuły w oczy, gdy Katie na nie patrzyła. W trakcie przeprowadzki donice umieszczano na tylnym siedzeniu auta i przypinano pasami. Matka, kiedy sprzątała, często śpiewała cicho. Były to piosenki z jej dzieciństwa, niektóre po polsku, a córka słuchała ich potajemnie ze swego pokoju, usiłując pojąć sens słów.

Wino, które wraz z Jo piły, cechowało się nutami dębu i moreli, a smakowało wspaniale. Katie dopiła „kieliszek", a wtedy Jo nalała jej kolejny. Na widok ćmy tańczącej wokół lampy nad zlewem, trzepoczącej skrzydełkami równocześnie celowo i bezładnie, obie zaczęły chichotać. Katie dokroiła sera i dołożyła na talerz więcej krakersów. Rozmawiały o filmach i książkach, a Jo zapiszczała radośnie, gdy Katie wyznała, że jej ulubionym filmem jest To wspaniałe życie. Mało tego, sąsiadka oznajmiła, że to również jej ulubiony film. Katie pamiętała, że gdy była młodsza, poprosiła matkę o dzwoneczek, ponieważ chciała pomóc aniołom w odzyskaniu skrzydeł. Skończyła drugi „kieliszek" wina i czuła się lekka jak unoszące się w bryzie piórko.

Jo zadawała niewiele pytań. Poruszały zresztą tematy raczej ogólne, toteż Katie znowu cieszyła się towarzystwem przyjaciółki. Kiedy świat za oknem rozjaśniła srebrna poświata księżyca, wyszły na frontową werandę. Katie trochę kręciło się w głowie, więc przytrzymała się balustrady. Nadal sączyły wino i patrzyły na rozstępujące się chmury, aż ni z tego, ni z owego niebo stało się pogodne, wypełnione milionami gwiazd. Katie wskazała Wielką Niedźwiedzicę i Gwiazdę Polarną, jedyne gwiazdy, które potrafiła nazwać, jednak Jo znała miana dziesiątek innych. Katie popatrzyła na nie z zachwytem, zdumiona, jak wiele sąsiadka wie o konstelacjach — do czasu, aż zastanowiła się nad nazwami wyliczanymi przez Jo.

— Tę nazywają Elmer Fudd, a tamta, o tam, tuż nad tą sosną, to Kaczor Daffy.

W ten sposób Katie uświadomiła sobie raz na zawsze, że Jo wcale nie wie o gwiazdach więcej niż ona. Przyłapana na zmyślaniu zaczęła chichotać jak psotny dzieciak.

Katie wróciła do kuchni, nalała sobie resztę wina i wypiła

łyk. Pod wpływem ciepłego, ostrego trunku poczuła oszołomienie. Ćma wciąż tańczyła wokół lampy, a gdy Katie usiłowała skupić wzrok, odniosła wrażenie, że ma przed sobą dwa owady. Była szczęśliwa i czuła się bezpieczna. I ponownie przemknęła jej przez głowę zaskakująca myśl, że tak przyjemnie spędziła wieczór.

Miała teraz przyjaciółkę, prawdziwą przyjaciółkę, kogoś, kto śmiał się wraz z nią i dowcipkował na temat gwiazd. Katie nie była pewna, jak zareagować — śmiechem czy płaczem — ponieważ minęło naprawdę sporo czasu, odkąd doświadczyła podobnych emocji i tak łatwego, naturalnego związku z drugą osobą.

— Dobrze się czujesz? — spytała Jo.

— Świetnie — odparła. — Myślałam po prostu, że bardzo się cieszę z twojej wizyty.

Sąsiadka uważnie jej się przyjrzała.

— Chyba wino uderzyło ci do głowy.

— Chyba masz rację — zgodziła się.

— No cóż, w porządku. Na co masz ochotę? Skoro jesteś wyraźnie podchmielona i gotowa do zabawy...

— Nie wiem, o czym mówisz.

— Masz ochotę zrobić coś specjalnego? Pójść do miasta, znaleźć jakieś ekscytujące miejsce?

Katie pokręciła głową.

— Nie.

— Nie chcesz spotkać nowych ludzi?

— Lepiej czuję się sama.

Jo przesunęła palcem wokół brzegu kubka i dopiero wówczas się odezwała.

— Zaufaj mi, bo wiem, co mówię. Nikt nie czuje się dobrze w samotności.

— Ja tak.

Jo zastanowiła się nad odpowiedzią Katie, po czym pochyliła się ku przyjaciółce.

— Więc twierdzisz, że... Przypuśćmy, że masz jedzenie, schronienie, ubrania i inne rzeczy, których potrzebujesz, aby po prostu przeżyć... Chciałabyś być zdana na własne siły gdzieś na bezludnej wyspie pośrodku pustki? Całkiem sama, na zawsze, przez resztę swojego życia? Och, bądź ze mną szczera.

Katie zamrugała, próbując skupić wzrok na Jo.

— Dlaczego sądzisz, że nie jestem szczera?

— Ponieważ wszyscy ludzie kłamią. Kłamstwo jest nieodłącznym elementem życia w społeczeństwie. Nie zrozum mnie źle... Uważam, że bywa potrzebne. Ostatnią rzeczą, której ktokolwiek z nas pragnie, jest życie w otoczeniu osób absolutnie szczerych w każdej sytuacji. Potrafisz sobie wyobrazić te rozmowy? „Jesteś niska i gruba". „Wiem. Ty za to śmierdzisz". Straszna perspektywa. Dlatego ludzie przez cały czas kłamią lub tylko pomijają pewne szczegóły. Opowiadają jedynie większą część historii... A ja odkryłam, że najważniejsze często bywają właśnie te zatajane przez nich kwestie. Bo ludzie ukrywają prawdę ze strachu.

Katie musiała przyznać, że słowa przyjaciółki trafiły jej prosto do serca. Nagle miała trudności z oddychaniem.

— Mówisz o mnie? — wychrypiała wreszcie.

— Nie wiem. A tak sądzisz?

Poczuła, że blednie, lecz zanim zdążyła odpowiedzieć, Jo uśmiechnęła się do niej.

— Właściwie myślałam o dzisiejszym dniu. Wspomniałam ci, że nie był dla mnie łatwy, prawda? No cóż, to tylko część problemu. Denerwujące jest, gdy w pewnych sytuacjach ludzie nie mówią prawdy. To znaczy... Zrozum mnie dobrze, jak mam im pomagać, skoro zatrzymują dla siebie pewne ważne informacje? Jeśli tak naprawdę nie wiem, co się z nimi dzieje?

Katie poczuła ucisk w piersi.

— Może nawet chcieliby ci o czymś powiedzieć, ale i tak wiedzą, że nie możesz nic dla nich w tej sprawie zrobić? — wyszeptała.

— Zawsze mogę jakoś pomóc, zawsze!

We wpadającym przez kuchenne okno świetle księżyca skóra Jo wydawała się biała i lekko połyskująca, jak gdyby kobieta nigdy nie wychodziła na słońce. Z powodu wypitego wina Katie odniosła wrażenie, że pokój lekko się kręci, a ściany postrzegała jako nieznacznie odkształcone. Poczuła, że w oczach stają jej łzy, więc zaczęła mrugać, broniąc się w ten sposób przed płaczem. W ustach miała sucho.

— Nie zawsze — odrzekła szeptem. Odwróciła się i zapatrzyła w okno. Za szybą widziała księżyc, który wisiał nisko nad drzewami. Przełknęła ślinę, nagle miała bowiem odczucie, że obserwuje samą siebie z drugiego końca pomieszczenia. Widziała siebie przy stoliku z Jo, a kiedy zaczęła mówić, własny głos zabrzmiał dla niej obco. — Miałam kiedyś przyjaciółkę. Wpakowała się w okropne małżeństwo i nie miała z kim o tym porozmawiać. Pewnego dnia mężczyzna ją zbił. Oświadczyła mu, że jeśli ponownie tak ją potraktuje, opuści go. Mąż zarzekał się, że taka sytuacja nigdy więcej się nie powtórzy, i dziewczyna mu uwierzyła. Niestety, było coraz gorzej, na przykład ilekroć kolacja była zimna albo kiedy przyjaciółka bąknęła, że odwiedziła sąsiada, którego spotkała, jak spacerował z psem. Tylko z nim rozmawiała, lecz wieczorem po tym zwierzeniu mąż pchnął ją na lustro.

Katie zagapiła się w podłogę. Linoleum odchodziło w narożnikach kuchni, a ona nie wiedziała, czym je przytwierdzić. Próbowała je przykleić, ale klej się nie sprawdził i narożniki znów się odwinęły.

— Mężczyzna zawsze przepraszał, czasami nawet płakał,

szczególnie gdy oglądał ramiona, nogi czy plecy żony i widział sińce, które sam spowodował. Twierdził, że nienawidzi siebie za to, co jej zrobił, lecz sekundę później dodawał, że przecież sobie na to zasłużyła. Że gdyby była uważniejsza, nie doszłoby do czegoś takiego. Że nie straciłby nad sobą panowania, gdyby zwracała większą uwagę na wszystko wokół albo nie była taka głupia. Więc przyjaciółka usiłowała się zmienić. Starała się z całych sił być dla niego lepszą żoną i postępować zawsze tak, jak chciał, nigdy jednak jej się nie udawało.

Czuła, że za chwilę się rozpłacze, i chociaż walczyła ze sobą, łzy spłynęły jej po policzkach. Jo siedziała nieruchomo. Obserwowała ją.

— Wiesz — podjęła Katie — ona go kochała! Na początku był dla niej przecież taki miły. Dzięki niemu miała poczucie bezpieczeństwa. Tej nocy, gdy go poznała, pracowała do późna, a w drodze do domu szło za nią dwóch mężczyzn. Skręciła za róg, a wtedy jeden z nich złapał ją i położył jej rękę na ustach. Chociaż próbowała uciec, nie mogła, ponieważ mężczyźni byli od niej znacznie silniejsi. Nie wiadomo, co by się stało, gdyby przyszły mąż nie wyłonił się zza rogu. Uderzył jednego napastnika mocno w kark i mężczyzna upadł na ziemię, drugiego natomiast pchnął na ścianę. Uratował ją. Tak po prostu. Pomógł jej wstać i odprowadził do domu, a nazajutrz zaprosił na kawę. Był uprzejmy i traktował dziewczynę jak księżniczkę, aż do miesiąca miodowego.

Katie wiedziała, że nie powinna opowiadać tej historii Jo, nie mogła się jednak powstrzymać.

— Moja przyjaciółka — kontynuowała wbrew sobie — dwukrotnie usiłowała wyjechać. Za pierwszym razem wróciła sama, bo nie miała gdzie się podziać. Ale za drugim naprawdę uciekła i sądziła, że nareszcie jest wolna. Niestety, mąż ją wytropił i zaciągnął z powrotem do domu, a tam zbił ją, po czym przystawił jej pistolet do głowy i zagroził, że jeśli żona jeszcze kiedyś od niego odejdzie, znajdzie ją i zabije. I że zabije każdego mężczyznę, który jej się spodoba. A ona mu uwierzyła, gdyż właśnie wówczas zrozumiała, że ma do czynienia z szaleńcem. Żyła jak w więzieniu. Mąż nigdy nie dawał jej pieniędzy, nigdy nie pozwalał wychodzić z domu. W godzinach pracy wpadał do niej, ot tak, dla sprawdzenia, co robi. Przeglądał billingi telefoniczne, ciągle dzwonił do domu i nie pozwolił jej zrobić prawa jazdy. Pewnego razu, gdy obudziła się w środku nocy, odkryła, że mąż stoi nad łóżkiem i gapi się na nią; sporo chyba wcześniej wypił i znów miał w ręce broń. Przeraziła się i zdołała jedynie poprosić, aby wrócił do łóżka. Tej nocy uświadomiła sobie ostatecznie, że musi uciec, ponieważ jeśli z nim zostanie, on w końcu ją zabije.

Katie przetarła oczy palcami, które teraz były mokre od słonych łez. Ledwie mogła odetchnąć, a jednak słowa wciąż płynęły z jej ust.

— Zaczęła wykradać mu pieniądze z portfela. Nigdy więcej niż dolara czy dwa, wiedziała bowiem, że zniknięcie większej sumy na pewno by zauważył. Zazwyczaj chował portfel na noc, ale czasami zapominał. Minęło sporo czasu, zanim zdobyła dość pieniędzy na ucieczkę. Ponieważ to właśnie musiała zrobić, uciec! Musiała wybrać miejsce, w którym on nigdy jej nie znajdzie, wiedziała bowiem, że nie ustanie w poszukiwaniach. Nie mogła powiedzieć o swoich planach nikomu, zresztą jej rodzina była daleko. Wiedziała, że policja nic w jej sprawie nie zrobi. A gdyby mąż zaczął cokolwiek podejrzewać, na pewno by ją zabił. Więc kradła, oszczędzała, szukała monet w poduszkach kanapy i w pralce. Ukrywała je w plastikowej torebce, którą trzymała pod doniczką przed domem. Za każdym razem, gdy mąż wychodził z domu, była przekonana, że tym razem na pewno je znajdzie. Bardzo długo

91

zbierała kwotę, której potrzebowała, gdyż musiała mieć dużo pieniędzy, tak aby wystarczyło na wyjazd w odległe miejsce, w którym mąż nigdy jej nie znajdzie. Tam, gdzie będzie mogła zacząć wszystko od nowa.

Katie nie wiedziała, kiedy Jo wzięła ją za rękę, ale teraz czuła jej dotyk i już nie miała wrażenia, że patrzy na siebie z boku. Wargi miała słone i pomyślała, że naprawdę otworzyła przed Jo serce. A teraz rozpaczliwie pragnęła zasnąć.

Sąsiadka nadal patrzyła na nią w milczeniu.

— Twoja przyjaciółka jest bardzo dzielna — powiedziała w końcu cicho.

— Wcale nie — odcięła się Katie. — Przez cały czas jest przerażona...

— Na tym właśnie polega odwaga. Gdyby się nie bała, w ogóle nie potrzebowałaby odwagi. Podziwiam ją za to, co zrobiła. — Jo ścisnęła dłoń Katie. — Myślę, że bardzo bym ją polubiła. Cieszę się, że mi o niej opowiedziałaś.

Katie spojrzała gdzieś w bok. Była kompletnie wycieńczona.

— Prawdopodobnie nie powinnam ci tego wszystkiego mówić.

Sąsiadka wzruszyła ramionami.

— Nie martwiłabym się za bardzo na twoim miejscu. Powinnaś coś o mnie wiedzieć: doskonale umiem dotrzymywać sekretów. Tym bardziej że chodzi o kompletnie obcą osobę, prawda?

Katie skinęła głową.

— Prawda.

*

Jo została u niej jeszcze godzinę, ale skierowała rozmowę na lżejsze tematy. Katie opowiadała jej o pracy w restauracji U Ivana i o niektórych klientach. Jo spytała o najlepszy sposób usunięcia farby spod paznokci. Kiedy wino się skończyło, oszołomienie Katie zaczęło ustępować. Teraz była już tylko wyczerpana. Jo także zaczęła ziewać, więc w końcu wstały od stołu. Przyjaciółka pomogła jej posprzątać, chociaż niewiele było do zrobienia poza umyciem paru talerzy. A potem Katie odprowadziła ją do drzwi. Na werandzie Jo zatrzymała się na chwilę.

— Chyba masz gościa — zauważyła.

— O kim mówisz?

— Widzę rower oparty o twoje drzewo.

Katie wyszła wraz z sąsiadką na dwór. Poza żółtą łuną padającą z lamp wszędzie na werandzie było ciemno. Zarys odległej sosny przywiódł Katie na myśl poszarpane krawędzie jakiejś czarnej dziury. Świetliki wyglądały jak gwiazdy, migoczące i roziskrzone. Katie zmrużyła oczy i zdała sobie sprawę, że Jo ma rację.

— Czyj to rower? — spytała przyjaciółkę.

— Nie wiem.

— Słyszałaś, żeby ktoś podjeżdżał?

— Nie. Wydaje mi się jednak, że ktoś zostawił go tutaj dla ciebie. Widzisz? — Wskazała. — Czy to nie jest kokarda na kierownicy?

Katie zmrużyła oko i rzeczywiście dostrzegła kokardę. Rower był damski i miał nad tylnym kołem, po obu jego stronach, przymocowane dwa druciane koszyki, a także trzeci koszyk z przodu. Wokół siedzenia owinięto łańcuch, w zamku małej kłódki tkwił kluczyk.

— Kto mógł mi przysłać rower?

— Dlaczego ciągle zadajesz mi pytania? Przecież nie wiem więcej od ciebie.

We dwie zeszły z werandy. Chociaż kałuż nie było już dużo, gdyż w znacznej mierze wchłonęła je ilasta gleba, trawa pozostała mokra od deszczu i gdy Katie szła po niej, czubki jej butów zamokły. Dotknęła roweru, potem kokardy, pocierając ją palcami, niczym sprzedawca dywanów. Pod kokardą wymacała karteczkę i przeczytała ją.

— Rower jest od Alexa — wyznała skonsternowana.

— Tego ze sklepu czy innego?

— Ze sklepu.

— Co napisał?

Pokręciła głową, usiłując zrozumieć.

— „Pomyślałem, że ci się spodoba".

Jo postukała palcem w karteczkę.

— Oznacza to najpewniej, że Alex jest zainteresowany tobą tak bardzo, jak ty nim.

— Alex wcale mnie nie interesuje!

— Oczywiście, że nie. — Jo mrugnęła do niej. — Czemu miałby cię interesować?

8

Katie weszła do sklepu i zobaczyła, że Alex zamiata podłogę blisko chłodziarek. Domyślał się oczywiście, że dziewczyna zjawi się od razu rano, aby porozmawiać z nim o rowerze. Oparł kij szczotki o szkło witryny, wsunął koszulę w spodnie i przeczesał szybko ręką włosy. Kristen przez cały ranek czekała na Katie, toteż teraz, jeszcze zanim kobieta zamknęła drzwi, mała zerwała się z miejsca.

— Dzień dobry, panno Katie! — zawołała. — Dostała pani rower?

— Tak. Dziękuję — odparła Katie. — Właśnie dlatego tu przyszłam.

— Pracowaliśmy przy nim naprawdę ciężko — ciągnęła dziewczynka.

— Świetnie się spisaliście — stwierdziła Katie. — Jest tu gdzieś twój tato?

— Aha, jest tam. — Wskazała. — Właśnie idzie.

Alex obserwował, jak Katie odwraca się ku niemu.

— Witaj, Katie — zagaił.

Kiedy był blisko, skrzyżowała ramiona na piersi.

— Mogę porozmawiać z tobą na zewnątrz?

Usłyszał chłód w jej głosie i wiedział, że kobieta ze wszystkich sił stara się nie okazać gniewu, póki są w obecności Kristen.

— Oczywiście — odrzekł, kierując się ku drzwiom.

Pchnąwszy je, wyszedł za Katie na dwór i odkrył, że podziwia jej figurę. Kobieta skierowała się ku rowerowi. Stanęła obok prezentu i odwróciła się do Alexa. W przednim koszyku znajdował się parasol, który pożyczył jej poprzedniego dnia. Poklepała siedzenie, twarz miała poważną.

— Mogę spytać, o co chodzi?

— Podoba ci się?

— Dlaczego mi go kupiłeś?

— Nie kupiłem ci go — odparował.

Zamrugała.

— Ale twoja karteczka...

Wzruszył ramionami.

— Stał w szopie od lat i tylko się kurzył. Wierz mi, ostatnią rzeczą, jaka przyszłaby mi na myśl, byłoby kupienie ci roweru.

W jej oczach pojawiły się błyski.

— Nie o to chodzi! Ciągle dajesz mi prezenty. Musisz przestać. Niczego od ciebie nie chcę. Nie potrzebuję parasola, warzyw ani wina. Ani roweru!

— W takim razie bardzo cię proszę, podaruj go komuś. — Wzruszył ramionami. — Ponieważ ja także już go nie chcę. — Milczała, a on widział, jak zmieszanie ustępuje u niej frustracji, a później bezradności. W końcu pokręciła głową i odwróciła się. Zamierzała odejść. Nie zdołała wszakże zrobić nawet kroku, gdyż Alex odchrząknął i dodał: — Zanim jednak odejdziesz, wyświadczysz mi przysługę i wysłuchasz moich wyjaśnień?

Z gniewem zerknęła na niego przez ramię.

— Twoje wyjaśnienia nie mają znaczenia.

— Może dla ciebie. Dla mnie są bardzo ważne.

Spojrzała mu w oczy niepewnie, po czym spuściła wzrok. Kiedy westchnęła, zaprosił ją gestem na ławeczkę przed sklepem. Pierwotnie postawił ją między maszynką do lodów i półką ze zbiornikami propanu ot tak, dla żartu, sądził bowiem, że nikt nie zechce na niej siadać. Kto chciałby siedzieć i gapić się na parking oraz na drogę? Ku jego zaskoczeniu niemal zawsze była zajęta; teraz stała pusta jedynie z powodu tak wczesnej pory. Katie, zanim usiadła, zawahała się, a on splótł palce na kolanach.

— Nie zwodziłem cię, mówiąc, że rower od paru lat tylko się kurzył. Kiedyś należał do mojej żony — zaczął opowieść Alex. — Uwielbiała go i stale na nim jeździła. Kiedyś pojechała nawet aż do Wilmington, jednak gdy tam dotarła, była już bardzo zmęczona i musiałem przyjechać po nią samochodem, mimo iż nie miałem komu powierzyć opieki nad sklepem i musiałem go zamknąć na kilka godzin. — Przerwał na moment. — To była ostatnia przejażdżka, w jaką się wybrała. Właśnie tamtej nocy miała pierwszy atak i pospiesznie zawiozłem ją do szpitala. Potem jej stan stopniowo się pogarszał i nigdy więcej nie wsiadła na rower. Postawiłem go w garażu, ale ilekroć na niego spoglądałem, nie mogłem się powstrzymać i rozmyślałem o tej okropnej nocy. — Wyprostował się. — Wiem, że powinienem był się go pozbyć, ale nie mogłem go po prostu oddać komuś, kto pojeździ na nim parę razy, a później o nim zapomni. Pragnąłem, żeby trafił do osoby, która doceni go tak bardzo jak wcześniej moja żona. Osoby, która będzie na nim jeździła. Tego na pewno życzyłaby sobie jego właścicielka. Gdybyś ją znała, zrozumiałabyś. Wyświadczyłabyś mi przysługę...

— Nie mogę przyjąć roweru, który należał do twojej żony — odpowiedziała Katie ze smutkiem.

— Więc jednak zwracasz mi go?

Kiedy kiwnęła głową, pochylił się do przodu i oparł łokcie na kolanach.

— Ty i ja jesteśmy do siebie o wiele bardziej podobni, niż sądzisz. Na twoim miejscu postąpiłbym dokładnie tak samo. Wolisz nie mieć wrażenia, że komukolwiek cokolwiek zawdzięczasz. Chcesz udowodnić, że radzisz sobie sama, prawda? — Otworzyła usta, lecz nie odpowiedziała. Alex przerwał ciszę i kontynuował: — Po śmierci żony byłem taki sam. Przed długi czas. Ludzie przychodzili do sklepu i wielu z nich mówiło mi, żebym do nich dzwonił, jeśli tylko będę czegoś potrzebował. Większość wiedziała, że nie mam tutaj żadnej rodziny, i chcieli dobrze, a jednak nigdy do nikogo nie zadzwoniłem, ponieważ już taki jestem. Nawet jeśli czegoś pragnę, nie umiem o to poprosić, zresztą wówczas w ogóle nie uświadamiałem sobie swoich potrzeb. Wiedziałem jedynie, że jestem u kresu sił, i praktycznie wegetowałem. Chodzi mi o to, że nagle musiałem zająć się dwojgiem dzieci i sklepem, a dzieci były wtedy znacznie mniejsze niż teraz i potrzebowały jeszcze więcej uwagi. I potem, pewnego dnia ni stąd, ni zowąd zjawiła się Joyce. — Alex popatrzył na Katie. — Spotkałaś już Joyce? Pracuje przez kilka popołudni w tygodniu, czasem w niedzielę... Taka starsza pani, która rozmawia z każdym? Josh i Kristen ją kochają.

— Nie mam pewności...

— Nieważne. W każdym razie Joyce przyszła pewnego popołudnia, jakoś chyba koło siedemnastej, i po prostu oznajmiła, że zamierza zająć się dziećmi przez następny tydzień, który ja spędzę na plaży. Zarezerwowała już dla mnie miejsce i upierała się, że nie mam wyboru. Postraszyła mnie, że jeśli nie skorzystam z jej oferty, grozi mi załamanie nerwowe. — Podrapał grzbiet nosa, usiłując nie myśleć o tamtym okresie. — Najpierw zdenerwowałem się na nią. No wiesz, pomyślałem: to przecież moje dzieci, prawda? Za jakiego ojca będą mnie uważali ludzie, jeśli odkryją, że nie umiem sobie z nimi radzić? Ale Joyce, w przeciwieństwie do innych osób, nie prosiła, żebym do niej zadzwonił, jeśli będę czegoś potrzebował. Wiedziała, przez co przechodzę, i zrobiła to, co uważała za właściwe. Nieoczekiwanie dla siebie samego skorzystałem z jej propozycji i pojechałem na plażę. Okazało się, że Joyce miała rację. Przez pierwsze dwa dni nadal byłem w rozsypce, później jednak zacząłem chodzić na długie spacery, czytać książki, spać do późna, a gdy wróciłem, zdałem sobie sprawę, że jestem znacznie bardziej odprężony, niż byłem od dawna...

Zamilkł pod wpływem jej badawczego spojrzenia.

— Nie wiem, po co mi o tym mówisz.

Odwrócił się do niej.

— Oboje wiemy, że gdybym spytał, czy chcesz rower, odmówiłabyś. Więc, tak samo jak Joyce w moim przypadku, zrobiłem po prostu to, co uznałem w tej sytuacji za najwłaściwsze. Ponieważ sam odkryłem, że co jakiś czas dobrze jest przyjąć czyjąś pomoc.

Skinął głową w stronę roweru.

— Weź go — poprosił. — Naprawdę nie wiem, co z nim zrobić, a musisz przyznać, że dzięki niemu będzie ci znacznie łatwiej pokonywać drogę do pracy.

Minęło kilka sekund, zanim Alex zobaczył, że Katie prostuje ramiona. Popatrzyła na niego z lekko kpiącym uśmieszkiem.

— Przećwiczyłeś tę przemowę?

— Oczywiście. — Usiłował ukryć zażenowanie. — Ale przyjmiesz?

Zawahała się.

— Rower na pewno mi się przyda — zgodziła się z nim w końcu. — Dziękuję ci.

Przez długą chwilę żadne z nich się nie odzywało. Kiedy Alex zerknął na jej profil, ponownie zauważył, z jak ładną dziewczyną ma do czynienia, chociaż podejrzewał, że Katie wcale tak o sobie nie myśli, przez co zresztą wydała mu się jeszcze bardziej pociągająca.

— Proszę bardzo — odrzekł.

— Ale to był ostatni upominek, okay? Zrobiłeś już dla mnie zbyt dużo.

— Zgoda. — Kiwnął głową ku rowerowi. — Dobrze ci się na nim jechało? To znaczy... mam na myśli te koszyki i tak dalej.

— Świetnie. Dlaczego pytasz?

— Bo Kristen i Josh pomagali mi wczoraj w ich zainstalowaniu. Dzień był deszczowy, więc musiałem znaleźć dzieciom zajęcie. Kristen je wybrała. Pomyślała także, że chciałabyś mieć odblaskowe uchwyty kierownicy, uznałem jednak, że muszą istnieć jakieś granice.

— Nie miałabym nic przeciwko odblaskowym uchwytom.

Roześmiał się.

— Powtórzę jej.

Zawahała się.

— Uważam, że doskonale sobie radzisz... To znaczy... z dziećmi...

— Dziękuję ci.

— Mówię poważnie. Wiem, że nie jest ci łatwo.

— Takie jest życie. Zazwyczaj rzeczywiście bywa niełatwo, ale powinniśmy starać się ze wszystkich sił. Rozumiesz, co mam na myśli?

— Tak — przyznała. — Sądzę, że tak.

Drzwi do sklepu się otworzyły i Alex zobaczył, że Josh wychylił się i badawczo rozgląda się po parkingu. Kristen stała tuż za nim. Ponieważ chłopiec miał brązowe włosy i oczy, bardzo przypominał swoją matkę. Teraz włosy miał straszliwie potargane, więc Alex wiedział, że synek dopiero wstał z łóżka.

— Tu jesteśmy! — zawołał.

Josh podrapał się po głowie i ruszył powoli ku nim. Kristen rozpromieniła się na widok Katie i pomachała jej.

— Tato? — odezwał się syn.

— Słucham?

— Chcieliśmy spytać, czy nadal jedziemy dziś na plażę. Obiecałeś, że nas zabierzesz.

— Taki był plan.

— I grill?

— Oczywiście.

— W porządku — powiedział chłopiec. Potarł nos. — Dzień dobry, panno Katie.

Katie pomachała dzieciom.

— Podoba się pani rower? — zaszczebiotała Kristen.

— Bardzo. Dziękuję wam.

— Musiałem pomóc tacie go naprawić — oznajmił chłopiec. — Niezbyt dobrze sobie radzi z narzędziami.

Katie zerknęła na Alexa i uśmiechnęła się.

— Nie wspomniał mi o tym.

— Och, w porządku. Wiedziałem, co robić. Ale tato musiał mi pomóc założyć nową dętkę.

Kristen wpatrzyła się w Katie.

— Czy pani też jedzie na plażę?

Kobieta się wyprostowała.

— Nie sądzę.

— Czemu nie? — naciskała dziewczynka.

— Katie prawdopodobnie pracuje — stwierdził Alex.

— Właściwie nie — odrzekła Katie. — Ale mam parę rzeczy do zrobienia w domu...

— W takim razie musi pani z nami pojechać! — zawołała Kristen. — Będzie naprawdę fajnie.

— To czas, który spędzacie w rodzinnym gronie — broniła się. — Nie chciałabym wam przeszkadzać.

— Nie będzie pani nam przeszkadzać. Będziemy się dobrze bawić. Może pani popatrzeć, jak pływam. Proszę! — błagała Kristen.

Alex milczał, nie chcąc naciskać na nią jeszcze bardziej. Zakładał, że odmówi, lecz — co go zaskoczyło — lekko skinęła głową.

— Dobrze — powiedziała w końcu bardzo cicho.

9

Po powrocie ze sklepu zaparkowała rower za domem i weszła do środka, aby się przebrać. Nie miała stroju kąpielowego, ale nawet gdyby miała, i tak by go nie włożyła. Gdy była nastolatką, paradowanie przed obcymi w ekwiwalencie majtek i stanika było zupełnie naturalne, teraz nie czułaby się jednak dobrze w takim stroju z Alexem i jego dziećmi. A bez dzieci, szczerze mówiąc, byłoby jeszcze trudniej. Chociaż broniła się przed wszelkimi myślami o nim, musiała przyznać, że mężczyzna ją zaintrygował. Nie dlatego, że tyle dla niej zrobił, choć niewątpliwie było to wzruszające. Jej zainteresowanie miało więcej wspólnego z jego smutną miną, gdy mówił o żonie. Katie podobał się także sposób, w jaki traktował dzieci. Na dodatek wyczuwała u niego osamotnienie, którego nie potrafił zataić i które przypominało jej o własnej samotności.

Wiedziała, że zainteresowała Alexa. Była przecież dorosłą kobietą i miała sporo doświadczeń, potrafiła więc odgadnąć, kiedy mężczyzna uważa ją za atrakcyjną; gdy była gdzieś z mężem, zdarzało się, że kasjer w sklepie mówił do niej zbyt dużo, nieznajomy zbyt długo patrzył w jej stronę, a kelner w restauracji trochę zbyt często zerkał na stolik, przy którym siedzieli. Szybko nauczyła się udawać, że nie zdaje sobie sprawy ze spojrzeń obcych mężczyzn; czasami okazywała wyraźne lekceważenie, ponieważ nie miała wątpliwości, co się zdarzy, jeśli mąż coś zauważy. Tak, wiedziała, co będzie później, kiedy wrócą do domu. Kiedy zostaną już sami...

Ale, przypomniała sobie, teraz jej życie się zmieniło. Otworzyła szuflady, wyjęła parę szortów i sandały, które kupiła w Anna Jean's. Wczoraj wieczorem piła wino z przyjaciółką, a teraz jechała na plażę z Alexem i jego dziećmi! To były zwykłe zdarzenia składające się na normalne życie. A jednak czuła się dziwnie, jak gdyby dopiero poznawała nieznane jej dotąd zwyczaje cudzoziemców. Cieszyła się, a równocześnie pozostawała osobliwie ostrożna.

Właśnie skończyła się ubierać, gdy zobaczyła na żwirowej drodze jeepa Alexa. Widząc, że samochód zatrzymuje się przed domem, wzięła głęboki wdech.

Teraz albo nigdy, pomyślała, wychodząc na werandę.

— Musi pani zapiąć pasy, panno Katie — oznajmiła poważnie siedząca za nią Kristen. — Mój tato nie ruszy, póki pani ich nie zapnie.

Alex przez sekundę badał wzrokiem jej twarz, jak gdyby pytał: „Jesteś na to gotowa?". Posłała mu najodważniejszy uśmiech, na jaki potrafiła się zdobyć.

— No dobrze — rzucił. — Jedźmy.

*

W niecałą godzinę dotarli do przybrzeżnego miasteczka Long Beach, słynącego z domów krytych dachami dwuspadowymi i rozległych nadmorskich widoków. Alex wjechał na mały parking stworzony tuż przy wydmach; trawy na piasku poruszały się w silnej morskiej bryzie. Katie wysiadła z samochodu i zapatrzyła się w ocean, oddychając głęboko. Dzieci wyskoczyły i od razu pobiegły ścieżką wśród wydm.

— Sprawdzę wodę, tatusiu! — krzyknął Josh z maską i rurką do nurkowania w rękach.

— Ja też! — dodała Kristen, pędząc za nim.

Alex rozładowywał jeepa.

— Czekajcie! — krzyknął. — Tylko chwileczkę, dobrze? Chłopiec westchnął. Z niecierpliwości aż przestępował z nogi na nogę. Mężczyzna zaczął wyjmować przenośną lodówkę.

— Potrzebujesz pomocy? — spytała Katie.

Pokręcił głową.

— Poradzę sobie. Ale gdybyś mogła nasmarować dzieci kremem i popilnować ich przez kilka minut? Wiem, że są podniecone i aż się palą do wody.

— Oczywiście — odparła Katie, po czym odwróciła się do Kristen i Josha. — Przygotowani?

Przez następne kilka minut Alex przenosił produkty z auta do prowizorycznego obozowiska wokół ławy piknikowej najbliżej wydmy, tam gdzie nie docierały nawet wysokie fale. Chociaż w pobliżu widać było kilka innych rodzin, Alex, Katie i dzieci mieli dużą część plaży wyłącznie dla siebie. Katie zsunęła sandały i stała na brzegu, dzieci tymczasem chlapały się na płyciźnie. Kobieta skrzyżowała ręce, a Alex nawet z oddali zauważył tak rzadko goszczący na jej twarzy wyraz zadowolenia.

Zarzucił sobie na ramiona dwa ręczniki i poszedł na brzeg.

— Trudno uwierzyć, że wczoraj była taka straszna burza, prawda?

Katie odwróciła się na dźwięk jego głosu.

— Zapomniałam, jak bardzo stęskniłam się za oceanem.

— Dawno nie byłaś?

— Zbyt długo — odparła, wsłuchując się w głośny szum fal i patrząc, jak łagodnie docierają na brzeg.

Josh wbiegał do wody i wybiegał z niej, natomiast Kristen kucała na brzegu, oddając się poszukiwaniom ładnych muszelek.

— Czasami musi być ciężko wychowywać je samemu — odezwała się Katie.

Alex przez moment wahał się, jak odpowiedzieć.

— Przez większą część czasu nie jest tak źle — odrzekł w końcu cicho. — Ustaliliśmy zasady i żyjemy według pewnego rytmu. Tak zwyczajnie. Tylko kiedy zdarza się coś niecodziennego... gdy tracimy ten rytm... wtedy czasami ogarnia mnie frustracja. — Uderzył stopą w mokry piasek, pozostawiając głęboki ślad. — Kiedy rozmawialiśmy z żoną o trzecim dziecku, próbowała mnie ostrzec, że wtedy będziemy musieli zmienić podejście i zamiast „krycia indywidualnego" czeka nas „obrona strefowa". Żartowała, że nie ma pewności, czy jestem na to gotów. A teraz... teraz codziennie mam do czynienia z „obroną strefową", mówiąc językiem sportu... — Zamilkł na moment. — Wybacz, nie powinienem...

— Czego nie powinieneś?

— Wydaje mi się, że podczas każdej naszej rozmowy w końcu zaczynam mówić o żonie.

Natychmiast odwróciła się do niego.

— Dlaczego miałbyś o niej nie mówić?

Przez chwilę przesuwał stopą po piasku do przodu i w tył, wygładzając zagłębienie, które wcześniej wykopał.

— Ponieważ nie chcę, abyś myślała, że nie potrafię rozmawiać o niczym innym. Że żyję wyłącznie przeszłością...

— Bardzo ją kochałeś, prawda?

— Bardzo — przyznał.

— I była najważniejszą osobą w twoim życiu, aż stała się matką twoich dzieci, prawda?

— Tak.

— W takim razie powinieneś ją wspominać — podsumowała. — Musisz to robić. Po części jej właśnie zawdzięczasz to, kim teraz jesteś. — Alex uśmiechał się z wdzięcznością, nie potrafił jednak wymyślić żadnej odpowiedzi. Czasami odnosił wrażenie, że Katie czyta mu w myślach. Po chwili spytała go łagodnym, cichym głosem: — Jak się poznaliście?

— W barze, wyobrażasz sobie? Przyszła z kilkoma koleżankami i świętowały urodziny którejś z nich. Było gorąco i tłoczno, światła słabe, muzyka głośna, a ona po prostu... trzymała się jakby z dala. Chodzi mi o to, że wszystkie dziewczyny straciły kontrolę i było widać, że doskonale się bawią, a ona pozostała... chłodna.

— Założę się, że była też piękna.

— To się rozumie samo przez się — przyznał. — Więc przełknąłem ślinę ze zdenerwowania, podszedłem i usiłowałem ją jakoś oczarować.

Przerwał, widząc uśmieszek igrający w kącikach jej ust.

— No i? — spytała.

— No i poznanie jej imienia i zdobycie numeru telefonu zajęło mi trzy godziny.

Katie się roześmiała.

— Niech zgadnę. Zadzwoniłeś nazajutrz, prawda? I gdzieś ją zaprosiłeś?

— Skąd wiesz?

— Bo wyglądasz na kogoś takiego.

— Mówisz jak ktoś nieraz trafiony strzałą Amora.

Wzruszyła ramionami, nie zamierzając zaspokajać jego ciekawości.

— I co było dalej?

107

— Dlaczego chcesz tego słuchać?

— Nie wiem — przyznała się. — Ale chcę.

Przypatrywał jej się bacznie.

— Zgoda — odrzekł ostatecznie. — Więc tak czy owak... jak już wiesz, chociaż nie mam pojęcia skąd... zaprosiłem ją na lunch i spędziliśmy resztę popołudnia na rozmowie. Jeszcze w ten weekend powiedziałem jej, że pewnego dnia się pobierzemy.

— Żartujesz.

— Wiem, że to brzmi desperacko. Wierz mi, ona również wzięła mnie za wariata. Ale ja po prostu wiedziałem, i już. Wydawała mi się inteligentna i dobra, wiele nas łączyło i chcieliśmy od życia tego samego. Często się śmiała i umiała mnie rozśmieszyć... Naprawdę, z nas dwojga to ja byłem szczęściarzem.

Ogromne fale wciąż podnosiły się w oceanicznej bryzie, woda zalewała Katie kostki.

— Ona prawdopodobnie również uważała się za szczęściarę.

— Tylko dlatego, że potrafiłem ją omamić.

— Szczerze w to wątpię.

— Tylko dlatego, że potrafię omamić również ciebie.

Roześmiała się.

— Nie sądzę.

— Mówisz tak jedynie dlatego, że jesteśmy przyjaciółmi.

— Sądzisz, że jesteśmy przyjaciółmi?

— Tak — odparł, wytrzymując jej spojrzenie. — A ty nie?

Widział po jej minie, że pytanie ją zaskoczyło, lecz zanim Katie zdążyła odpowiedzieć, Kristen przyszła do nich, brodząc w płytkiej wodzie. W rękach trzymała garść muszelek.

— Panno Katie! — krzyczała. — Znalazłam naprawdę ładne!

Kobieta się pochyliła.

— Pokażesz mi?

Dziewczynka wyciągnęła ręce i wysypała muszelki na dłoń Katie, po czym obróciła się do Alexa.

— Tato? — spytała. — Możemy już rozpalić grill? Jestem strasznie głodna.

— Jasne, kochanie. — Wszedł kilka kroków do wody, patrząc, jak syn nurkuje wśród fal. Kiedy chłopiec wypłynął, Alex przyłożył dłonie do ust i zawołał: — Josh! Josh! Zamierzam rozpalić ogień, więc może wyjdziesz na chwilę?

— Teraz?! — odkrzyknął syn.

— Tylko na momencik.

Nawet z oddali widział, że chłopiec ze smutkiem opuszcza ramiona. Katie na pewno również to zauważyła, ponieważ bardzo szybko ujęła się za Joshem.

— Mogę tu zostać, jeśli chcesz — powiedziała Alexowi.

— Jesteś pewna?

— Kristen pokaże mi muszelki — nalegała.

Kiwnął głową i odwrócił się do syna.

— Katie trochę cię popilnuje, dobrze? Tylko nie zapuszczaj się zbyt daleko!

— Nie będę! — odparł chłopiec, szczerząc zęby w uśmiechu.

10

Jakiś czas później Katie zaprowadziła dygoczącą Kristen i podekscytowanego Josha z powrotem na koc, który Alex wcześniej rozłożył. Grill był już rozstawiony, a brykiety żarzyły się, pobielałe z gorąca.

Alex rozłożył na kocu ostatni z leżaków i obserwował, jak nadchodzi Katie z maluchami.

— Jaka jest woda, dzieci?

— Świetna! — odparował Josh. Włosy, częściowo przeschnięte, sterczały mu na wszystkie strony. — Kiedy lunch?

Alex sprawdził węgle.

— Za jakieś dwadzieścia minut.

— Możemy z Kristen wrócić nad wodę?

— Właśnie z niej wyszliście. Może zrobicie sobie kilka minut przerwy?

— Nie chcemy pływać. Chcemy zbudować zamki z piasku — wyjaśnił chłopiec.

Alex zauważył, że Kristen szczęka zębami.

— Na pewno również tego chcesz? Jesteś sina z zimna.

Dziewczynka gwałtownie skinęła głową.

— Nic mi nie jest, tatusiu — odrzekła, nie przestając dygotać. — Będziemy budować zamki na plaży.

— W porządku. Ale włóżcie podkoszulki. I chcę przez cały czas mieć was na widoku — powiedział i wskazał miejsce.

— Wiem, tato. — Josh westchnął. — Nie jestem już małym dzieckiem.

Alex przeszukał worek marynarski i pomógł obojgu włożyć koszulki. Kiedy skończył, Josh złapał torbę pełną plastikowych zabawek i łopatek, po czym natychmiast pobiegł na plażę. Zatrzymał się dopiero kilka metrów od krawędzi wody. Kristen szła za nim wolniej.

— Chcesz, żebym im towarzyszyła? — spytała Katie.

Pokręcił głową.

— Nie, poradzą sobie. Są przyzwyczajeni, że zawsze sami budują zamki z piasku. To znaczy wtedy, gdy ja grilluję. Wiedzą, że nie wolno im się zbliżać do wody.

Podszedł do lodówki, kucnął i podniósł pokrywę.

— Ty też robisz się głodna? — spytał.

— Troszeczkę — odpowiedziała, zanim zdała sobie sprawę, że nie jadła nic po serze i winie z poprzedniego wieczoru. Dokładnie w tym samym momencie usłyszała, że burczy jej w brzuchu, więc przycisnęła do niego ręce.

— To dobrze, ponieważ ja umieram z głodu. — Kiedy zaczął przeszukiwać lodówkę, Katie zauważyła, jak muskularne jest jego przedramię. — Myślałem o hot dogach dla Josha, cheeseburgerze dla Kristen, a dla nas dwojga chcę przygotować steki. — Wyjął mięso i odłożył je, a potem pochylił się nad grillem, dmuchając na węgiel.

— Mogę ci w czymś pomóc?

— Rozłożysz obrus na ławie, proszę? Jest na lodówce.

— Pewnie — odparła Katie. Wyjęła jeden z woreczków

z lodem, po czym przez chwilę oglądała wnętrze lodówki. — Jest tu tyle jedzenia, że bez trudu wystarczyłoby dla kilku rodzin — szepnęła.

— Tak, no cóż, gdy mam do czynienia z dziećmi, moje motto od dawna brzmi: „Weź raczej zbyt dużo niż za mało, ponieważ nigdy dokładnie nie wiadomo, co zjedzą". Nie masz pojęcia, ile razy po dotarciu tutaj okazywało się, że zapomniałem o czymś i musieliśmy jechać z powrotem do sklepu. Dziś pragnąłem tego uniknąć.

Katie rozłożyła plastikowy obrus, a później za radą Alexa zamocowała rogi specjalnymi ciężarkami, które przywiózł na piknik wraz z dziesiątkami innych drobiazgów.

— Co dalej? Powinnam postawić wszystko na ławie?

— Mamy kilka minut. Nie wiem jak ty, ale ja napiłbym się piwa — powiedział. Sięgnął do lodówki, wyjął butelkę. — Dla ciebie też?

— Poproszę coś bezalkoholowego — odparła.

— Dietetyczną colę? — zaproponował i ponownie pochylił się nad lodówką.

— Świetnie.

Kiedy podawał jej puszkę, musnął jej dłoń, chociaż Katie nie była pewna, czy w ogóle to zauważył.

Wskazał na leżaki.

— Usiądziesz?

Zawahała się, jednak usiadła obok niego, szczególnie że Alex rozstawił leżaki w pewnej odległości od siebie, tak aby siedzący przypadkiem się nie dotknęli.

Otworzył butelkę i wypił łyk.

— W gorący dzień na plaży nie ma nic lepszego od zimnego piwa.

Uśmiechnęła się, nieco zakłopotana, że jest z nim sama.

— Wierzę ci na słowo.

— Nie lubisz piwa?

Przez głowę przemknęło jej wspomnienie z dzieciństwa — puste puszki po piwie Pabst Blue Ribbon, które zazwyczaj leżały na podłodze wokół zajmowanego przez ojca fotela.

— Niezbyt — przyznała się.

— Tylko wino, co?

Minęła chwila, zanim Katie przypomniała sobie, że Alex podarował jej butelkę wina.

— Szczerze mówiąc, piłam wczoraj wieczorem wino. Z sąsiadką.

— Naprawdę? To doskonale.

Szukała jakiegoś bezpiecznego tematu.

— Mówiłeś, że jesteś ze Spokane?

Wyciągnął przed siebie nogi i skrzyżował je w kostkach.

— Urodziłem się tam i dorastałem. Mieszkałem w tym samym domu do czasu, aż poszedłem do college'u. — Popatrzył na nią z ukosa. — Uniwersytet Waszyngtoński, tak przy okazji. *Go, Huskies!*

Uśmiechnęła się.

— Twoi rodzice wciąż tam mieszkają?

— Tak.

— Chyba trudno im odwiedzać wnuki.

— Przypuszczam, że tak.

Coś w jego tonie przyciągnęło jej uwagę.

— Przypuszczasz?

— Nie są tego rodzaju dziadkami. Nawet gdyby mieszkali bliżej, i tak by do nas nie wpadali. Widzieli dzieci tylko dwukrotnie, raz tuż po narodzinach Kristen i drugi na pogrzebie. — Pokręcił głową. — Nie proś mnie o wyjaśnienie tej kwestii — ciągnął. — Moi rodzice nie interesują się wnukami, wysyłają im jedynie kartki na urodziny i prezenty

113

na Boże Narodzenie. Wolą podróżować albo oddawać się innym zajęciom, nie wiem jakim...

— Nie do wiary!

— Co mogę zrobić? A poza tym mnie również traktowali nie inaczej, choć byłem ich najmłodszym dzieckiem. W college'u po raz pierwszy odwiedzili mnie w dniu rozdania świadectw w ostatniej klasie, i mimo iż jako świetny pływak otrzymałem pełne stypendium, na palcach jednej ręki mogę policzyć, ile razy widzieli, jak się ścigam. Nawet gdybym mieszkał po drugiej stronie ulicy, wątpię, czy chcieliby widywać dzieci. To jeden z powodów, dla których mieszkam właśnie tutaj. Czemu nie, prawda?

— A twoi teściowie?

Przez chwilę zdrapywał etykietkę z butelki z piwem.

— To jeszcze delikatniejsza kwestia. Oprócz mojej żony, Carly, mieli dwie inne córki. Obie przeprowadziły się na Florydę, toteż gdy teściowie sprzedali mi sklep, wyjechali i zamieszkali tam z nimi. Przyjeżdżają raz albo dwa razy na rok, zostają parę dni, ale wciąż jest to dla nich ciężkie przeżycie. W dodatku nie chcą zatrzymywać się w domu, ponieważ, tak sądzę, za bardzo im tu wszystko przypomina córkę. Zbyt wiele wspomnień, sama rozumiesz.

— Innymi słowy, jesteś właściwie sam.

— Wręcz przeciwnie — zaprzeczył i kiwnął głową ku morzu. — Mam dzieci, pamiętasz?

— Czasami jednak na pewno bywa trudno. Prowadzisz sklep i sam wychowujesz dzieci.

— Nie jest tak źle. Jeśli wstaję o szóstej rano i nie kładę się przed północą, nadążam ze wszystkim.

Katie roześmiała się lekko.

— Myślisz, że węgiel jest już wystarczająco rozżarzony?

— Sprawdzę — powiedział. Postawił butelkę na piasku,

wstał z leżaka i podszedł do grilla. Brykiety były białe i gorące, co było widać natychmiast, gdyż powietrze nad nimi drżało. — Oceniłaś idealnie — pochwalił przyjaciółkę. Położył steki i hamburgery na ruszcie, Katie tymczasem poszła do lodówki i zaczęła przynosić na ławę liczne produkty: pojemniki Tupperware z sałatką ziemniaczaną i surówką z białej kapusty, pikle, sałatkę z fasolki szparagowej, krojone owoce, dwie torebki chipsów, pokrojony w plastry ser oraz odpowiednie do planowanych potraw przyprawy.

Pokręciła głową z niedowierzaniem, kiedy zaczęła ustawiać to wszystko, myśląc, że Alex chyba nie pamięta, jak małe są jeszcze jego dzieci. Na tej ławie było więcej jedzenia, niż miała w domu, odkąd zamieszkała w Southport.

Alex przewrócił steki i hamburgery na drugą stronę, a następnie położył obok nich parówki. Kładąc je, odkrył, że mimowolnie zerka na nogi Katie, która akurat obchodziła ławę. Ponownie zauważył, jak ładna jest jego nowa znajoma. Najwyraźniej dostrzegła na sobie jego wzrok.

— O co chodzi? — spytała.

— Och, o nic — odparł.

— Myślałeś o czymś?

Westchnął.

— Cieszę się, że zdecydowałaś się tu z nami dziś przyjechać — oznajmił w końcu. — Świetnie się czuję w twoim towarzystwie.

*

Alex zajmował się grillem i równocześnie prowadzili swobodną rozmowę. Opowiadał w ogólnym zarysie, jak wygląda prowadzenie wiejskiego sklepiku. Mówił o początkach założonego przez teściów sklepu i z czułością opisywał kilku stałych klientów, których uważał za dziwaków, a Katie mimowolnie zastanowiła się, czy zaliczyłby ją do takich osób, gdyby przyjechał na plażę z kimś innym. Właściwie nie było to dla niej ważne. Im więcej Alex mówił, tym bardziej uprzytamniała sobie, że ma do czynienia z mężczyzną, który stara się dostrzegać w ludziach ich najlepsze cechy i który nie lubi narzekać. Nie umiała go sobie wyobrazić w młodości, więc stopniowo próbowała kierować rozmowę na jego przeszłość. Opowiedział jej więc o dorastaniu w Spokane i długich, leniwych weekendach, podczas których jeździł z przyjaciółmi na rowerach po Centennial Trail. Zwierzył się, że kiedy nauczył się pływać, ten sport szybko stał się jego obsesją. Pływał cztery lub pięć godzin dziennie i marzył o starcie w olimpiadzie, niestety, gdy był na drugim roku w college'u, zerwał mięsień podłopatkowy i musiał porzucić te marzenia. Wspominał o imprezach uczelnianego bractwa, w których brał udział, i o przyjaźniach, które nawiązał w college'u, przyznając szybko, że niemal wszystkie powoli, lecz nieuchronnie się rozpadały. Katie zauważyła, że Alex ani nie usiłuje ubarwiać, ani bagatelizować własnej przeszłości, nie przywiązywał też raczej wagi do zdania innych osób na jego temat.

Patrząc na jego sylwetkę, widziała cechy zawodowego sportowca, którym kiedyś był. Zauważyła też, że porusza się z gracją i płynnie, a uśmiecha — beztrosko, niczym człowiek przyzwyczajony zarówno do sukcesów, jak i do porażek. Kiedy przerwał, zmartwiła się, że spyta ją o jej przeszłość, ale nie zrobił tego, nie chcąc jej speszyć, i zamiast pytań rozpoczął kolejną opowieść.

W końcu jedzenie było gotowe, więc zawołał dzieci, które przybiegły pędem. Były pokryte piaskiem i Alex kazał im stanąć na boku do czasu, aż je otrzepie. Obserwując go, Katie znalazła kolejne potwierdzenie swojej opinii, że jest lepszym ojcem, niż sądził. Ze wszystkim, co ważne, radził sobie świetnie.

Zasiedli całą grupką przy ławie, a wtedy ton rozmowy się zmienił. Katie słuchała, jak Josh i Kristen szczebioczą o zamku z piasku i jednym z seriali na kanale Disney Channel, który oboje lubili. Później zaczęli zastanawiać się nad deserem i nie mogli się go doczekać — miały być nim typowe dla amerykańskiego Południa s'mores, czyli krakersy z razowej mąki pszennej, przekładane czekoladą i stopioną nad rusztem białą pianką żelową. Katie nie miała wątpliwości, że Alexowi udało się stworzyć szczególną, sympatyczną tradycję spędzania wspólnego czasu z dziećmi. Przemknęło jej przez głowę, że ten mężczyzna bardzo różni się od wszystkich innych, których do tej pory spotkała, że jest zupełnie wyjątkowy. Włączała się do pogawędki tej trójki i przychodziło jej to coraz naturalniej. Już prawie nie czuła zdenerwowania.

Jedzenie było pyszne i stanowiło mile widzianą odmianę w jej ostatniej skromnej diecie. Niebo pozostało bezchmurne, a jego błękitny bezmiar od czasu do czasu zakłócał jedynie jakiś morski ptak przelatujący nad ich głowami. Wiatr to wzmagał się, to słabł, lecz pozostawał na tyle silny, że zapewniał im przyjemny chłód, a równomierny szum działał uspokajająco.

Kiedy Josh i Kristen skończyli jeść, pomogli dorosłym sprzątnąć ze stołu i zapakować niezjedzone produkty; na ławie zostały takie, które nie mogły się zepsuć: pikle i chipsy. Dzieci chciały popływać na deskach, więc Alex ponownie nasmarował oboje emulsją do opalania, po czym zdjął koszulę i poszedł wraz z nimi do wody.

Katie zaniosła leżak na brzeg i przez następną godzinę patrzyła, jak mężczyzna uczy syna i córkę walczyć z falami, pokazując im najlepsze pozycje na desce. Dzieci piszczały

117

z rozkoszy; najwyraźniej doskonale się bawiły. Katie zdumiewała się, że Alex potrafi sprawić, aby oboje czuli się ważni — jakby stale pozostawali w centrum jego uwagi. Traktował ich delikatnie i czule, okazując im niezwykłą cierpliwość, której się po nim chyba nie spodziewała. W miarę jak mijało popołudnie i na niebie pojawiły się chmury, przyłapała się na uśmiechu i myślach, że po raz pierwszy od wielu lat czuje się tak absolutnie odprężona. Mało tego, bawiła się równie dobrze jak dzieci.

11

Po wyjściu z wody Kristen oznajmiła, że jest jej zimno, więc Alex zaprowadził ją do łazienki, gdzie pomógł jej się przebrać w suche rzeczy. Katie została na kocu z Joshem i podziwiała tańczące na wodzie promienie słońca, chłopiec natomiast usypywał piasek w małe górki.

— Hej, a może chcesz ze mną puszczać latawiec? — spytał nagle.

— Nie wiem, czy potrafię...

— To łatwe — nalegał, już grzebiąc w stosie przywiezionych przez ojca zabawek i w końcu wyciągając mały latawiec. — Pokażę ci, jak to zrobić. Chodź.

Natychmiast popędził na plażę, a Katie przebiegła za nim kilka kroków, po czym zwolniła do dziarskiego marszu. Zanim dotarła do chłopca, Josh zaczął już rozwijać sznurek. Wręczył jej latawiec.

— Po prostu trzymaj go nad sobą, dobrze?

Kiwnęła głową, a Josh ruszył powoli z powrotem, wciąż wprawnym ruchem odwijając sznurek.

— Jesteś gotowa?! — zawołał, gdy wreszcie się zatrzymał. — Kiedy zacznę biec i krzyknę, puść go, i tyle.

— Jestem gotowa!

Josh zaczął biec, aż nagle Katie poczuła opór latawca. Usłyszała jego okrzyk, więc natychmiast puściła zabawkę. Nie była pewna, czy wiatr jest dość silny, a jednak w przeciągu kilku sekund latawiec wystrzelił prosto w niebo. Chłopiec stanął i odwrócił się. Katie ruszyła ku niemu, a on puścił jeszcze więcej sznurka.

Stanęła obok Josha, osłoniła oczy przed słońcem i obserwowała powoli wznoszący się latawiec. Był czarno-żółty, a charakterystyczny znaczek Batmana widoczny był nawet ze znacznej odległości.

— Mnie całkiem dobrze idzie puszczanie latawców — powiedział Josh, nie odrywając spojrzenia od lecącego czarno-żółtego kształtu. — Jak to możliwe, że nigdy nie puszczałaś?

— Nie wiem. W dzieciństwie po prostu nie miałam do czynienia z latawcami.

— Żałuj, bo to niezła zabawa.

Chłopiec ciągle wpatrywał się w niebo, absolutnie skoncentrowany. Po raz pierwszy Katie zauważyła, jak bardzo jest podobny do siostry.

— Podoba ci się w szkole? Jesteś w zerówce, prawda?

— Szkoła jest fajna. Najbardziej lubię przerwy między lekcjami. Organizujemy wtedy wyścigi i takie tam.

Na pewno, pomyślała Katie, ponieważ odkąd przyjechali całą czwórką na plażę, Josh stale pozostawał w ruchu i praktycznie ani na chwilę się nie zatrzymywał.

— Twoja nauczycielka jest miła?

— Bardzo. Przypomina mi tatę. Też nie lubi krzyczeć ani nic.

— Twój tato nie krzyczy?

— Nigdy — odparł chłopiec z wielkim przekonaniem.

— A co robi, gdy się wścieka?

— Tato nigdy się nie wścieka.

Wpatrywała się bacznie w Josha, usiłując ustalić, czy mówi serio, i zdała sobie sprawę, że tak, bez wątpienia.

— Masz wielu przyjaciół? — spytał nieoczekiwanie.

— Niezbyt wielu — odparła zaskoczona. — Czemu pytasz?

— Bo tato twierdzi, że jesteś jego przyjaciółką. I że właśnie dlatego przyjechałaś z nami na plażę.

— Kiedy ci tak powiedział?

— Kiedy pływaliśmy na falach.

— Co jeszcze mówił?

— Spytał, czy nie przeszkadza nam, że tu z nami jesteś.

— A przeszkadza wam?

— Czemu by miało? — Wzruszył ramionami. — Każdy potrzebuje przyjaciół, a na plaży jest fajnie.

Trudno jej było polemizować z takim stwierdzeniem.

— Masz rację — szepnęła.

— Kiedyś przyjeżdżała tu z nami moja mama, wiesz?

— Tak?

— Tak, ale umarła.

— Wiem. Przykro mi. Musi być wam ciężko. Na pewno bardzo za nią tęsknicie.

Chłopiec skinął głową i przez chwilę wyglądał równocześnie na starszego i młodszego, niż był w rzeczywistości.

— Tato jest czasami smutny. Sądzi, że o tym nie wiem, ale przecież widzę...

— Na jego miejscu także byłabym smutna.

Josh milczał, rozważając przez moment jej odpowiedź.

— Dziękuję, że pomogłaś mi z latawcem — oznajmił w końcu.

*

— Chyba przyjemnie spędziliście razem czas — zauważył Alex po powrocie z Kristen z łazienki i pomógł córce wypuścić drugi latawiec, po czym podszedł i stanął obok Katie na ubitym piasku nad wodą. Kobieta czuła, jak włosy poruszają jej się lekko na wietrze.

— Josh jest słodki — odparła. — I bardziej rozmowny, niż sądziłam. — Odnosiła wrażenie, że gdy Alex patrzy na zmagające się z latawcami dzieci, nie umyka mu żaden, nawet najdrobniejszy szczegół. — Więc właśnie w ten sposób spędzasz czas w weekendy po wyjściu ze sklepu? Zajmujesz się dziećmi?

— Zawsze — przyznał. — Uważam, że to ważne.

— Mimo że twoi rodzice wychowali cię inaczej?

Alex się zawahał.

— Można by pomyśleć, że z przekory, prawda? Czułem się zaniedbywany, więc postanowiłem, że własne dzieci będę traktował zupełnie inaczej? Brzmi przekonująco, ale nie wiem, czy taka jest prawda. Powiem raczej, że spędzam z nimi dużo czasu, ponieważ sprawia mi to przyjemność. Cieszy mnie kontakt z nimi. Lubię patrzeć, jak się zmieniają, i chcę czynnie uczestniczyć w ich dorastaniu.

Słuchając jego odpowiedzi, Katie znów wspomniała swoje dzieciństwo. Nie potrafiła sobie wyobrazić, by któreś z rodziców wypowiedziało takie zdanie lub żywiło do niej takie uczucia.

— Dlaczego po szkole poszedłeś do wojska?

— W tamtym czasie uważałem, że powinienem. Byłem gotów na nowe wyzwania i chciałem zasmakować innego życia. Dzięki służbie miałem też pretekst do wyjazdu ze stanu Waszyngton. Nigdy go właściwie nie opuszczałem z wyjątkiem paru zawodów pływackich tu i tam.

— Brałeś kiedykolwiek udział w...?

Ponieważ wyraźnie zabrakło jej słów, Alex dokończył za nią:

— W walkach? Nie, nie wysłano mnie nigdy na żadną wojnę. W college'u specjalizowałem się w prawie karnym, więc trafiłem do wojskowej dochodzeniówki.

— Co to takiego? — Kiedy odparł, że chodzi o wydział kryminalny, odwróciła wzrok. — Coś w rodzaju policji? — spytała.

Skinął głową.

— Byłem detektywem — przyznał.

Nie odezwała się. I nie patrzyła na niego. Zauważył, że zacisnęła usta, a w jej oczach był smutek.

— Powiedziałem coś nie tak? — spytał. Kobieta bez słowa pokręciła głową. Wpatrywał się w nią i zastanawiał, co się dzieje. Miał coraz więcej podejrzeń w związku z jej przeszłością. — O co chodzi, Katie?

— O nic — upierała się, wiedział jednak, że nie mówi mu całej prawdy.

W innych okolicznościach na pewno by się dopytywał, teraz jednak uciął szybko temat.

— Nie musimy o tym rozmawiać — zapewnił ją spokojnie. — A poza tym od dawna już tam nie pracuję. Wierz mi, naprawdę o wiele szczęśliwszy jestem teraz, gdy prowadzę mój mały sklep.

Katie pokiwała głową, lecz Alex wciąż wyczuwał u niej niepokój. Wiedział, że kobieta potrzebuje chwilę zostać sama, chociaż oczywiście nie znał powodów. Wskazał kciukiem za siebie.

— Słuchaj, muszę dołożyć brykiety pod ruszt. Jeśli dzieci nie dostaną s'mores, nigdy mi nie darują. Zaraz wrócę, dobrze?

— Jasne — odparła, siląc się na nonszalancki ton.

Pobiegł do grilla, a ona odetchnęła z ulgą, jakby udało jej się uciec przed odpowiedzialnością.

Kiedyś był funkcjonariuszem policji, pomyślała. Próbowała sobie wmawiać, że ta informacja nie zrobiła na niej wrażenia. A jednak musiała głęboko oddychać niemal przez minutę, zanim poczuła, że znowu całkowicie nad sobą panuje. Kristen i Josh znajdowali się wciąż w tych samych miejscach, chociaż dziewczynka kucnęła teraz na piasku i oglądała kolejną muszelkę, kompletnie ignorując unoszący się na wietrze latawiec.

Katie usłyszała za sobą kroki. Alex wracał.

— Mówiłem, że to nie potrwa długo — oznajmił swobodnie. — Po zjedzeniu deseru chyba pojedziemy z powrotem. Chciałbym zostać aż do zachodu słońca, ale Josh idzie jutro do szkoły.

— Oczywiście, wrócimy, kiedy zechcesz — odrzekła, krzyżując ręce na piersi.

Dostrzegł jej zesztywniałe nagle ramiona i wyczuł napięcie w jej głosie. Zmarszczył czoło.

— Widzę, że zdenerwowały cię moje słowa. Nie jestem pewny, które konkretnie, ale przepraszam. W porządku? — spytał ostatecznie. — Pamiętaj po prostu, że jeśli zechcesz kiedyś porozmawiać, chętnie cię wysłucham. — Skinęła głową, lecz milczała, i chociaż Alex czekał na odpowiedź, nie usłyszał od niej ani słowa. — Czy tak teraz będzie między nami? — jęknął.

— Co masz na myśli?

— Czuję się tak, jakbym nagle musiał obchodzić się z tobą jak z jajkiem. Nie mam pojęcia, co się stało.

— Opowiedziałabym ci, ale... nie mogę — szepnęła.

Ledwie słyszał jej cichy głos zagłuszany szumem fal.

— Możesz mi przynajmniej wyjaśnić, co powiedziałem nie tak? Albo co takiego zrobiłem?

Odwróciła się ku niemu.

— Niczego niewłaściwego ani nie powiedziałeś, ani nie

zrobiłeś. Po prostu w tej chwili nic więcej na ten temat nie mogę ci powiedzieć, okay?

Studiował z uwagą jej twarz.

— Okay — zgodził się. — O ile moje towarzystwo nadal sprawia ci przyjemność.

Katie musiała zadać sobie trochę trudu, lecz w końcu zdołała się uśmiechnąć do Alexa.

— To najlepszy dzień, jaki spędziłam od bardzo, bardzo długiego czasu. I najlepszy weekend.

— A jednak ciągle wściekasz się na mnie za rower, nieprawdaż? — spytał, mrużąc oczy i udając podejrzliwego.

Mimo odczuwanego napięcia nie mogła się powstrzymać i wybuchnęła śmiechem.

— Naturalnie. Minie sporo czasu, zanim otrząsnę się z szoku — odcięła się i wydęła usta, przybierając nadąsaną minkę.

Alex zapatrzył się w horyzont. Wyglądał na spokojniejszego. — Mogę o coś spytać? — Katie nagle ponownie spoważniała. — Nie musisz odpowiadać, jeśli nie chcesz.

— Możesz mnie zapytać o wszystko — zapewnił ją.

— Co się przydarzyło twojej żonie? To znaczy... Wspomniałeś, że dostała ataku, ale nie mówiłeś, na co chorowała.

Westchnął, jak gdyby doskonale wiedział i od samego początku podejrzewał, że Katie w końcu o to spyta, a równocześnie potrzebował chwili, aby przygotować się do odpowiedzi.

— Miała guza mózgu — zaczął powoli. — Albo, dokładniej, trzy różne typy guza. Wtedy jeszcze nie zdawałem sobie sprawy z tego, jak częsta jest to przypadłość. Jeden z nowotworów, który stale, choć wolno, rósł, był wielkości kurzego jajka i chirurgom udało się go usunąć prawie w całości. Niestety, pozostałe były innego rodzaju i nie można było rozprawić się z nimi w tak prosty sposób. Rozrastały się

125

nierównomiernie, na wszystkie strony wysuwając wypustki jak pajęcze nogi, i nie sposób ich było wyciąć bez usunięcia części mózgu. No i były złośliwe. Lekarze starali się ze wszystkich sił, ale już po wyjściu z sali operacyjnej oznajmili mi, że zrobili, co mogli. Od razu wiedziałem, co to oznacza.

— Nie potrafię sobie wyobrazić, jak się czułeś, słysząc taki wyrok.

Zapatrzyła się w piasek.

— Przyznaję, w pierwszej chwili nie mogłem uwierzyć w to, co usłyszałem. To było takie... nieoczekiwane. Jeszcze wczoraj byliśmy całkiem normalną rodziną, a tu nagle dowiaduję się, że moja żona odchodzi na zawsze i nijak nie jestem w stanie jej zatrzymać. — Kristen i Josh nadal skupiali się na latawcach, ale Katie wiedziała, że w tej chwili Alex niemal ich nie widzi. — Po operacji Carly dobre kilka tygodni wracała do zdrowia. W tamtym okresie pragnąłem wierzyć, że nasza sytuacja mimo wszystko jakoś się ułoży. Później jednak, stopniowo, zacząłem dostrzegać niewielkie zmiany. Z dnia na dzień słabsza stawała się jej lewa strona ciała, a sama Carly coraz częściej zapadała w drzemki, które stawały się systematycznie dłuższe. Trudno mi było obserwować jej umieranie, ale najgorsze było dla mnie to, że odsuwała od siebie dzieci. Jak gdyby nie chciała, aby zapamiętały ją chorą. Chyba wolała zostać w ich wspomnieniach taka, jaka była kiedyś. — Zamilkł na moment, po czym pokręcił głową. — Przepraszam, nie powinienem ci o tym mówić. Moja żona była wspaniałą mamą. Popatrz tylko, jakie mam cudowne dzieci.

— Wydaje mi się, że to również zasługa ich ojca.

— Bardzo się staram. Jednak co minuta łapię się na tym, że nie wiem, co robić. Czuję się, jakbym oszukiwał świat, udając ojca.

— Sądzę, że wszyscy rodzice tak czasem czują.

Odwrócił się do niej.

— A twoi?

Zawahała się.

— Myślę, że starali się, jak mogli. Nie wspominała ich najlepiej, ale nie byli też najgorsi.

— Jesteś z nimi blisko?

— Gdy miałam dziewiętnaście lat, zginęli w wypadku samochodowym.

Zagapił się na nią.

— Strasznie mi przykro.

— Było trudno — przyznała.

— Masz braci lub siostry?

— Nie — odparła. Odwróciła się w stronę wody. — Jestem jedynaczką.

*

Kilka minut później Alex pomógł dzieciom przyciągnąć latawce, po czym całą grupą wrócili do części piknikowej. Brykiety były już prawie gotowe, toteż mężczyzna wykorzystał pozostały czas na wypłukanie desek do pływania i wytrzepanie ręczników z piasku. Dopiero wtedy wyjął wszystkie produkty potrzebne do wykonania s'mores.

Kristen i Josh pomogli spakować większość ich rzeczy, a Katie schowała resztę jedzenia do lodówki, Alex tymczasem zaczął odnosić zbędne przedmioty do jeepa. Gdy skończył, pozostał jedynie koc i cztery leżaki, które dzieci ustawiły wcześniej w kręgu. Alex wyjął długie patyczki i torebki pianek żelowych. Josh z podniecenia rozdarł swoją torebkę i słodycze wypadły z niej na koc.

Idąc za przykładem maluchów, Katie nabiła na patyczek trzy pianki, po czym we czworo stanęli nad rusztem i obracali nad nim patyczki, aż cukrowe puszki z białych stały się złotobrązowe. Niestety, Katie trzymała swój patyk nieco zbyt blisko gorącego węgla i dwie z jej pianek się zapaliły. Na szczęście Alex szybko zgasił płomień.

W końcu pianki były gotowe i Alex pomógł dzieciom dokończyć deser: ułożyli kawałki czekolady na razowych krakersach, później na czekoladzie rozmieścili rozgrzane cukierki, a całość została zwieńczona kolejnym krakersem. Efekt był lepki i słodki. Katie nie mogła sobie przypomnieć, kiedy jadła coś równie smacznego.

Siedząc pomiędzy Joshem i Kristen, zauważyła, że ich ojciec boryka się z pękającym ciasteczkiem, z którego na piasek sypały się okruszki. Gdy próbował sobie wytrzeć usta, tylko pogorszył sprawę. Dzieci uznały widok za komiczny, a i Katie nie potrafiła zapanować nad chichotem. Nieoczekiwanie ogarnęła ją nadzieja. Mimo tragedii, którą mieli za sobą, nadal umieli tworzyć szczęśliwą rodzinę i zachowywać się jak taka. Ta wycieczka nad morze to był dla nich zwyczajny dzień w zwyczajny weekend, lecz nie dla niej — Katie dostrzegała coś niezwykłego w samej myśli, że istnieją takie niesłychane chwile jak ta. Istniała też ewentualność, ot, tylko drobna możliwość, że w przyszłości trafią jej się podobne dni.

12

— Więc co zdarzyło się potem?

Jo siedziała naprzeciwko niej przy stole, a jedynym światłem w kuchni był żar płomienia nad kuchenką. Sąsiadka odwiedziła Katie, ledwie ta wróciła z plaży. Miała we włosach kruszynki farby. Katie zaparzyła dzbanek kawy i postawiła na stole dwie filiżanki.

— Ależ nic, naprawdę. Zjedliśmy ciastka i po raz ostatni zeszliśmy na plażę. Potem wsiedliśmy do samochodu i pojechaliśmy do domu.

— Odprowadził cię do drzwi?

— Tak.

— Zaprosiłaś go do środka?

— Musiał odwieźć dzieci do domu.

— Pocałowaliście się na dobranoc?

— Oczywiście, że nie.

— Dlaczego nie?

— Nie słuchałaś? Jechał z dziećmi na plażę, więc i mnie zaprosił. To nie była randka.

Jo podniosła filiżankę z kawą.

— Z twojej opowieści wynika, że randka.

— Raczej rodzinny dzień.

Przyjaciółka rozważyła jej odpowiedź.

— Wygląda na to, że spędziliście dużo czasu na rozmowie we dwoje.

Katie rozparła się na krześle.

— Chyba chciałabyś, żeby to była randka.

— Dlaczego miałabym tego chcieć?

— Nie mam pojęcia. Ale od dnia, w którym się poznałyśmy, podczas każdej niewinnej pogawędki wspominasz o Alexie. Jakbyś próbowała... no nie wiem. Starasz się sprawdzać, czy go zauważam.

Jo zakołysała filiżanką, po czym odstawiła ją na stół.

— A zauważyłaś go?

Katie bezradnie rozłożyła ręce.

— Rozumiesz teraz, o co mi chodzi?

Jo roześmiała się i pokręciła głową.

— No dobrze, powiem tak... — Zawahała się. — Spotkałam w życiu wiele osób i przez te wszystkie lata rozwinęłam w sobie instynkt, któremu nauczyłam się ufać. Obie wiemy, że Alex jest świetnym facetem, a odkąd poznałam ciebie, czuję w tobie ten sam potencjał. Ale poza tym, że trochę się z tobą drażnię, nie zrobiłam nic więcej w tej sprawie. Nie zaciągnęłam cię do sklepu i nie przedstawiłam was sobie. Nie byłam też w pobliżu, gdy Alex zapraszał cię na plażę. Bardzo chętnie zresztą przyjęłaś to zaproszenie...

— Kristen spytała, czy pojadę...

— Wiem, już mi o tym mówiłaś — ucięła tamta, marszcząc czoło. — I jestem pewna, że pojechałaś wyłącznie z tej jednej przyczyny.

Katie się nachmurzyła.

— Masz zabawny zwyczaj przekręcania wszystkiego.

Jo znowu się zaśmiała.

— Pomyślałaś kiedykolwiek, że powodem może być zazdrość? Och, nie o to, że jesteś z Alexem, ale że pojechałaś na plażę w taki piękny dzień, podczas gdy ja tkwiłam w domu i malowałam... drugi dzień z rzędu? Jeśli już nigdy w życiu nie tknę wałka do malowania, to i tak będzie za wcześnie na kontakt z tym paskudztwem. Ramiona i dłonie po prostu odpadają mi z bólu.

Katie wstała od stołu i podeszła do lady kuchennej. Dolała sobie kawy i podniosła dzbanek.

— Jeszcze?

— Nie, dziękuję. Muszę dziś się przespać, a kofeina działa na mnie zbyt pobudzająco. Chyba zamówię jakąś chińszczyznę. Chcesz coś?

— Nie jestem głodna — odparła Katie. — I tak zbyt dużo dzisiaj zjadłam.

— Nie sądzę, żeby to było możliwe. Ale widać, że byłaś dużo na słońcu. Ładnie wyglądasz, nawet jeśli będziesz miała później zmarszczki.

Katie prychnęła.

— Wielkie dzięki.

— A od czego są przyjaciółki? — Jo wstała i przeciągnęła się jak kot. — I wiesz co? Dobrze się bawiłam wczoraj wieczorem. Chociaż, muszę ci się przyznać, zapłaciłam za to dziś porannym bólem głowy.

— Było przyjemnie — zgodziła się z nią Katie.

Sąsiadka zrobiła parę kroków, po czym się odwróciła.

— Och, zapomniałam cię spytać. Zamierzasz zatrzymać rower?

— Tak — odparła Katie.

Jo zastanowiła się nad jej odpowiedzią.

— To świetnie.

— Co chcesz przez to powiedzieć?

— Tylko tyle, że moim zdaniem rzeczywiście nie powinnaś go zwracać. Przecież go potrzebujesz, a Alex chciał, żebyś miała ten rower. Więc czemu miałabyś go nie zatrzymać? — Wzruszyła ramionami. — Twój problem polega na tym, że czasami doszukujesz się drugiego dna w zwykłych zdaniach.

— A co powiesz o mojej przyjaciółce manipulantce?

— Naprawdę uważasz, że usiłuję tobą manipulować?

Katie rozmyślała przez moment.

— Może troszeczkę.

Jo się uśmiechnęła.

— A jakie masz plany na ten tydzień? Dużo pracujesz?

Katie pokiwała głową.

— Sześć wieczorów i trzy dni.

Przyjaciółka się skrzywiła.

— Cholera!

— Nie, w porządku. Potrzebuję pieniędzy. A poza tym jestem przyzwyczajona do ciężkiej pracy.

— No i cudownie spędziłaś weekend.

Katie popatrzyła na nią.

— Tak — powiedziała. — Naprawdę cudownie.

13

Następnych kilka dni minęło spokojnie i z tego powodu czas dłużył się Alexowi. Nie rozmawiał z Katie od chwili, gdy w niedzielny wieczór wysiadła z jego auta pod swoim domem. Nie dziwił się za bardzo, ponieważ wiedział, że w tym tygodniu będzie dużo pracowała, ale nie raz, nie dwa wychodził ze sklepu, patrzył na drogę i odczuwał lekkie rozczarowanie, że Katie się nie zjawia.

Nieobecność nowej znajomej wystarczyła, by Alex porzucił nadzieję. Wiedział, że nie olśnił Katie, przynajmniej nie do tego stopnia, by nie mogła się powstrzymać przed odwiedzeniem sklepu. Zaskoczyły go jednakże własne emocje — ten typowy raczej dla nastolatków dreszczyk, który czuł na myśl o ponownym zobaczeniu dziewczyny, nawet jeśli ona nie podzieli jego radości. Przypominał ją sobie na plaży, wspominał jej kasztanowe włosy, smagane podmuchami wiatru, twarz o delikatnych rysach i oczy, które jakby zmieniały kolor, ilekroć w nie spojrzał. Wczoraj Katie stopniowo się odprężała, z każdą godziną coraz bardziej, a on miał wrażenie, że dzięki wyprawie na plażę jakoś również złagodniała.

Zastanawiała go nie tylko jej przeszłość, lecz także wszelkie inne rzeczy, których ciągle o niej nie wiedział. Próbował sobie wyobrazić, jaki gatunek muzyki Katie lubi, o czym myśli, gdy budzi się rano, albo czy kiedyś oglądała na żywo mecz baseballowy. Zadawał sobie pytanie, czy sypia na plecach, czy może na boku; i czy jeśli ma wybór, woli prysznic od kąpieli w wannie. Nie umknęło jego uwadze, że im więcej o niej myśli, tym jego ciekawość rośnie.

Chciałby, żeby mu zaufała i opowiedziała o sobie — nie tylko dlatego, że miał złudzenie, iż... potrafi ją uratować, ani z powodu poczucia, że potrzebowała jego pomocy, ale ponieważ ujawnienie przeszłości Katie otworzyłoby drzwi dla ich wspólnej przyszłości. Innymi słowy, wówczas mogliby naprawdę ze sobą porozmawiać.

Do czwartku rozważał, czy podjechać pod jej dom. Bardzo chciał i raz nawet już sięgnął po kluczyki, w końcu jednak zrezygnował, gdyż nie wiedział, co powie, kiedy spotka Katie. Nie potrafił też przewidzieć jej reakcji. Uśmiechnie się? A może będzie zdenerwowana? Zaprosi go do środka czy każe mu odjechać? Chociaż bardzo się starał, nie umiał wymyślić, co może się zdarzyć, więc ostatecznie odłożył kluczyki.

Sytuacja była skomplikowana. Ale przecież, Alex przypomniał sobie, Katie jest tajemniczą kobietą.

*

Nie minęło dużo czasu i Katie przyznała się przed sobą, że rower okazał się dla niej prawdziwym darem niebios. Nie tylko mogła wracać do domu w przerwie w te dni, gdy pracowała na dwie zmiany, lecz po raz pierwszy także czuła, że może nareszcie zacząć zwiedzać miasto, i właśnie temu zajęciu oddawała się ostatnio w wolnym czasie. We wtorek weszła do kilku sklepów z antykami, z przyjemnością oglądała akwarele o tematyce morskiej w lokalnej galerii sztuki i jeździła po okolicznych ulicach, zachwycając się widokiem szerokich werand i portyków zdobiących historyczne domy stojące w pobliżu nadbrzeża. W środę odwiedziła bibliotekę i spędziła parę godzin na przeglądaniu półek z książkami oraz czytaniu opisów na skrzydełkach okładek, a później załadowała koszyki roweru powieściami, które ją zainteresowały. Wieczorami jednak, kiedy leżąc w łóżku, czytała wypożyczone powieści, przyłapywała się czasem na tym, że jej myśli dryfują ku Alexowi. Wspominając zdarzenia jeszcze z Altoony, uprzytomniła sobie, że Alex przypomina ojca jej koleżanki, Callie.

Gdy Katie była w drugiej klasie liceum, Callie mieszkała na tej samej ulicy parę domów dalej i chociaż nie znały się zbyt dobrze (Callie była kilka lat młodsza), Katie pamiętała, że w każdy sobotni ranek siadywała na prowadzących na werandę koleżanki schodach. Ojciec Callie pojawiał się zawsze o tej samej porze, jak w zegarku, otwierał garaż, i gwiżdżąc, wytaczał kosiarkę do trawy. Był dumny ze swego dziedzińca, który był bez wątpienia najbardziej zadbany w dzielnicy, a Katie przyglądała się wtedy, jak z wojskową precyzją prowadził kosiarkę to w przód, to w tył. Zatrzymywał się co jakiś czas, aby odsunąć z drogi jakąś gałąź, i w tych chwilach wycierał twarz chusteczką, którą nosił w tylnej kieszeni. Kiedy kończył kosić, opierał się o maskę stojącego na podjeździe forda i wypijał szklankę lemoniady, którą zawsze przynosiła mu żona. Czasami kobieta opierała się obok niego o samochód, a wtedy Katie uśmiechała się, widząc, jak mężczyzna klepie żonę po biodrze, ilekroć pragnie przyciągnąć jej uwagę.

Było coś sympatycznego w tym, jak popijał napój i dotykał żony, co sugerowało Katie, że jest zadowolony z życia, które prowadzi, i że jego marzenia się spełniły. Często kiedy mu się przyglądała, zadawała sobie pytanie, jak wyglądałoby jej życie, gdyby urodziła się w takiej rodzinie. U Alexa dostrzegała to samo spełnienie i ciche szczęście, ilekroć dzieci były w pobliżu. Najwyraźniej zdołał otrząsnąć się po tragedii, mało tego — miał w sobie dość siły, by pomóc pozbierać się maluchom po śmierci matki. Gdy opowiadał o żonie, Katie oczekiwała goryczy w głosie lub rozczulania się nad sobą, niczego takiego jednakże nie usłyszała. Na twarzy mężczyzny dostrzegała oczywiście smutek i samotność, lecz równocześnie mówił jej o Carly neutralnie, toteż nie czuła, że porównuje je ze sobą. Widziała, że ją zaakceptował, i chociaż nie była właściwie pewna, kiedy do tego doszło, zrozumiała, że i on wydaje się jej niezwykle pociągający. Jej uczucia były jednak skomplikowane. Od czasów Atlantic City tylko raz straciła czujność i odsłoniła się, pozwalając podejść blisko mężczyźnie. I skończyło się to koszmarem. Ale chociaż bardzo starała się zachowywać dystans wobec Alexa, za każdym razem, gdy go widziała, działo się coś, co ich do siebie zbliżało. Czasami decydował przypadek, jak tego dnia, kiedy Josh wpadł do rzeki, a Katie pozostała z Kristen, nierzadko jednak sytuacja wydawała się pisana przez los. Takim zdarzeniem była na przykład burza. Albo kiedy Kristen wyszła ze sklepu i błagała Katie, aby pojechała wraz z nimi na plażę. Do tamtej chwili nie powiedziała mu jeszcze nic o sobie, musiała jednak przyznać, że im dłużej z nim przebywała, tym mocniejsze żywiła podejrzenie, że mężczyzna wie o niej znacznie więcej, niżby chciała. I to ją przerażało. Odnosiła wrażenie, że stoi przed nim kompletnie obnażona i podatna na ciosy. Z tego między innymi względu w ogóle nie zachodziła do sklepu przez tydzień po wyprawie na plażę. Potrzebowała czasu, aby wszystko przemyśleć i postanowić, co zamierza z tym zrobić, jeśli powinna coś w ogóle robić...

Tyle że... spędzała zbyt dużo czas na rozpamiętywaniu drobnych zmarszczek, które dostrzegła u niego w kącikach oczu, ilekroć je mrużył podczas uśmiechu. Rozmyślała też, jak wdzięcznie się poruszał, gdy wyłaniał się z fal. Przypomniała sobie ruch, z jakim Kristen sięgnęła po jego rękę — dostrzegła w tym prostym geście całkowite zaufanie dziewczynki. Wcześniej Jo powiedziała ot tak, przy okazji, że Alex jest dobrym człowiekiem, takim, który zawsze postępuje właściwie, i chociaż Katie nie poznała go jeszcze dobrze, instynkt mówił jej, że temu mężczyźnie na pewno może się zwierzyć. Że niezależnie od tego, jakie tajemnice mu powierzy, Alex ją wesprze. Nigdy nikomu nie zdradzi jej sekretów, nigdy nie wykorzysta uzyskanej wiedzy przeciwko niej i nigdy jej nie skrzywdzi.

Katie wiedziała, że jej wiara jest irracjonalna, nielogiczna i sprzeczna ze wszystkim, co sobie obiecała, kiedy przeprowadziła się do Southport, teraz jednak odkryła, że bardzo chce, aby Alex poznał jej tajemnice. Chciała, by ją zrozumiał, nawet jeśli jedynym argumentem za było jej osobliwe uczucie, że ma do czynienia z mężczyzną, w którym potrafiłaby się zakochać, nawet wbrew sobie.

14

Polowanie na motyle!

Ten pomysł przyszedł do głowy Alexowi tuż po przebudzeniu w sobotni ranek, nawet jeszcze zanim zszedł po schodach i otworzył sklep. Co dziwne, kiedy zastanawiał się, jakie zajęcia wymyśli dla dzieci tego dnia, zupełnie niespodziewanie przypomniał sobie zadanie, które wyznaczyła mu nauczycielka w szóstej klasie — poleciła mianowicie stworzyć kolekcję owadów. Alex pamiętał, jak w przerwie wakacyjnej biegał na zielonej łące i polował na wszystkie stworzenia od trzmieli po koniki polne. Był pewny, że Joshowi i Kristen spodoba się taka zabawa, i dumny z siebie, że wymyślił tak pasjonujące i oryginalne zajęcie na popołudniowy weekend. Przeszukał dział rybacki w swoim sklepie, aż wybrał trzy podbieraki, które były mniej więcej właściwego rozmiaru.

Swój pomysł opowiedział dzieciom podczas lunchu, jednak Josh i Kristen niezbyt, delikatnie mówiąc, palili się do realizacji pomysłu ojca.

— Nie chcę krzywdzić motyli — zaprotestowała córeczka. — Lubię je.

— Nie musimy ich krzywdzić. Będziemy je wypuszczać.

— Więc po co je w ogóle łapać?

— Ponieważ to jest zabawne.

— Mnie się nie wydaje zabawne. Raczej wstrętne.

Otworzył usta, chcąc coś odpowiedzieć, lecz właściwie nie wiedział, jak zareagować.

Josh ugryzł kolejny kęs grzanki z serem.

— Na dworze jest już zbyt gorąco, tato — oświadczył, równocześnie przeżuwając chleb.

— No dobrze. Może zatem później popływamy w zatoczce? I jedz z zamkniętymi ustami.

Chłopiec przełknął kęs.

— Więc czemu po prostu od razu nie popływamy w zatoczce?

— Ponieważ teraz idziemy łapać motyle.

— Nie możemy zamiast tego pójść do kina?

— Tak! — zawołała Kristen. — Chodźmy do kina.

Bycie ojcem, pomyślał Alex, bywa męczące.

— Jest taki piękny dzień i nie będziemy go spędzać w pomieszczeniach. Idziemy łapać motyle. Zobaczycie, że się wam spodoba.

Po lunchu zawiózł dzieci na porośniętą kwiatami łąkę na peryferiach miasta, wręczył im siatki i wysłał na łowy. Josh dość bezładnie machał siatką, natomiast Kristen przycisnęła swoją mocno do piersi, tak samo jak trzymała lalki.

Wziął więc sprawy w swoje ręce. Wybiegł przed dzieci z gotową siatką. Wśród polnych kwiatów spostrzegł tuziny fruwających motyli. Kiedy wystarczająco się do nich zbliżył, machnął podbierakiem i schwytał jednego osobnika w siatkę. Kucnąwszy, zaczął ją metodycznie przesuwać, aż wypatrzył pomarańczowo-brązowego owada.

— Hej! — krzyknął, siląc się na maksymalnie entuzjastyczny ton. — Mam jednego!

Minutę później syn i córeczka patrzyli mu przez ramię.

— Uważaj, tato, nie zrób mu krzywdy! — zawołała Kristen.

— Będę ostrożny, kochanie. Popatrz, jakie ładne kolorki.

Oboje pochylili się jeszcze bardziej.

— Świetnie! — krzyknął Josh i po chwili pobiegł na łowy, z zapamiętaniem machając siatką.

Kristen wciąż oglądała motyla.

— Jaki to gatunek?

— Wydaje mi się, że rusałka admirał — odparł Alex. — Ale właściwie nie wiem.

— Chyba jest przerażony — zauważyła Kristen.

— Na pewno nic mu nie będzie. Ale już go wypuszczam, dobrze?

Dziewczynka kiwnęła głową, Alex tymczasem powoli rozchylił siatkę. Motyl na chwilę przylgnął do ażurowego więzienia, po czym poruszył skrzydełkami i odleciał. Kristen ze zdumienia otworzyła szeroko oczy.

— Pomożesz mi złapać jednego? — spytała.

— Chętnie.

Przez ponad godzinę biegali wśród kwiatów. Schwytali osiem różniących się od siebie motyli; pozostałe przypominały admirała. Kiedy postanowili zakończyć łowy, dzieciom błyszczały poczerwieniałe z emocji twarze, toteż Alex zawiózł je na lodowe rożki, a później skierowali się nad zatoczkę za domem. We troje skakali z nabrzeża — Josh i Kristen włożyli kamizelki ratunkowe — i płynęli wraz z leniwym prądem. Tego rodzaju dni Alex pamiętał z dzieciństwa. Do czasu, aż wyszli z wody, cieszył się, gdyż odnosił wrażenie, że oprócz dnia na plaży spędzili najlepszy weekend od jakiegoś czasu.

Po powrocie jednak uprzytomnił sobie, że po tak aktywnych godzinach na powietrzu czuje wyczerpanie. Po prysznicu dzieci chciały obejrzeć jakiś film, więc włączył *Niezwykłą podróż* — film, który widzieli już przedtem kilkanaście razy, ale zawsze chętnie do niego wracali. Z kuchni widział siedzących bez ruchu na kanapie syna i córkę, wpatrzonych w ekran telewizora z oszołomieniem typowym dla zmęczonych dzieci. Wytarł kuchenne blaty i włożył brudne naczynia do zmywarki, po czym zaczął ładować pranie do pralki. Zrobił porządek w salonie i porządnie sprzątnął łazienkę, po czym wreszcie usiadł na chwilę na kanapie. Josh zwinął się obok niego z jednej strony, Kristen z drugiej. Zanim film się skończył, Alex czuł, że i jemu oczy się zamykają. Po pracy w sklepie, zabawie z dziećmi i sprzątnięciu domu miło było trochę odpocząć.

Z drzemki wyrwał go głos Josha.

— Hej, tato?

— Tak?

— Co mamy na kolację? Umieram z głodu.

*

Katie spojrzała na taras z kelnerskiego stanowiska i dostrzegła, że hostessa prowadzi do wolnego stolika przy balustradzie Alexa i dzieci. Na widok Katie Kristen natychmiast uśmiechnęła się serdecznie i pomachała, a później — zaledwie po sekundzie wahania — wystrzeliła jak strzała i przybiegła wprost do niej między stolikami. Kobieta pochyliła się i dziewczynka zarzuciła jej ręce na szyję.

— Chcieliśmy panią zaskoczyć! — obwieściła mała.

— No cóż, udało wam się. Co tu robicie?

— Tato nie chciał nam dziś wieczorem nic ugotować.

— Naprawdę?

— Powiedział, że jest zbyt zmęczony.

— To długa historia — oznajmił Alex. — Zaufaj mi.

Katie nie słyszała, jak podchodził. Wyprostowała się.

141

— O, cześć — zagaiła i wbrew sobie oblała się rumieńcem.

— Jak się miewasz? — spytał Alex.

— Dobrze. — Skinęła głową, czując lekkie podenerwowanie. — Jak widzisz, jestem zajęta.

— Na to wygląda. Musieliśmy trochę poczekać, zanim znalazł się stolik w twoim rewirze.

— Tak jest przez cały dzień.

— No dobrze, nie będziemy cię zatrzymywać. Chodź, Kristen, usiądziemy przy stoliku. Zobaczymy się za chwilę, czyli podczas składania zamówienia.

— Do zobaczenia, panno Katie.

Kristen znowu jej pomachała.

Katie patrzyła, jak we troje podchodzą do stolika. Była dziwnie podniecona ich wizytą. Zauważyła, że zanim Alex otworzył menu, pochylił się najpierw nad jadłospisem Kristen, pomagając córce wybrać jakieś danie. Przez moment żałowała, że nie siedzi wraz z nimi.

Poprawiła bluzkę i spojrzała na swoje odbicie w stalowym dzbanku do kawy. Nie widziała zbyt wiele, jedynie nieostry zarys, a jednak przeczesała palcami włosy. Potem, po szybkim sprawdzeniu, czy bluzka nie jest poplamiona (oczywiście i tak nie usunęłaby teraz ewentualnej plamy, ale wolała wiedzieć), podeszła do stolika.

— Witajcie ponownie — powiedziała i zwróciła się do dzieci: — Podobno tata nie chciał wam dziś przyszykować kolacji.

Kristen zachichotała, Josh jednak po prostu skinął głową.

— Powiedział, że jest zmęczony.

— Tak właśnie słyszałam.

Alex przewrócił oczami.

— Zdradzony przez własne dzieci. Naprawdę nie potrafię w to uwierzyć.

— Nigdy bym cię nie zdradziła, tatku — oznajmiła poważnie Kristen.

— Dziękuję ci, kochanie.

Katie się uśmiechnęła.

— Chce wam się pić? Przynieść wam coś? Wszyscy zamówili mrożoną herbatę i talerz kukurydzianych kulek. Katie przyniosła do stolika napoje, a kiedy odchodziła, miała wrażenie, że czuje na sobie wzrok Alexa. Choć bardzo pragnęła się upewnić, zwalczyła pokusę zerknięcia przez ramię.

Przez następnych kilka minut przyjmowała nowe zamówienia i zbierała talerze z innych stolików, dostarczyła też kilka dań i w końcu wróciła do Alexa i dzieci z zamówioną przystawką.

— Bądźcie ostrożni — uprzedziła. — Są ciągle gorące.

— Wtedy kulki są najlepsze — odparł Josh, sięgając do koszyka.

Kristen natychmiast poszła w ślady brata.

— Polowaliśmy dziś na motyle — oświadczyła.

— Naprawdę?

— Tak. Ale nie krzywdziliśmy ich. Wszystkie wypuszczaliśmy.

— To chyba niezła zabawa. Przyjemnie było?

— Świetnie! — zapewnił ją Josh. — Ja złapałem chyba ze sto! I potem poszliśmy popływać.

— Co za wspaniały dzień — oceniła szczerze Katie. — Nic dziwnego, że wasz tata jest zmęczony.

— Ja nie jestem zmęczony — odciął się Josh, a Kristen powiedziała to samo niemal równocześnie z bratem.

— Pewnie nie — powiedział Alex — ale i tak oboje położycie się dziś wcześnie do łóżek. Ponieważ wasz biedny stary ojciec musi się wyspać.

Katie pokręciła głową.

— Nie oceniaj siebie tak surowo — wytknęła mu. — Nie jesteś biedny.

Minęła dobra chwila, zanim Alex uświadomił sobie, że Katie się z nim przekomarza. Roześmiał się na tyle głośno, że goście przy sąsiednim stoliku podnieśli głowy, on jednak chyba nie zwracał na to uwagi.

— Przychodzę tutaj odprężyć się i zjeść coś dobrego na kolację, a trafiam na kelnerkę, która mi dokucza.

— Życie jest trudne.

— I ty mi to mówisz. Za chwilę się dowiem, że powinienem zamówić raczej coś z menu dla dzieci, w przeciwnym razie przytyję.

— No cóż, nie zamierzałam nic mówić... — odparła Katie, zerkając na jego brzuch.

Alex znów się roześmiał, a ona — kiedy na nią popatrzył — zobaczyła w jego oczach błysk zachwytu, który przypomniał jej, że ten mężczyzna bez wątpienia uważa ją za ładną kobietę.

— Chyba już możemy zamówić — bąknął.

— Co zatem mogę wam przynieść?

Zamówił kolację dla wszystkich, a Katie zanotowała. Wytrzymała na moment spojrzenie Alexa, po czym odeszła od stolika i przekazała zamówienie w kuchni. Później zajmowała się swoim rewirem — gdy stolik się zwalniał, natychmiast pojawiali się nowi goście — co jakiś czas znajdowała jednak wymówkę, aby przejść obok dzieci i ich ojca. Dolewała im wody i herbaty, zabrała koszyk opróżniony z kulek kukurydzianych i przyniosła Joshowi nowy widelec, ponieważ swój upuścił na podłogę. Swobodnie gawędziła z całą trójką, ciesząc się każdą chwilą w ich towarzystwie, aż w końcu przyniosła im posiłki.

Kiedy skończyli jeść, sprzątnęła ich stolik i położyła rachunek. Do tej pory słońce stało już nisko na niebie, Kristen zaczęła ziewać, a w restauracji panował jeszcze większy ruch, o ile w ogóle było to możliwe. Katie miała czas jedynie na szybkie „do widzenia". Dzieci już schodziły po schodach, lecz Alex wyraźnie się zawahał i Katie odniosła wrażenie, że pragnie się z nią umówić.

Nie była pewna, co mu odpowie, niestety, nie zdążył się nawet odezwać, gdyż w tym momencie jeden z jej klientów rozlał piwo i zerwał się szybko z krzesła, potrącając dwie kolejne szklanki. Alex zrobił krok w tył, wiedząc, że moment intymności nieodwracalnie przeminął i Katie musi iść.

— Do zobaczenia wkrótce — powiedział, pomachał i podążył za dziećmi.

*

Następnego dnia Katie pchnęła drzwi do sklepu zaledwie pół godziny po otwarciu.

— Jesteś tutaj wcześnie — zauważył zaskoczony Alex.

— Bo wcześnie wstałam i pomyślałam, że od razu zrobię zakupy.

— Przeludniło się trochę wczoraj wieczorem?

— W końcu tak, ale miałyśmy dużo pracy, ponieważ parę kelnerek zrobiło sobie w tym tygodniu wolne. Jedna pojechała na wesele siostry, a druga zadzwoniła, że jest chora. Prawdziwe szaleństwo!

— Widziałem. Ale jedzenie było znakomite... nawet jeśli obsługę można by uznać za trochę zbyt powolną.

Zaśmiał się na widok jej zagniewanej miny.

— Odpłacam się tylko za twoje wczorajsze docinki. Za to, że nazwałaś mnie starcem. Musisz wiedzieć, że osiwiałem, zanim skończyłem trzydziestkę.

— Jesteś bardzo przewrażliwiony na punkcie włosów — zauważyła żartobliwym tonem. — Ale zaufaj mi. Do twarzy ci w nich. Dzięki nim wyglądasz na człowieka... powszechnie poważanego.

— To dobrze czy źle? — Uśmiechnęła się, lecz nic nie odpowiedziała. Sięgnęła po koszyk, a wtedy usłyszała, jak Alex odchrząkuje. — W przyszłym tygodniu również tak dużo pracujesz?

— Mniej.

— A w następny weekend?

Zastanowiła się.

— Mam wolną sobotę. Dlaczego pytasz?

Zanim popatrzył jej w oczy, przestąpił z nogi na nogę.

— Ponieważ zastanawiałem się, czy mogę zabrać cię któregoś wieczoru na kolację. Tym razem tylko my dwoje. Bez dzieci.

Wiedziała, że ich znajomość wkroczyła w decydujący etap. Od jej decyzji zależało, co się teraz zdarzy. Cóż, przecież przyszła tak wcześnie do sklepu właśnie z tego powodu. Chciała wiedzieć, czy nie pomyliła się w ocenie jego wczorajszego spojrzenia. I po raz pierwszy rzeczywiście pragnęła, żeby Alex ją gdzieś zaprosił.

Milczała jednak zbyt długo, toteż mężczyzna błędnie zinterpretował ciszę.

— Och, mniejsza o to. Nieważne.

— Tak — odparła, wytrzymując jego wzrok. — Bardzo chętnie. Ale mam warunek.

— Jaki?

— Już tak dużo dla mnie zrobiłeś, że muszę ci się jakoś odwdzięczyć. Może ja przygotuję dla nas kolację? U siebie w domu.

Uśmiechnął się z ulgą.

— Zapowiada się doskonały wieczór.

15

W sobotę Katie obudziła się później niż zwykle. Ostatnie kilka dni spędziła na gorączkowych zakupach i przystrajaniu domu — nabyła nową koronkową firankę na okno salonu, dość tanie ryciny na ściany, kilka małych dywaników i prawdziwe podkładki pod nakrycia oraz szklanki do kolacji. W piątek pracowała aż do po późna w nocy, strzepując nowe dekoracyjne poduszki i sprzątając dom po raz ostatni. Mimo promieni słońca, które wpadały ukosem przez okna i oświetlały łóżko, obudziła się dopiero, gdy usłyszała, że ktoś stuka. Spojrzała na zegarek i zobaczyła, że jest po dziewiątej.

Niezdarnie wstała z łóżka, ziewnęła i poszła do kuchni, aby włączyć ekspres do kawy, po czym wyszła na werandę, mrużąc oczy w jaskrawym blasku porannego słońca. Jo stała na frontowej werandzie swego domu z młotkiem w ręce. Właśnie go podnosiła, lecz wstrzymała się na widok Katie.

Opuściła młotek.

— Nie obudziłam cię chyba, co?

— Tak, ale to dobrze, bo i tak muszę już wstać. Co robisz?

— Próbuję naprawić okiennicę, bo nie chcę, żeby spadła. Wczoraj wieczorem, gdy wróciłam do domu, wisiała krzywo i byłam pewna, że spadnie w środku nocy. Z obawy, że łomot w każdej chwili może mnie obudzić, w ogóle nie mogłam zasnąć.

— Potrzebujesz pomocy?

— Nie, nie, niewiele pracy zostało.

— Może kawy?

— Brzmi wspaniale. Skończę za kilka minut.

Katie weszła do sypialni i przebrała się z piżamy w szorty i podkoszulek. Umyła zęby i szybko się uczesała. Przez okno zobaczyła nadchodzącą Jo. Otworzyła frontowe drzwi. Nalała kawę do dwóch filiżanek i jedną wręczyła sąsiadce natychmiast, kiedy ta weszła do kuchni.

— Twój dom naprawdę pięknieje! Strasznie mi się podobają dywaniki i obrazki.

Katie skromnie wzruszyła ramionami.

— Tak, no cóż... Zaczynam się chyba zadomawiać w Southport, pomyślałam więc, że może czas na pewne trwalsze atrybuty.

— Jest naprawdę ładnie. Najwyraźniej nareszcie przestajesz myśleć o wyjeździe.

— A jak twój dom?

— Wygląda coraz lepiej. Zaproszę cię, gdy będzie gotowy.

— Gdzie się właściwie podziewałaś? Nie widywałam cię ostatnio.

Jo lekceważąco machnęła ręką.

— Kilka dni spędziłam służbowo poza miastem, a w ubiegły weekend pojechałam kogoś odwiedzić. Potem znów pracowałam. Na pewno to rozumiesz.

— Tak, ja także pracowałam. Biorę ostatnio jedną zmianę za drugą.

148

— Dziś wieczorem też?

Katie wypiła łyk kawy.

— Nie. Zaprosiłam kogoś na kolację.

Oczy Jo się rozjaśniły.

— Mogę zgadnąć kogo?

— Wiesz, o kogo chodzi.

Katie próbowała nad sobą zapanować, a jednak jej twarz i szyja pokryły się wyraźnym rumieńcem.

— Wiedziałam! — ucieszyła się Jo. — Świetna decyzja. Zdecydowałaś, w co się ubierzesz?

— Jeszcze nie.

— No cóż, niezależnie od tego, co postanowisz, na pewno będziesz wyglądała pięknie. A co przygotujesz?

— Wierz mi lub nie, ale naprawdę dobrze gotuję.

— Więc co przyrządzisz? — Gdy Katie zdradziła jej swoje plany, Jo aż uniosła brwi ze zdumienia. — Brzmi pysznie — oceniła. — Będzie cudownie. Jestem z ciebie dumna i cieszę się za was oboje. Jesteś przejęta?

— Och, to tylko kolacja...

— Uznam tę odpowiedź za potwierdzenie. — Mrugnęła. — Szkoda, że nie mogę zostać i szpiegować was. Chciałabym zobaczyć, jak rozwinie się wasz związek. Niestety, znów wyjeżdżam z miasta.

— Taaa — mruknęła Katie. — Naprawdę żałuję, że nie będzie cię tutaj.

Jo się roześmiała.

— Sarkazm zupełnie do ciebie nie pasuje. Ale skoro chcesz wiedzieć, powiem ci, że nie zamierzam ci odpuścić. Jak tylko wrócę, musisz mi zdać dokładną relację.

— To tylko kolacja — powtórzyła Katie.

— Więc tym bardziej możesz mi opowiedzieć o wszystkim, co się zdarzy.

— Myślę, że przydałoby ci się inne hobby.

— Prawdopodobnie tak — zgodziła się Jo. — Ale w chwili obecnej dobrze się bawię, towarzysząc tobie, szczególnie że moje życie miłosne praktycznie nie istnieje. Trzeba sobie czasem pomarzyć, prawda?

*

Pierwszym przystankiem Katie był salon fryzjerski. Tam pewna młoda kobieta o imieniu Brittany przycięła i ułożyła jej włosy, ani na chwilę nie przestając mówić. Po drugiej stronie ulicy mieścił się jedyny w Southport butik z damską odzieżą i po wyjściu od fryzjera Katie udała się właśnie do niego. Chociaż wiele razy przejeżdżała obok sklepu, nigdy wcześniej nie była w środku. Należał do takich, do których nigdy nie wchodziła (zresztą wcale jej tam nie ciągnęło), a jednak gdy zaczęła przeglądać stroje, przyjemnie zaskoczył ją nie tylko asortyment, lecz także niektóre ceny. No cóż, w każdym razie ceny towarów wyprzedawanych, na tych się bowiem skoncentrowała.

Dziwnie się czuła, przebywając sama w tak eleganckim sklepie. Od lat w takich nie kupowała, a jednak kiedy przebierała się w przymierzalni, poczuła się dużo bardziej beztroska niż podczas ostatnich lat.

Kupiła parę przecenionych ubrań, między innymi podkreślającą figurę jasnobrązową bluzeczkę z perełkami, ozdobnym szwem i ładnym, choć niezbyt dużym dekoltem. Znalazła także wspaniałą wzorzystą letnią spódnicę, stanowiącą idealne uzupełnienie bluzki. Była nieco przydługa, Katie wiedziała jednak, że potrafi ją skrócić. Po zapłaceniu za zakupy poszła dwa domy dalej, gdzie znajdował się jedyny w mieście — z tego, co wiedziała — sklep z butami, gdzie wybrała parę sandałów, które również oferowano w ramach wyprzedaży.

Chociaż zazwyczaj żyła oszczędnie, w ostatnich dniach otrzymywała niezłe napiwki, więc postanowiła wydać trochę na siebie. Oczywiście w granicach rozsądku.

Z obuwniczego udała się najpierw do drogerii po kilka rzeczy, a potem w końcu przejechała miasto do sklepu spożywczego. Niespiesznie chodziła między półkami, zadowolona, że może spokojnie oglądać artykuły, choć czuła, że powracają stare, niepokojące wspomnienia.

Kiedy miała już wszystko, pojechała rowerem do domu i zaczęła przygotowywać kolację. Przyrządzała krewetki faszerowane mięsem krabów w sosie czosnkowym. Musiała przypomnieć sobie ten przepis, ale podawała tę potrawę wielokrotnie w przeciągu ostatnich lat, więc była pewna, że niczego nie przeoczyła. Na przystawkę postanowiła upiec faszerowane papryki i chleb z mąki kukurydzianej, a jako przekąskę planowała kawałki brie owinięte plastrami bekonu i polane sosem malinowym.

Minęło sporo czasu, odkąd po raz ostatni przygotowywała taki wyszukany posiłek, ale zawsze uwielbiała wycinać z czasopism przepisy kulinarne; robiła to już jako nastolatka. Gotowanie było jedyną pasją, jaką dzieliła w pewnym okresie z matką.

Przez resztę popołudnia musiała się spieszyć. Zrobiła mieszankę, uformowała chleb i wstawiła do piekarnika, potem przyrządziła farsz do papryki. Wszystkie składniki włożyła do lodówki razem z brie owiniętym plastrami bekonu. Upieczony chleb wyłożyła na blat, aby ostygł, i zabrała się do przygotowania sosu malinowego. Nie było to trudne — maliny, cukier i woda — i jeszcze zanim sos był gotowy, w kuchni pachniało po prostu bosko. Sos również Katie włożyła do lodówki. Wszystko inne mogło poczekać.

W sypialni skróciła spódnicę, która teraz kończyła się tuż nad kolanami, potem po raz ostatni obeszła dom i upewniła się, czy wszystko jest na swoim miejscu. W końcu zdjęła ubranie.

Pod prysznicem myślała o Alexie. Oczami wyobraźni zobaczyła jego swobodny uśmiech i pełne gracji ruchy, aż na to wspomnienie poczuła ciepło w podbrzuszu. Wbrew sobie zastanowiła się, czy mężczyzna nie bierze przypadkiem w tym samym momencie prysznica. Było coś erotycznego w samym pomyśle, obietnica czegoś podniecającego i nowego. Zbeształa się w myślach i przypomniała sobie, że przecież zaprosiła go jedynie na kolację, wiedziała jednak, że nie jest wobec siebie całkowicie szczera.

Czuła, że zna prawdę, lecz usiłuje jej zaprzeczyć. Alex pociągał ją bardziej, niż pragnęła przyznać, toteż wychodząc spod prysznica, powiedziała sobie, że musi zachować ostrożność. Wiedziała, że w kimś takim jak Alex łatwo mogłaby się zakochać, i ta konstatacja przeraziła ją. Nie była gotowa na miłość. Nie, jeszcze nie teraz.

Z drugiej strony jakiś wewnętrzny głos szeptał jej, że może jednak nadszedł już tem czas.

Wytarła się, nawilżyła skórę słodko pachnącym balsamem do ciała, potem włożyła nowy strój oraz sandały, aż wreszcie sięgnęła po produkty do makijażu, które nabyła w drogerii. Nie potrzebowała dużo, tylko trochę szminki, tusz do rzęs i cienie do oczu. Uczesała się, po czym zawiesiła w uszach długie kolczyki, które kupiła pod wpływem kaprysu. Kiedy skończyła przygotowania, odsunęła się od lustra.

Taka jestem, pomyślała. To wszystko, co mam.

Obróciła się w jedną stronę, potem w drugą, wygładziła bluzkę i wreszcie się uśmiechnęła. Od dawna nie wyglądała tak dobrze.

Chociaż słońce zaczęło już schodzić ku zachodniemu horyzontowi, w domu nadal panowało ciepło, toteż otworzyła okno w kuchni. Lekki wietrzyk uspokajał ją, gdy nakrywała do stołu. Wcześniej w tym tygodniu, kiedy opuszczała sklep Alexa, spytał ją, czy może przynieść do kolacji butelkę wina, teraz więc postawiła na stole dwa kieliszki. Pośrodku stołu umieściła świecę, a kiedy zrobiła krok w tył, usłyszała odgłos silnika nadjeżdżającego auta. Spojrzała na zegar i wiedziała, że Alex przybył punktualnie.

Zrobiła głęboki wdech, próbując uspokoić skołatane nerwy. W końcu przeszła pokój, otworzyła drzwi i wyszła na werandę. Alex ubrany był w dżinsy i błękitną koszulę, której rękawy podwinął do łokci. Stał obok drzwiczek i pochylał się nad siedzeniem kierowcy, najwyraźniej coś wyjmując. Włosy sięgające kołnierzyka miał ciągle nieco wilgotne.

Wyciągnął dwie butelki wina i odwrócił się. Na widok Katie zastygł w bezruchu, a w jego minie dostrzegła niedowierzanie. Katie stała oświetlona poświatą zachodzącego słońca. Wydawała się rozpromieniona i przez moment potrafił jedynie patrzeć bez słowa.

Jego zachwyt był oczywisty, toteż Katie poczekała, pławiąc się w nim i pragnąc, by ta chwila trwała wiecznie.

— Przyjechałeś — stwierdziła w końcu.

Wypowiedziane przez nią słowo powinno przerwać czar, a jednak mężczyzna wciąż patrzył. Wiedział, że należy powiedzieć coś dowcipnego albo uroczego, co rozładuje napiętą atmosferę, zamiast tego jednak pomyślał: Mam kłopoty. Poważne kłopoty!

Nie był właściwie pewny, kiedy to mu się przytrafiło. Czy raczej — kiedy pojawiło się uczucie. Może już tego ranka, gdy po wypadku Josha zobaczył, jak Kristen kurczowo trzyma się Katie, lub w deszczowe popołudnie, kiedy odwoził kobietę do domu. A może w trakcie tamtego dnia, który spędzili na plaży. Na pewno wiedział tylko jedno — że jest tu i teraz, niesamowicie zakochany w tej kobiecie, i może tylko modlić się o jej wzajemność.

Po długiej chwili zdołał odchrząknąć.

— Tak — przyznał. — Sadzę, że tak.

16

Wczesnowieczorne niebo rozświetlały wszystkie odcienie zachodzącego słońca. Katie poprowadziła Alexa przez mały salon ku kuchni.

— Nie wiem jak ty, ale ja chętnie wypiję kieliszek wina — wyznała.

— Dobry pomysł — zgodził się. — Nie byłem pewny, co przygotowałaś, więc przyniosłem sauvignon blanc i zinfandel. Które wolisz?

— Pozwolę ci wybrać — odpowiedziała.

W kuchni oparła się o blat i skrzyżowała stopy, Alex tymczasem wziął korkociąg, aby rozprawić się z korkiem. Wyglądało na to, że przynajmniej ten jeden raz mężczyzna jest bardziej od niej zdenerwowany. Kilkoma szybkimi ruchami otworzył butelkę sauvignon blanc. Katie postawiła kieliszki na blacie, uświadamiając sobie bliskość stojącego obok niej Alexa.

— Wiem, że powinienem ci to powiedzieć od razu, gdy cię zobaczyłem, ale i tak powiem to teraz. Wyglądasz pięknie.

— Dziękuję — odrzekła.

Nalał wina, odstawił butelkę i wręczył Katie kieliszek.

Kiedy go od niego odbierała, Alex wyczuł kokosowy zapach jej balsamu do ciała.

— Sądzę, że to wino będzie ci smakowało. Przynajmniej taką mam nadzieję.

— Na pewno jest pyszne — odparła, podnosząc kieliszek. — Na zdrowie — dodała i stuknęła swoim kieliszkiem o jego.

Wypiła łyk, ogromnie ciesząc się wszystkim — swoim dzisiejszym wyglądem i samopoczuciem, smakiem wina, utrzymującym się zapachem malinowego sosu, zachwyconym spojrzeniem Alexa (chociaż mężczyzna próbował się na nią nie gapić).

— Chciałbyś usiąść na werandzie? — zasugerowała.

Skinął głową, wyszli więc na zewnątrz i usiedli na fotelach bujanych. W powoli ochładzającym się powietrzu świerszcze zaczęły swój koncert, witając nadchodzącą noc.

Katie delektowała się aromatem wina, znajdując przyjemność w owocowym posmaku, który pozostawał jej na języku.

— Jak się dziś miewają Kristen i Josh?

— Dobrze. — Alex wzruszył ramionami. — Zabrałem ich do kina.

— Ale na dworze było tak pięknie...

— Wiem. W poniedziałek przypada Memorial Day *, więc pomyślałem, że w najbliższych dniach i tak spędzimy na dworze wiele godzin.

— Otworzysz sklep?

— Oczywiście. To jeden z najbardziej ruchliwych dni w roku, ponieważ wszyscy pragną spędzić święto nad wodą. Będę prawdopodobnie pracował aż do pierwszej.

---

* Memorial Day — amerykańskie święto państwowe, upamiętniające poległych podczas służby wojskowej, obchodzone w ostatni poniedziałek maja.

— Powiedziałabym, że ci współczuję, ale ja również tego dnia pracuję.

— Może przyjdziemy do lokalu i znowu trochę cię pomęczymy.

— Wcale mnie nie męczyliście! — Zerknęła na niego ponad kieliszkiem. — Hm, dzieci w każdym razie mnie nie zmęczyły. O ile sobie dobrze przypominam, to raczej ty narzekałeś na jakość obsługi.

— My, starzy faceci, czasem zrzędzimy — zażartował. Roześmiała się, potem przez chwilę milcząco bujała się w fotelu.

— Kiedy nie pracuję, lubię posiedzieć tutaj i poczytać. Bardzo jest tutaj spokojnie. Czasami czuję się tak, jakby w obrębie wielu kilometrów wokół mnie nie było nikogo.

— Bo tak jest. Mieszkasz w szczerym polu.

Swawolnie poklepała go po ramieniu.

— Uważaj, co mówisz. Przypadkiem bardzo lubię mój mały domek.

— Wierzę. Zresztą jest w lepszym stanie, niż sądziłem. I wygląda przytulnie.

— Powoli staje się przytulny — przyznała. — Chociaż naprawdę powoli. Ale co najważniejsze, jest mój i nikt mi go nie zabierze.

W tym momencie przyjrzał jej się z uwagą. Odwróciła wzrok i zapatrzyła się na żwirową drogę i ciągnącą się za nią łąkę.

— Wszystko w porządku? — spytał.

Zastanawiała się przez chwilę nad odpowiedzią.

— Myślałam po prostu — odrzekła w końcu — że cieszę się z twojej wizyty. Chociaż tak mało mnie znasz.

— Wydaje mi się, że znam cię wystarczająco dobrze.

Nie odpowiedziała. Alex zobaczył, że spuściła wzrok.

— Sądzisz, że mnie znasz — wyszeptała. — A tak nie jest.

Alex wyczuł, że Katie boi się powiedzieć więcej. Panującą ciszę przerywało jedynie skrzypienie desek podłogi werandy, gdy Alex bujał się na fotelu w przód i w tył.

— Może wyliczę, ile wiem, a ty powiesz mi, czy mam rację? Tak będzie dobrze? — Kiwnęła głową, lecz nerwowo zaciskała wargi. Alex kontynuował cicho i łagodnie: — Uważam, że jesteś inteligentna i czarująca, masz też dobre serce. Wiem, że jeśli tylko zechcesz, potrafisz wyglądać piękniej niż ktokolwiek, kogo kiedykolwiek spotkałem. Jesteś kobietą niezależną, masz wspaniałe poczucie humoru i wykazujesz się zadziwiającą cierpliwością wobec dzieci. Nie mylisz się oczywiście, mówiąc, że nie znam szczegółów z twojej przeszłości, ale nie wiem, czy one są ważne, skoro nie chcesz mi o sobie opowiedzieć. Każdy z nas ma jakąś przeszłość, lecz to przecież tylko dawne zdarzenia, nic więcej. Można się z nich czegoś nauczyć, nie sposób ich jednak zmienić po fakcie. Poza tym nigdy nie znałem nikogo takiego jak ty. A im dłużej cię znam, tym lepiej pragnę cię poznać.

Słysząc jego odpowiedź, Katie uśmiechnęła się przelotnie.

— Kiedy mówisz, wszystko wydaje się takie proste — zauważyła.

— Bo może jest.

Rozważając jego słowa, Katie obracała w palcach nóżkę kieliszka z winem.

— A jeśli przeszłość nie jest wyłącznie przeszłością, co wtedy? Jeśli ona ciągle trwa?

Alex nadal wpatrywał się w nią, wytrzymując jej spojrzenie.

— Pytasz, co będzie, gdy... on cię znajdzie?

Kobieta się wzdrygnęła.

— Co powiedziałeś?

— Słyszałaś — odparł, po czym podjął tonem pewnym,

a równocześnie gawędziarskim, tak jak nauczył się w wydziale kryminalnym. — Domyślam się, że byłaś kiedyś mężatką... i że może twój eksmąż usiłuje cię odszukać.

Katie zmartwiała i wybałuszyła oczy. Nagle trudno jej było oddychać, więc zeskoczyła z fotela, rozlewając resztkę wina. Zrobiła krok w bok, odsuwając się od Alexa, i patrzyła na niego, czując, jak krew odpływa jej z twarzy.

— Skąd tak dużo o mnie wiesz? Kto ci to wszystko powiedział? — zapytała, rozmyślając intensywnie i starając się skojarzyć detale.

Niemożliwe, żeby Alex znał jakieś szczegóły z jej życia. W żadnym razie! Nie zwierzała się przecież nikomu! Nikomu... poza Jo.

Gdy sobie to uprzytomniła, straciła oddech i w szoku patrzyła na sąsiedni dom. Pomyślała, że zdradziła ją sąsiadka. Jej przyjaciółka ją zdradziła...

Nie tylko jednak ona myślała w tym momencie tak intensywnie. Umysł Alexa pracował równie szybko. Mężczyzna widział strach na twarzy towarzyszki i wiedział, że podobną reakcję obserwował już przedtem wiele razy u wielu kobiet. Zbyt wiele razy u zbyt wielu kobiet. Ale wiedział też, że jeśli ich związek ma się dalej rozwijać, nadeszła pora zakończyć gierki.

— Nikt mi niczego nie powiedział — zapewnił ją. — Jednakże twoja reakcja potwierdza, że miałem rację. Wierz mi, Katie, ten element nie jest dla mnie ważny. Nie znam osoby, której się obawiasz. Jeśli zechcesz mi opowiedzieć o swojej przeszłości, chętnie wysłucham i pomogę ci w każdy możliwy sposób, ale nie zamierzam ciągnąć cię za język. A jeżeli nie zechcesz mi wyznać, co ci się w życiu przydarzyło, też nic nie szkodzi, ponieważ, jak sądzę, nigdy nie poznam tego mężczyzny. Skoro trzymasz tę sprawę w sekrecie, na pewno masz dobre powody, co oznacza, że ja oczywiście również nie zamierzam nikomu zwierzać się ze swoich podejrzeń. Niezależnie od tego, co między nami zajdzie lub nie. Żyj, jak lubisz, twórz nową kartę w swojej historii, jeśli tego pragniesz, i wiedz, że ja na pewno nie złamię danego ci słowa. Możesz mi zaufać.

Katie niemal spijała z jego ust każde słowo. Choć zdezorientowana, przerażona i zagniewana, nie uroniła nawet sylaby.

— Ale... skąd...?

— Przez lata nauczyłem się zauważać drobiazgi, których inni ludzie nie widzą — kontynuował. — Był czas w moim życiu, kiedy niczym innym się nie zajmowałem. Więc... nie jesteś pierwszą kobietą w twojej sytuacji, którą spotkałem...

Wciąż patrzyła na niego i szybko myślała.

— Kiedy byłeś w wojsku — dokończyła za niego.

Skinął głową. Wytrzymał spojrzenie Katie. Po chwili wstał z fotela i ostrożnie zrobił krok ku niej.

— Mogę ci dolać wina?

Nie zdołała odpowiedzieć, ponieważ nadal nie mogła zebrać myśli, lecz kiedy Alex sięgnął po jej kieliszek, bezwiednie mu go podała. Drzwi werandy otworzyły się ze skrzypnięciem, a później zamknęły, pozostawiając Katie samą.

Powoli podeszła do balustrady. Miała chaos w głowie. Walczyła z instynktem, który kazał jej spakować torbę, złapać pełną pieniędzy puszkę po kawie i jak najprędzej opuścić miasto.

Ale co dalej? Jeżeli Alex domyślił się jej przeszłości wyłącznie dzięki obserwacji, istniała możliwość, że inni ludzie w innych miejscach również odkryją jej tajemnicę. I może nie będą tak wyrozumiali jak on.

Za sobą usłyszała, że drzwi znów otwierają się ze skrzypnięciem. Alex wrócił na werandę i dołączył przy balustradzie do Katie, podając jej kieliszek.

— Zdecydowałaś już?

— Co zdecydowałam?

— Czy zamierzasz umknąć w nieznane miejsce jak najszybciej?

Odwróciła się do niego. Na jej twarzy malował się prawdziwy szok.

Alex rozłożył ręce.

— Nad czym innym miałabyś się zastanawiać? Wiesz, pytam po prostu, bo czuję głód i nie chciałbym, żebyś uciekła, zanim zjemy.

Minęła dobra chwila, zanim Katie zdała sobie sprawę, że Alex przekomarza się z nią, i chociaż jeszcze przed chwilą nie uwierzyłaby, że to możliwe, odkryła, że uśmiecha się z ulgą.

— Zjemy kolację — zapewniła go.

— A jutro?

Zamiast odpowiedzieć, sięgnęła po wino.

— Chcę wiedzieć, jak odkryłeś mój sekret.

— Nie stało się to w jednej chwili — oznajmił. Wspomniał o kilku szczegółach, które wcześniej zauważył, po czym pokręcił głową. — Większość osób nie doszłaby na ich podstawie do żadnych wniosków.

Katie studiowała z uwagą zawartość swojego kieliszka.

— Ale ty się domyśliłeś.

— Nic na to nie poradzę. Mam taki wrodzony dar.

Przemyślała jego odpowiedź.

— Czyli że wiesz już od jakiegoś czasu. Albo przynajmniej od jakiegoś czasu żywisz pewne podejrzenia.

— Tak — przyznał.

— I dlatego nigdy nie spytałeś mnie o przeszłość.

— Tak — powtórzył.

— A jednak postanowiłeś umówić się ze mną?

161

Alex miał poważną minę.

— Pragnąłem umówić się z tobą już w chwili, gdy zobaczyłem cię po raz pierwszy. Czekałem tylko, aż będziesz gotowa.

W tym momencie zgasły ostatnie promienie zachodzącego za horyzont słońca i zapadł zmierzch, zmieniając błękitną barwę bezchmurnego nieba w jasny odcień fioletu. Katie i Alex stali przy balustradzie. Mężczyzna obserwował, jak południowy wietrzyk delikatnie unosi niesforne kosmyki jej włosów, a skóra przybiera teraz ciepły, brzoskwiniowy odcień. Alex widział, jak biust Katie faluje wraz z każdym oddechem. Patrzyła w dal i nie potrafił zinterpretować wyrazu jej twarzy. Gdy zastanawiał się, nad czym rozmyślała, poczuł, że żal chwyta go za gardło.

— Nie odpowiedziałaś na moje pytanie — zauważył wreszcie.

Milczała przez moment, po czym na jej ustach pojawił się nieśmiały uśmiech.

— Chyba pomieszkam w Southport przez jakiś czas, jeśli to chcesz wiedzieć — odparła.

Wciągnął głęboko w płuca jej zapach.

— Wiesz, że możesz mi zaufać.

Zbliżyła się do niego, a gdy otoczył ją ramieniem, poczuła jego siłę.

— Chyba muszę, prawda?

*

Kilka minut później wrócili do kuchni. Katie odstawiła kieliszek z winem na bok, wzięła przystawki oraz faszerowane papryki i wsunęła blachę do piekarnika. Ciągle jeszcze oszołomiona niepokojąco celną oceną jej przeszłości, cieszyła się, że może się zająć jakimś zadaniem. Trudno jej było jednak pojąć, że Alex mimo tak dużej wiedzy o niej pragnie spędzić z nią wieczór. I, co ważniejsze, zaskoczyło ją, że sama chce spędzić wieczór z nim. Głęboko w sercu nie była pewna, czy zasłużyła na takie szczęście. Nie wierzyła, że warta jest kogoś, kto wydaje się... normalny.

W jej przeszłości tkwił naprawdę paskudny sekret. Chociaż nikt nie wykorzystywał jej seksualnie, to jednak Katie przydarzyło się wiele złego i czuła się zbrukana, że pozwoliła komuś na tak wiele. Nawet teraz wstydziła się tamtego okresu i chwil, w których wydawała się sobie obrzydliwie brzydka, jak gdyby blizny, które jej zostały, były widoczne dla wszystkich.

Ale tu i teraz tamte sprawy znaczyły mniej niż kiedyś, ponieważ Katie skądś wiedziała, że Alex rozumie jej wstyd. I że zaakceptował ją taką, jaka była.

Wyjęła z lodówki przygotowany wcześniej sos malinowy i zaczęła go przelewać do małego rondla, w którym zamierzała go podgrzać. Nie trwało to długo, a wtedy wyjęła z piekarnika brie z bekonem, polała go sosem i zaniosła na stół. Nagle przypomniała sobie o winie, wróciła się, wzięła kieliszek i wraz z nim dołączyła przy stole do Alexa.

— To dopiero początek — wyjaśniła. — Papryka potrzebuje trochę więcej czasu.

Pochylił się nad daniem.

— Pachnie wprost niewiarygodnie.

Przeniósł kawałek sera na swój talerz i skosztował.

— No, no, no — pochwalił.

Gospodyni się rozpromieniła.

— Dobre, co?

— Wyborne. Gdzie nauczyłaś się tak gotować?

— Przyjaźniłam się kiedyś z pewnym szefem kuchni. Powiedział mi, że ta potrawa smakuje każdemu.

Alex ukroił widelcem kolejny kawałek.

— Cieszę się, że zostajesz w Southport — oznajmił. — Bez trudu przyzwyczaiłbym się do jadania regularnie takich przysmaków, nawet gdybym w tym celu musiał do mojego sklepu domówić pewne produkty.

— Przepis nie jest skomplikowany.

— Nie widziałaś, jak kucharzę. Nieźle sobie radzę z jedzeniem dla dzieci, ale bardziej wymyślne dania nie wychodzą mi tak dobrze.

Sięgnął po kieliszek i wypił łyk wina.

— Sądzę, że do sera bardziej pasuje czerwone. Nie masz nic przeciwko, że otworzę drugą butelkę?

— Skądże.

Podszedł do lady i otworzył zinfandel, Katie tymczasem wyjęła z szafki kuchennej jeszcze dwa kieliszki. Alex nalał do nich wina i podał jej jeden. Stali na tyle blisko siebie, że mogliby się dotknąć, toteż mężczyzna walczył z prawdziwą pokusą przyciągnięcia Katie do siebie i objęcia jej. Zamiast tego odchrząknął.

— Chcę ci coś powiedzieć, ale proszę, nie zrozum mnie źle.

Katie się zawahała.

— Czemu mam obawy?

— Chciałem tylko powiedzieć, że bardzo cieszyłem się na dzisiejszy wieczór. To znaczy... Myślałem o tym spotkaniu przez cały tydzień.

— Dlaczego miałabym to źle zrozumieć?

— Nie wiem. Ponieważ jesteś kobietą? Ponieważ moje stwierdzenie zabrzmiało jak krzyk desperata, a kobiety nie lubią zdesperowanych mężczyzn?

Po raz pierwszy tego wieczoru roześmiała się naprawdę swobodnie.

— Nie uważam cię za desperata. Mam wrażenie, że czasem

trochę cię przygniata to wszystko, to znaczy sklep i dzieci, ale przecież nie dzwonisz do mnie codziennie.

— Tylko dlatego, że nie masz telefonu. Tak czy owak, pragnąłem, abyś wiedziała, jak wiele ten wieczór dla mnie znaczy. Nie mam zbytniego doświadczenia w tego typu sprawach.

— W kolacjach?

— W randkach. Minęło trochę czasu...

Witaj w klubie, pomyślała, ale dzięki jego uwadze poczuła się lepiej.

— Jedz — poprosiła, wskazując na ser. — Najlepiej smakuje, gdy jest ciepły.

Kiedy skończyli przystawkę, Katie wstała od stołu i podeszła do piekarnika. Zerknęła na papryki, po czym wypłukała rondel, którego używała wcześniej. Zebrała składniki na sos czosnkowy, a później zaczęła smażyć krewetki w małej ilości tłuszczu. Zanim się usmażyły, sos był również gotowy. Wyłożyła papryki na talerze i dodała danie główne. Potem, po przyciemnieniu świateł, zapaliła świecę, którą ustawiła pośrodku stołu. Dzięki aromatowi masła i czosnku oraz migoczącemu na tle ściany światłu stara kuchnia wyglądała prawie jak nowe, przytulne pomieszczenie.

Jedli i rozmawiali, podczas gdy na niebie pojawiły się gwiazdy. Alex wielokrotnie chwalił posiłek, twierdząc, że nigdy nie jadł niczego lepszego. Kiedy świeca prawie się dopaliła i opróżnili butelkę z winem, Katie ujawniła nieco detali z okresu dorastania w Altoonie. Chociaż Jo nie chciała opowiedzieć całej prawdy o swoich rodzicach, Alexowi przedstawiła nijak nieupiększoną wersję: nieustanne przeprowadzki, alkoholizm rodziców, fakt, że musiała radzić sobie sama, odkąd ukończyła osiemnaście lat. Mężczyzna przez cały czas milczał, słuchając i nie wydając opinii, mimo to nie była pewna, co myśli o jej przeszłości. Kiedy wreszcie przerwała, przyłapała się na wątpliwościach, czy aby nie powiedziała mu zbyt dużo. Ale właśnie wtedy Alex wyciągnął rękę i przykrył jej dłoń swoją. Chociaż Katie nie potrafiła spojrzeć mu w oczy, trzymali się za ręce nad stołem i żadne z nich nie miało ochoty puścić drugiego, jakby byli jedynymi ludźmi, którzy pozostali na świecie.

— Powinnam prawdopodobnie zacząć sprzątać w kuchni — odezwała się w końcu i czar prysł.

Odsunęła się od stołu. Alex usłyszał szuranie jej krzesła na podłodze. Zdawał sobie sprawę, że piękny moment przeminął, i nie chciał niczego bardziej niż kolejnej takiej chwili.

— Pragnę, żebyś wiedziała, że cudownie spędziłem dzisiejszy wieczór — zaczął.

— Alexie... ja...

Pokręcił głową.

— Nie musisz nic mówić...

Nie pozwoliła mu dokończyć.

— Ale chcę. — Stanęła obok stołu, oczy jej błyszczały z powodu jakiegoś nieznanego dotąd wzruszenia. — Ja również wspaniale spędziłam dziś czas. Wiem jednak, do czego prowadzą takie momenty, a nie chcę cię zranić. — Zrobiła wydech, przygotowując się do wypowiedzenia kolejnych słów. — Nie mogę składać obietnic. Nie potrafię ci powiedzieć, gdzie będę jutro, a co dopiero na przykład za rok. W trakcie mojej pierwszej ucieczki sądziłam, że zdołam zostawić wszystko za sobą i zacząć od nowa, będę żyć własnym życiem i udawać, że to, co spotkało mnie w przeszłości, nigdy się nie wydarzyło. Niestety, nie jest to wcale proste. Myślisz, że mnie znasz, ale nie jestem pewna, czy sama wiem, kim teraz jestem. I chociaż sporo się o mnie dowiedziałeś, nie masz jeszcze pojęcia o mnóstwie rzeczy.

Alex poczuł, że coś się w nim załamuje.

— Twierdzisz, że nie chcesz mnie więcej widzieć?

— Nie, nie. — Gwałtownie pokręciła głową. — Mówię ci to wszystko, ponieważ naprawdę chcę cię widywać, a równocześnie to pragnienie mnie przeraża, bo głęboko w sercu uważam, że zasługujesz na kogoś lepszego. Na kogoś, na kim możesz polegać. Na kogoś, na kim będą mogły polegać twoje dzieci. Jak wspomniałam, nie wiesz o mnie wielu rzeczy.

— To nie ma dla mnie żadnego znaczenia — upierał się Alex.

— Jak możesz tak twierdzić?

W milczeniu, które zapadło, Alex usłyszał cichy szum lodówki. Księżyc za oknem wisiał nad koronami drzew.

— Ponieważ znam siebie — odrzekł wreszcie, uświadamiając sobie, że jest w niej bez pamięci zakochany.

Kochał tę Katie, którą zaczynał poznawać, i tę, której nigdy nie miał szansy poznać. Wstał od stołu i podszedł do niej.

— Alexie... to nie może...

— Katie... — wyszeptał i przez chwilę żadne z nich się nie ruszało.

W końcu położył rękę na jej biodrze i przyciągnął do siebie. Katie wypuściła powietrze, jakby przenosiła na niego stare jak świat brzemię, a kiedy podniosła na Alexa wzrok, nagle bez trudu potrafiła sobie wmówić, że jej lęki nie mają sensu. Że Alex będzie ją kochał niezależnie od tego, co mu powie, że trafiła na kogoś, kto już ją pokochał i zawsze ją będzie kochał.

I właśnie w tym momencie zdała sobie sprawę, że również go kocha.

Wówczas pozwoliła mu się objąć. Poczuła bliskość jego ciała, a on uniósł rękę do jej włosów. Jego dotyk był łagodny i delikatny, niepodobny do żadnego z tych, jakich zaznała przedtem, i patrzyła ze zdumieniem, jak mężczyzna zamyka oczy. Pochylił głowę i jego twarz zaczęła się zbliżać. Kiedy ich wargi nareszcie się dotknęły, Katie poczuła smak wina na jego języku. Poddała się Alexowi i pozwoliła mu się całować po policzku i szyi. Potem odchyliła się, upajając się doznaniami. Czuła wilgoć jego warg, które muskały jej skórę. Jej dłonie znalazły się na jego karku, gładząc go. Tak to jest, gdy naprawdę kogoś kochamy, pomyślała. Szczególnie gdy kochamy z wzajemnością. I nagle w jej oczach pojawiły się łzy. Zamrugała, próbując je powstrzymać, w tym momencie nie było to już jednak możliwe. Kochała tego mężczyznę i pragnęła go, lecz chciała też czegoś więcej — chciała, by on kochał ją taką, jaka była, ze wszystkimi jej wadami i tajemnicami. Nieoczekiwanie zapragnęła, żeby poznał całą prawdę.

Przytuleni całowali się przez długi czas w kuchni, jego dłoń przesuwała się po jej plecach, palce zagłębiały się we włosy. Katie zadrżała, gdy poczuła na policzku muśnięcie jego króciutkiego zarostu. Kiedy Alex przesunął palcem po skórze jej ramienia, krew w jej żyłach zawrzała.

— Chcę być z tobą, lecz nie mogę — wyszeptała wówczas, mając nadzieję, że go nie rozgniewa.

— To nic — odparł szeptem. — I tak spędziłem najcudowniejszy wieczór. Nie wyobrażam sobie lepszego.

— Ale jesteś rozczarowany.

Odgarnął zbłąkany kosmyk z jej twarzy.

— Nie potrafiłabyś mnie rozczarować — zapewnił ją.

Przełknęła ślinę, wciąż walcząc z rodzącym się w jej gardle szlochem.

— Jest coś, co powinieneś o mnie wiedzieć — wciąż mówiła szeptem.

— Cokolwiek powiesz, na pewno to zniosę.

Znów przytuliła się do niego.

— Nie mogę być z tobą dziś wieczorem — wyznała — z tego samego powodu, z jakiego nigdy nie będę mogła cię poślubić. — Westchnęła. — Mam męża.

— Wiem — wyszeptał.

— I ten fakt nie ma dla ciebie znaczenia?

— Sytuacja nie jest idealna, ale wierz mi, ja również nie jestem doskonały, więc może na razie cieszmy się chwilą i nie snujmy dalekosiężnych planów. Poczekam, aż będziesz gotowa. — Przesunął palcem po jej policzku. — Kocham cię, Katie. Może nie jesteś jeszcze gotowa wypowiedzieć te same słowa, a może nigdy ich od ciebie nie usłyszę, ale zaufaj mi, nic nie zmieni moich uczuć do ciebie.

— Alexie...

— Nic nie musisz mówić — uciął.

— Mogę wyjaśnić? — spytała, w końcu odsuwając się od niego.

Nawet nie starał się ukrywać ciekawości.

— Chcę ci coś powiedzieć — naciskała. — Chcę opowiedzieć ci o sobie.

17

Na trzy dni zanim Katie opuściła Nową Anglię, płatki śniegu zamarzały w rześkim wczesnostyczniowym wietrze, więc kiedy szła w stronę salonu fryzjerskiego, musiała pochylić głowę. Jej długie blond włosy powiewały na wietrze, a na policzkach czuła ukłucia drobinek lodu. Włożyła dziś buty na wysokim obcasie, nie kozaki, lecz czółenka, w których strasznie zmarzły jej już stopy. Kevin został w samochodzie i patrzył, jak odchodziła. Chociaż nie odwróciła się, słyszała odgłos pracującego na jałowym biegu silnika i potrafiła sobie wyobrazić usta męża zaciśnięte w niemal prostą linię.

Tłumy, które wypełniały centrum handlowe przed świętami Bożego Narodzenia, teraz zniknęły. Po jednej stronie salonu mieścił się market RTV, po drugiej był sklepik z produktami dla zwierząt — w obu panowały pustki, gdyż w taki dzień jak dziś mało kto miał ochotę wychodzić z domu. Kiedy Katie pociągnęła drzwi, szarpnął je wiatr i gwałtownie otworzył na oścież. Przez chwilę męczyła się, starając się je zamknąć. Lodowate powietrze wpadło wraz z nią do środka, a ramiona jej kurtki pokrywała teraz cienka warstwa śniegu. Katie zdjęła rękawiczki i kurtkę, równocześnie odwracając się do Kevina.

Pomachała mu na pożegnanie i uśmiechnęła się do niego. Lubił, kiedy posyłała mu uśmiechy.

Zapisana była na godzinę czternastą do fryzjerki o imieniu Rachel. Większość stanowisk wydawała się już obsadzona, toteż Katie nie wiedziała, w którą stronę się skierować. Była tu pierwszy raz i czuła się nieswojo.

Żadna ze stylistek nie wyglądała na więcej niż trzydzieści lat i większość miała rozwichrzone fryzury z czerwonymi i niebieskimi pasemkami. Chwilę później podeszła do niej dziewczyna na oko dwudziestopięcioletnia, opalona, wykolczykowana i z tatuażem na szyi.

— Jesteś do mnie na czternastą? Farbowanie i przycięcie? — spytała.

Katie kiwnęła głową.

— Mam na imię Rachel. Chodź za mną.

Fryzjerka zerknęła przez ramię.

— Chłodno, co? — spytała. — O mało nie umarłam, gdy szłam do pracy. Każą nam zostawiać auta na drugim końcu parkingu. Nienawidzę tego, ale co mogę zrobić, no nie?

— Jest zimno — zgodziła się Katie.

Rachel zaprowadziła ją na fotel blisko narożnika pomieszczenia. Siedzisko było z fioletowego winylu, a podłogę pokrywały czarne kafle.

To salon dla młodszych osób, pomyślała Katie. Singielek, które chcą się wyróżniać z tłumu. A nie dla zamężnych blondynek.

Wierciła się, kiedy Rachel okrywała ją ochronnym kitlem. Poruszała też palcami stóp, usiłując je rozgrzać.

— Od niedawna mieszkasz w okolicy? — spytała fryzjerka.

— Przyjechałam z Dorchester — odrzekła.

— O, to dobry kawałek stąd. Ktoś ci nas polecił?

Katie mijała salon dwa tygodnie wcześniej, kiedy Kevin

171

zabrał ją na zakupy, lecz nie przyznała się do tego. W odpowiedzi na pytanie jedynie pokręciła głową.

— Chyba miałam szczęście, że odebrałam wtedy telefon od ciebie. — Rachel się uśmiechnęła. — Jaki kolor chcesz?

Katie nie lubiła patrzeć na siebie w lustrze, teraz jednak nie miała wyboru. Musiała dobrze załatwić tę sprawę! Spojrzała przy okazji na wsunięte za ramę lustra zdjęcie przedstawiające Rachel z osobnikiem, którego uznała za jej chłopaka. Młody mężczyzna miał więcej kolczyków niż fryzjerka, a na głowie irokeza. Katie zacisnęła ręce skryte pod kitlem.

— Chcę wyglądać naturalnie, więc może jakieś ciemniejsze pasemka? I farbowanie odrostów.

Rachel skinęła głową ku lustru.

— Chcesz mniej więcej ten sam kolor? A może ciemniejszy? Jaśniejszy? Wiesz, pytam o włosy, nie o pasemka.

— Mniej więcej ten sam odcień.

— Folia aluminiowa może być?

— Tak — zgodziła się Katie.

— Nie ma sprawy — powiedziała Rachel. — Poczekaj parę minut. Wrócę, gdy wszystko przygotuję, dobra?

Katie kiwnęła głową. Z boku dostrzegła klientkę, która odchylała głowę nad zlewem, a przy niej stała inna stylistka. Katie słyszała odgłos płynącej wody i ciche rozmowy docierające z innych stanowisk. Z głośników dobiegała niegłośna muzyka.

Rachel wróciła z folią i farbą. Stojąc obok fotela Katie, mieszała farbę i sprawdzała co chwila, czy konsystencja jest już odpowiednia.

— Od dawna mieszkasz w Dorchester?

— Cztery lata.

— A gdzie dorastałaś?

— W Pensylwanii — odparła Katie. — Ale zanim przeprowadziłam się tutaj, mieszkałam w Atlantic City.

— Ten, który cię przywiózł, to twój mąż?

— Tak.

— Macie ładny samochód. Zauważyłam, kiedy machałaś. Jaka to marka? Mustang? — Katie ponownie kiwnęła głową, tym razem nic jednak nie powiedziała. Rachel pracowała przez chwilę w milczeniu, nakładając farbę na pasemka i owijając je kawałkami folii. — Ile lat jesteś mężatką? — spytała, kiedy zawijała szczególnie trudny kosmyk.

— Cztery.

— I dlatego przeprowadziłaś się do Dorchester, co?

— Tak.

Rachel paplała dalej:

— No i czym się zajmujesz?

Katie gapiła się prosto przed siebie, próbując równocześnie nie oglądać swojego odbicia. Żałowała, że nie jest kimś innym. Mogła być tutaj przez półtorej godziny, później wróci Kevin, więc modliła się, żeby nie przybył przed wyznaczonym czasem.

— Nie mam pracy — odrzekła Katie.

— Ojej, ja bym dostała szału, gdybym nie pracowała. Nie żeby zawsze było łatwo. Co robiłaś, zanim wyszłaś za mąż?

— Byłam barmanką.

— W jakimś kasynie?

Katie skinęła głową.

— Czy tam poznałaś męża?

— Tak — przyznała Katie.

— A co on teraz robi? To znaczy... podczas gdy ty siedzisz u fryzjera?

Prawdopodobnie tkwi w jakimś barze, pomyślała Katie.

— Nie wiem.

— Czemu więc sama nie przyjechałaś autem? Salon jest przecież spory kawałek od twojego domu.

— Nie prowadzę samochodu. Gdy muszę gdzieś dotrzeć, mąż mnie zawozi.

— O rany, nie wiem, co bym zrobiła bez samochodu. Wiesz, nie mam jakiejś superbryki, ale moje auto wystarczy, jeśli trzeba gdzieś pojechać. Nie chciałabym być od kogoś zależna w ten sposób.

Katie wdychała wypełniające powietrze zapachy. Grzejnik pod ladą zaczął klekotać.

— Nigdy nie nauczyłam się prowadzić samochodu.

Rachel wzruszyła ramionami i zajęła się kolejnym kosmykiem Katie.

— To nie jest trudne — zapewniła klientkę. — Trochę poćwicz, zdaj egzamin i już jeździsz.

Katie popatrzyła na fryzjerkę w lustrze. Dziewczyna najwyraźniej wiedziała, co robi, lecz była młoda i pewnie początkująca, a ona wolałaby kogoś starszego i bardziej doświadczonego. Własna opinia zdziwiła ją samą, ponieważ była prawdopodobnie ledwie kilka lat starsza od Rachel. Może nawet mniej niż kilka. Ale czuła się staro.

— Masz dzieci?

— Nie.

Może fryzjerka wyczuła, że zadała niewłaściwe pytanie, gdyż przez następne parę minut znów pracowała w ciszy. Z kawałkami folii na głowie Katie wyglądała jak obca istota z antenkami. W końcu Rachel zaprowadziła ją na inne stanowisko i włączyła lampę grzejną.

— Wrócę za jakiś czas i sprawdzę, okay?

Podeszła do koleżanki po fachu. Rozmawiały, lecz panujące w salonie hałasy uniemożliwiały Katie podsłuchanie. Popatrzyła na zegarek. Kevin wróci za niecałą godzinę. Czas biegł szybko, zbyt szybko!

Rachel wróciła i dotknęła jej włosów.

— Jeszcze chwileczkę — zaszczebiotała i ponownie odeszła, by dalej gawędzić z koleżanką. Gestykulowała żywo. Była osobą emocjonalną. Młoda i beztroska. Szczęśliwa. Upłynęły kolejne minuty. Kilka, potem kilkanaście. Katie starała się nie spoglądać na zegar. Wreszcie Rachel zdjęła folię i zaprowadziła Katie do umywalki. Usiadła, odchyliła głowę, kark oparła o ręcznik. Rachel odkręciła kran i Katie poczuła na policzku strumień chłodnej wody. Fryzjerka wmasowała jej szampon we włosy i skórę głowy, spłukała, potem nałożyła odżywkę i ponownie spłukała.

— Teraz trochę przytniemy, dobrze?

Gdy Katie znalazła się z powrotem przed lustrem, pomyślała, że kolor prezentuje się nieźle, ale w sumie trudno jej było ocenić, skoro włosy wciąż miała mokre. Wiedziała, że musi wyglądać ładnie, w przeciwnym razie Kevin jej to wytknie. Rachel rozczesała jej włosy, świetnie sobie radząc ze splątanymi kosmykami. Zostało czterdzieści minut.

Fryzjerka wpatrywała się w lustro, dumając nad odbiciem Katie.

— Ile ci podciąć?

— Niezbyt dużo — odparła Katie. — Tylko wyrównaj. Mój mąż lubi, jak mam długie włosy.

— Jaką ci zrobić fryzurę? Mam tam katalog, jeśli masz ochotę na odmianę.

— Niech będzie tak samo, jak było.

— Się robi — rzuciła Rachel.

Katie obserwowała, jak fryzjerka sczesuje kosmyk grzebieniem, przeczesuje go palcami, a później skraca. Najpierw tył, potem boki, na koniec te na czubku głowy. Rachel skądś wzięła gumę do żucia, toteż pracując, poruszała rytmicznie szczęką.

— W porządku?

— Tak. Sądzę, że wystarczy.

Stylistka sięgnęła po suszarkę i okrągłą szczotkę. Nawijała powoli kosmyk na szczotkę i suszyła, a uszy Katie drażnił hałas urządzenia.

— Jak często chodzisz do fryzjera? — spytała Rachel, znów próbując pogawędzić.

— Raz na miesiąc — odpowiedziała Katie. — Ale czasami tylko trochę skracam.

— Wiesz, tak na marginesie, masz piękne włosy.

— Dziękuję.

Dziewczyna kontynuowała pracę. Katie poprosiła, aby lekko podkręciła jej włosy, więc fryzjerka wyjęła lokówkę, która nagrzewała się ze dwie minuty. Zostało jeszcze dwadzieścia. Rachel podkręcała i czesała, aż w końcu efekt ją zadowolił i przyglądała się Katie w lustrze.

— Podoba ci się?

Katie oceniła kolor i fryzurę.

— Jest doskonale — zapewniła.

— Pokażę ci tył — powiedziała fryzjerka, obróciła fotel wraz z klientką i wręczyła jej lusterko.

Katie obejrzała podwójne odbicie i kiwnęła głową z aprobatą.

— Okay, czyli to koniec — podsumowała fryzjerka.

— Ile płacę?

Rachel podała jej kwotę i Katie sięgnęła do torebki. Wyjęła odliczoną sumę plus napiwek.

— Mogę dostać rachunek?

— Pewnie — odparła dziewczyna. — Chodź ze mną do kasy.

Wypisała rachunek. Kevin sprawdzi go i zażąda reszty natychmiast, gdy wróci do samochodu, dlatego Katie upewniła się, czy Rachel wliczyła napiwek. Zerknęła na zegar. Dwanaście minut.

Kevina jeszcze nie było i jej serce biło szybko, kiedy wkładała kurtkę i rękawiczki. Opuściła salon, chociaż Rachel nadal coś do niej mówiła. Obok, w sklepie RTV, poprosiła sprzedawcę o telefon komórkowy i kartę na dwadzieścia godzin rozmów. Poczuła onieśmielenie, wymawiając te słowa, wiedziała bowiem, że teraz nie ma już odwrotu.

Ekspedient wyjął telefon spod lady i zaczął go kasować, jednocześnie wyjaśniając, jak go obsłużyć. Katie miała w torebce dodatkową kwotę ukrytą w opakowaniu tamponu, czyli w miejscu, do którego Kevin nigdy by nie zajrzał. Wyjęła teraz pomięte banknoty i położyła na ladzie. Czas mijał, więc ponownie wyjrzała na parking. Zaczynała odczuwać oszołomienie, w ustach miała sucho.

Wypisanie rachunku zajęło mężczyźnie całą wieczność. Chociaż Katie płaciła gotówką, spytał ją o nazwisko, adres i kod pocztowy. Bez sensu. Absurd! Chciała zapłacić i wyjść. Policzyła do dziesięciu, lecz sprzedawca wciąż pisał na klawiaturze. Na drodze światło zmieniło się z zielonego na czerwone, samochody czekały. Katie zastanowiła się, czy Kevin wjedzie za moment na parking. Ta myśl zrodziła w niej obawy, że mąż zobaczy ją wychodzącą ze sklepu. Z nerwów miała trudności z oddychaniem.

Spróbowała otworzyć plastikowe pudełko, ale nie mogła; komórkę zbyt dobrze zabezpieczono. Opakowanie było za duże na małą torebkę Katie, a także na jej kieszeń. Poprosiła ekspedienta o nożyczki, których szukał przez kolejną cenną minutę. Miała ochotę krzyczeć, kazać mu się pospieszyć, ponieważ Kevin zjawi się lada chwila. Jednak odwróciła tylko w milczeniu wzrok ku oknu.

Kiedy wyjęła telefon z pudełka, od razu wcisnęła go do kieszeni kurtki wraz z kartą. Mężczyzna spytał, czy Katie życzy sobie torbę, lecz ona znajdowała się już przy drzwiach i wyszła bez odpowiedzi. Telefon ciążył jej jak kawałek ołowiu, śnieg i lód utrudniały jej utrzymanie równowagi. Otworzyła drzwi do salonu i wróciła do środka. Zsunęła kurtkę i rękawiczki i czekała przy kasie. Trzydzieści sekund później zobaczyła, że Kevin kieruje auto na parking i skręca ku salonowi.

Dostrzegła śnieg na kurtce, więc szybko ją otrzepała. W tym momencie podeszła do niej Rachel. Katie spanikowała na myśl, że mąż może coś zauważyć. Skoncentrowała się i zmusiła do opanowania. Musiała zachowywać się naturalnie.

— Zapomniałaś czegoś? — spytała Rachel.

Katie zrobiła wydech.

— Zamierzałam poczekać na zewnątrz, ale jest zbyt zimno — wyjaśniła. — Zresztą zdałam sobie sprawę, że nie wzięłam twojej wizytówki.

Twarz Rachel się rozpromieniła.

— A tak, rzeczywiście. Poczekaj chwilkę — dodała. Podeszła do stanowiska i wyjęła wizytówkę z szuflady. Katie wiedziała, że Kevin obserwuje ją z siedzenia samochodu, ale udawała, że tego nie dostrzega.

Fryzjerka wróciła i podała wizytówkę.

— Zazwyczaj nie pracuję w niedziele ani w poniedziałki — powiedziała.

Katie skinęła głową.

— Zadzwonię wcześniej.

Usłyszała za sobą, że drzwi się otwierają. Kevin stał w progu. Zwykle nie wchodził do takich miejsc, toteż jej serce szaleńczo załomotało. Włożyła ponownie kurtkę, usiłując zapanować nad drżeniem rąk. Później odwróciła się i uśmiechnęła.

18

Śnieg padał mocniej, kiedy Kevin Tierney wjeżdżał na podjazd domu. Na tylnym siedzeniu stały torby z artykułami spożywczymi i najszybciej, jak mógł, złapał trzy z nich, po czym ruszył ku drzwiom wejściowym. Podczas jazdy z salonu do sklepu nie odzywał się, w sklepie spożywczym także powiedział do Katie niewiele. Szedł tylko obok żony, która badawczo przyglądała się półkom, szukając towarów w promocji i starając się nie myśleć o telefonie w kieszeni. Z pieniędzmi zawsze było krucho, wiedziała więc, że Kevin będzie wściekły, jeśli wyda zbyt dużo. Kredyt za dom pochłaniał niemal połowę jego pensji, a i rachunki za karty kredytowe były niemałe. Przez większość czasu musieli jadać w domu, ale Kevin lubił posiłki w stylu restauracyjnym — z daniem głównym, dwiema przystawkami i czasami sałatką. Nie jadał resztek, dlatego tym trudniej Katie było rozporządzać budżetem. Musiała starannie planować menu i wycinała z gazet kupony rabatowe. Kiedy mąż zapłacił za artykuły spożywcze, wręczyła mu resztę z salonu i rachunek. Przeliczył pieniądze, upewniając się, że otrzymał wszystko.

W domu potarła ramiona, chcąc się rozgrzać. Budynek był

179

stary i zimne powietrze z dworu wciskało się szczelinami w oknach i pod frontowymi drzwiami. Podłoga w łazience była tak chłodna, że gdy Katie stała na niej, kłuły ją stopy, ale Kevin narzekał na wysoką cenę oleju opałowego i nigdy nie pozwalał jej podkręcać termostatu. Kiedy był w pracy, Katie nosiła bluzy od dresu i ciepłe kapcie, ale podczas pobytu w domu pragnął, żeby wyglądała seksownie.

Położył zakupy na kuchennym stole, a Katie swoje torby postawiła obok jego, tymczasem on podszedł do lodówki. Otworzył zamrażalnik, wyjął butelkę wódki i parę kostek lodu. Wrzucił lód do szklanki i zaczął lać wódkę; gdy skończył, szklanka była prawie pełna. Ignorując żonę, poszedł do salonu i po chwili Katie usłyszała odgłosy telewizora nastawionego na sportowy kanał ESPN. Spiker mówił o drużynie Patriots, barażach i szansach na wygranie kolejnego mistrzostwa Super Bowl. W ubiegłym roku Kevin pojechał nawet na jeden z meczów Patriots; był fanem tego zespołu od dzieciństwa.

Katie zdjęła kurtkę i sięgnęła do kieszeni. Podejrzewała, że ma parę minut, i żywiła nadzieję, że ten czas jej wystarczy. Zerknąwszy do salonu, szybko podeszła do zlewu. W szafce poniżej znajdowało się pudło z zapasowymi zmywakami do naczyń. Katie umieściła telefon komórkowy na dnie pudła, po czym przykryła go zmywakami. Zamknęła szybko szafkę, a następnie pospiesznie chwyciła kurtkę, mając nadzieję, że jej twarz nie jest zarumieniona, a jeśli tak, modliła się, żeby Kevin tego nie zobaczył. Zrobiła długi wdech, usiłując się uspokoić, po czym przerzuciła kurtkę przez ramię i przeszła wraz z nią przez salon, kierując się ku szafie w korytarzu. Idąc, odnosiła wrażenie, że pokój ciągnie się bez końca niczym pomieszczenie odbijające się w licznych powierzchniach labiryntu luster w wesołym miasteczku, lecz próbowała ignorować strach. Wiedziała, że mąż potrafi wyczuć jej emocje, że niemal widzi ją na wylot, czyta jej w myślach i wie, co zrobiła, na szczęście Kevin ani na moment nie odwrócił się od telewizora. Dopiero kiedy Katie znalazła się ponownie w kuchni, jej oddech zaczął się uspokajać.

Zaczęła rozpakowywać zakupy, nadal ogłuszona, powtarzając sobie jednak w kółko, że musi zachowywać się normalnie. Kevin lubił czystość w domu, szczególnie w kuchni i łazience. Włożyła ser i jajka do oddzielnych przegródek w lodówce. Wyjęła stare warzywa z szuflady, wytarła ją, po czym włożyła do niej nowe. Wzięła trochę fasolki szparagowej, a w koszu stojącym na podłodze spiżarni znalazła kilkanaście ziemniaków. Wyłożyła na blat składniki sałatki — ogórek, sałatę lodową i pomidora. Jako danie główne zaplanowała marynowane kotlety schabowe.

Kotlety zamarynowała poprzedniego dnia: czerwone wino, sok pomarańczowy, sok grejpfrutowy, sól i pieprz. Dzięki kwasowości soków mięso kruszało i zyskiwało nadzwyczajny smak. Teraz stało w naczyniu żaroodpornym na dolnej półce lodówki.

Pochowała resztę artykułów spożywczych, kładąc je za starszymi produktami, które trzeba było zjeść najpierw, potem złożyła reklamówki i wsunęła je pod zlew. Z szuflady wyjęła nóż; deska do krojenia znajdowała się pod tosterem i Katie położyła ją obok kuchenki. Wzięła dwa ziemniaki i przecięła każdy na pół. Wysmarowała tłuszczem blachę do pieczenia, włączyła piekarnik, a później posypała ziemniaki pietruszką, solą, pieprzem i czosnkiem. Pieką się dłużej niż kotlety, więc wstawiała je najpierw, aby później nie odgrzewać mięsa. Kotlety opiecze za chwilę.

Kevin lubił, gdy w sałatce wszystkie warzywa były starannie pokrojone w kostkę, polane włoskim sosem z rozkruszonym roquefortem i posypane grzankami. Wzięła pół pomidora i ćwiartkę ogórka, a resztę warzyw owinęła w plastikową folię, zamierzając włożyć je z powrotem do lodówki. Kiedy ją otworzyła, zauważyła za sobą Kevina. Opierał się o framugę drzwi prowadzących do jadalni. Wypił długi łyk, opróżniając szklankę, i przyglądał się żonie z miną właściciela. Przypomniała sobie, że Kevin nie wie o jej wyjściu z salonu. Ani o tym, że kupiła komórkę! Gdyby wiedział, powiedziałby coś. Coś by zrobił!

— Mamy dziś kotlety? — spytał w końcu.

Zamknęła drzwi lodówki. Wciąż usiłowała sprawiać wrażenie bardzo zajętej i nie myśleć o lęku.

— Tak — przyznała. — Właśnie włączyłam piekarnik, więc będą za kilka minut. Muszę najpierw upiec ziemniaki.

Kevin gapił się na nią.

— Masz ładne włosy — zauważył.

— Dziękuję. Dziewczyna dobrze się sprawiła.

Wróciła do krojenia. Zaczęła od pomidora.

— Niezbyt duże kawałki — przypomniał jej Kevin, kiwając głową ku desce.

— Wiem — odparła.

Uśmiechnęła się, podczas gdy mąż podszedł znowu do zamrażalnika. Usłyszała grzechotanie kostek lodu w szklance.

— Co mówiłaś fryzjerce, kiedy robiła ci włosy?

— Niewiele. Tylko to co zwykle. Wiesz, jakie są fryzjerki. Lubią gadać o wszystkim.

Zakołysał szklanką. Kostki lodu zastukały o ścianki.

— Mówiłaś o mnie?

— Nie — zapewniła go.

Wiedziała, że nie chciał, aby o nim opowiadała. Skinął głową. Wyjął butelkę z wódką i postawił obok szklanki na blacie, po czym podszedł i stanął za Katie. Obserwował przez ramię, jak kroiła pomidora w kostkę. Małe kawałki, nie większe niż ziarnka grochu. Czuła jego oddech na szyi i próbowała nie wzdrygnąć się, kiedy położył jej ręce na biodrach.

Wiedziała, co musi zrobić, więc odłożyła nóż, odwróciła się do Kevina, otoczyła ramionami jego szyję i pocałowała go z języczkiem, wiedząc, że tego się od niej wymaga... Właśnie dlatego nie zauważyła jego zbliżającej się ręki — do czasu, aż rozbolał ją policzek. Uderzenie okazało się bolesne, a jej policzek płonął teraz, zapewne zaczerwieniony. Cios był ostry i skojarzył się Katie z użądleniem pszczoły.

— Przez ciebie zmarnowałem całe popołudnie! — wrzasnął na nią Kevin. Chwycił ją za ramiona i mocno ścisnął. Gniew wykrzywiał mu usta, oczy już nabiegły krwią. Poczuła zapach alkoholu w jego oddechu i krople śliny obryzgały jej twarz. — Mam jeden jedyny wolny dzień, a ty go wykorzystujesz, żeby kręcić sobie pieprzone kłaki w środku miasta, a potem jeszcze wleczesz mnie ze sobą na zakupy! — Wierciła się w uścisku, próbując odsunąć się od męża, aż wreszcie ją puścił. Pokręcił głową, mięśnie jego szczęk drgały. — Nie pomyślałaś, że może chciałem dziś odpocząć, odprężyć się?! Że może nie chciałem się przemęczać w swój jedyny wolny dzień?

— Przepraszam — bąknęła, trzymając się za policzek.

Nie wytknęła mu, że w poprzednich dniach pytała go dwa razy, czy właśnie tego dnia mógłby ją zawieźć. Ani że Kevin sam zasugerował, aby co jakiś czas zmieniała fryzjera, ponieważ nie życzył sobie, by się z kimś zaprzyjaźniła. Nie chciał też, żeby ktokolwiek wiedział coś o ich sprawach.

— Przepraszam — przedrzeźnił ją. Wpatrywał się w nią, a po chwili znów pokręcił głową. — Jezu Chryste — mruknął. — To takie trudne dla ciebie pomyśleć o kimś poza sobą samą?!

Wyciągnął rękę, starając się złapać Katie, ona zaś odwróciła się, pragnąc umknąć. Niestety, Kevin był szybszy, zresztą nie miała dokąd uciec. Ponownie uderzył, szybko i mocno, a jego pięść była straszliwą bronią.

Tym razem trafił ją w lędźwie, toteż przez chwilę gwałtownie chwytała powietrze, przed oczami pojawiły jej się mroczki i miała wrażenie, że ktoś wbił jej nóż w krzyż. Upadła na podłogę, powalona straszliwym bólem, który promieniował od nerki w dół, na nogi, i w górę, po kręgosłupie. Świat przez chwilę jej wirował, a kiedy spróbowała wstać, okazało się, że ruch jedynie pogarsza sytuację.

— Jesteś taką cholerną egoistką przez cały czas! — darł się mąż, patrząc na nią z góry.

Nie odezwała się. Nie była w stanie wydobyć z gardła głosu. Nie mogła oddychać. Zagryzła wargę, usiłując powstrzymać krzyk, i zastanowiła się, czy jutro w jej moczu pojawi się krew. Ból był straszliwy i miała ochotę się rozpłakać, powstrzymała się jednak, wiedziała bowiem, że tylko rozsierdzi tym Kevina.

Mąż wciąż stał nad nią, aż wreszcie wydał pełne obrzydzenia westchnienie, sięgnął po pustą szklankę i wyszedł z kuchni, po drodze łapiąc butelkę wódki.

Niemal przez minutę zbierała siły, aby wstać. Kiedy znowu zaczęła kroić warzywa, ręce jej się trzęsły. W kuchni było zimno, a Katie nadal okropnie bolały plecy — co sekunda czuła przeszywające ukłucie. Tydzień temu Kevin uderzył ją tak mocno w brzuch, że do rana wymiotowała. Upadła wtedy na podłogę, lecz chwycił ją za przegub dłoni i podciągnął do pionu. Siniak na jej nadgarstku miał kształt jego palców. Piekielnych śladów...

Teraz miała łzy na policzkach i musiała ciągle przestępować z nogi na nogę, przenosząc ciężar, bo gdy zbyt długo utrzymywała jedną pozycję, ból stawał się coraz gorszy. Dokończyła kroić pomidora i pokroiła ogórek, również w kosteczkę.

Na malutkie kawałeczki. Potem sałatę — pokroiła w kostkę i posiekała. Tak jak Kevin lubił. Starła łzy grzbietem ręki, po czym powlokła się ku lodówce. Wyjęła opakowanie rokqueforta, potem odszukała w szafce grzanki.

W salonie mąż pogłośnił telewizor.

Piekarnik był już odpowiednio nagrzany, więc wstawiła blaszkę i nastawiła minutnik. Kiedy gorąco buchnęło jej w twarz, przypomniała sobie o obolałym policzku, wątpiła jednak, czy cios Kevina zostawi ślad. Mąż dokładnie wiedział, jak mocno uderzyć, i Katie zastanowiła się, gdzie się tego nauczył. Zadała sobie pytanie, czy wszyscy mężczyźni rodzą się z taką wiedzą, czy też uczestniczą w tajnych kompletach z instruktorami, którzy specjalizują się w nauczaniu takich umiejętności. A może po prostu Kevin był wybitnie utalentowanym damskim bokserem?

Ból w plecach zaczął wreszcie słabnąć, aż zmienił się w lekkie pulsowanie. Katie mogła już ponownie normalnie oddychać. Wiatr wiał, wciskając się szczelinami w oknie, niebo stało się ciemnoszare. Drobinki zlodowaciałego śniegu stukały lekko o szybę. Zajrzała do salonu, zobaczyła, że Kevin siedzi na kanapie, i oparła się o blat. Zdjęła jeden but i potarła niedokrwione palce u stóp, próbując je rozgrzać. Powtórzyła to samo z drugą stopą, po czym znowu wsunęła nogi w czółenka.

Przepłukała i pokroiła fasolkę, po czym wylała na patelnię nieco oliwy z oliwek. Podsmaży fasolkę, gdy ułoży kotlety na ruszcie. Usiłowała nie myśleć o ukrytym pod zlewem telefonie.

Kiedy Kevin wrócił do kuchni, wyjmowała właśnie blaszkę z piekarnika. Mąż trzymał w ręce pustą w połowie szklankę. Spojrzenie miał już szkliste. Do tej pory wypił zapewne cztery lub pięć drinków, chociaż dokładnej liczby Katie oczywiście nie znała. Postawiła blaszkę na kuchence.

— Jeszcze chwileczkę — powiedziała neutralnym tonem, udając, że nic się nie stało. Dawno temu odkryła, iż jeśli okazywała gniew lub robiła pokrzywdzoną minę, Kevin jeszcze bardziej się pieklił. — Muszę upiec kotlety i kolacja gotowa.

— Przepraszam cię — bąknął.

Nieznacznie się chwiał.

Uśmiechnęła się.

— Wiem. Nic nie szkodzi. Masz za sobą kilka ciężkich tygodni. Dużo pracowałeś.

— Czy to są nowe dżinsy? — wybełkotał.

— Nie — zapewniła go. — Po prostu przez jakiś czas ich nie nosiłam.

— Dobrze na tobie wyglądają.

— Dziękuję — odparła.

Zrobił ku niej krok.

— Jesteś taka piękna. Wiesz o tym, prawda?

— Tak.

— Nie lubię cię bić. Tylko czasem bywasz strasznie bezmyślna!

Kiwnęła głową, patrząc w dal i próbując wymyślić sobie coś do robienia, gdyż wiedziała, że powinna mu się stale wydawać zajęta. I wtedy przypomniała sobie, że powinna nakryć stół. Poszła do szafki obok zlewu.

Ruszył za nią, a kiedy sięgała po talerze, obrócił ją ku sobie i przyciągnął blisko. Zrobiła wdech i westchnęła z zadowoleniem, ponieważ wiedziała, że mąż lubi tego rodzaju odgłosy.

— Powiedz, że również mnie kochasz — szepnął.

Pocałował ją w policzek, a wówczas go objęła. Czuła, że Kevin przyciska ją do siebie, i wiedziała, czego pragnął.

— Kocham cię — powiedziała.

Jego ręka powędrowała do jej biustu. Katie poczekała

w napięciu, aż ściśnie jej pierś, lecz nie zrobił tego. Tym razem jedynie pieścił ją delikatnie. Wbrew sobie odkryła, że sutki jej twardnieją. Nienawidziła tego, lecz nic nie mogła na to poradzić. Jego oddech był gorący. I śmierdział alkoholem.

— Boże, ależ ty jesteś piękna. Zawsze byłaś piękna. Wiem o tym od pierwszego razu, gdy cię zobaczyłem. — Przycisnął ją mocniej i poczuła jego członek. — Nie wkładaj jeszcze kotletów do piekarnika — poprosił. — Kolacja może trochę poczekać.

— Myślałam, że jesteś głodny — powiedziała takim tonem, jakby się z nim droczyła.

— Teraz mam ochotę na coś innego — wyszeptał.

Rozpiął jej bluzkę i rozsunął poły, a potem sięgnął do zamka jej dżinsów.

— Nie tutaj — błagała, odchylając głowę i pozwalając mu się nadal całować. — W sypialni, dobrze?

— A może na stole? Albo na blacie?

— Proszę, kochanie — wymamrotała, wciąż z odchyloną głową, gdyż całował ją w szyję. — To nie jest zbyt romantyczne.

— Ale jest podniecające — upierał się.

— Co będzie, jeśli ktoś nas zobaczy przez okno?

— Nie umiesz się bawić — wytknął jej.

— Proszę cię — powtórzyła. — Zrób to dla mnie. Wiesz, jak bardzo rozpalasz mnie w łóżku.

Pocałował ją raz jeszcze i podniósł ręce do jej zapinanego z przodu biustonosza. Nie lubił staników zapinanych z tyłu. Katie poczuła na piersiach zimne powietrze. Zobaczyła żądzę w oczach męża, gdy patrzył na jej biust. Oblizał wargi i dopiero wtedy zaprowadził żonę do sypialni.

Od razu po wejściu rzucił się na Katie jak szalony. Szarpnął jej dżinsy, spuszczając je aż do kostek. Ścisnął jej piersi, a ona zagryzła wargę, powstrzymując się od krzyku. Pchnął ją i oboje padli na łóżko. Katie dyszała i jęczała, wołała jego imię, wiedząc, że mąż tego chce. Robiła wszystko, aby tylko się nie rozgniewał, bo wtedy znów ją spoliczkuje, uderzy pięścią lub kopnie. No i nie chciała, żeby dowiedział się o telefonie. Nerki ciągle rwały boleśnie, lecz starała się nie krzyczeć, tylko jęczała i wymawiała słowa, których mąż od niej oczekiwał. Podniecała go. Gdy wreszcie doszedł, wstała z łóżka, ubrała się, pocałowała go, po czym wróciła do kuchni i dokończyła kolację.

Kevin poszedł do salonu i zanim usiadł przy stole, napił się jeszcze wódki. Opowiedział żonie o pracy, a potem znowu oglądał telewizję, podczas gdy Katie sprzątała kuchnię. Później chciał, żeby usiadła obok niego i wraz z nim oglądała telewizję, więc zastosowała się do jego polecenia. Siedzieli, aż nadeszła pora pójść spać.

Kevin w przeciągu kilku minut zasnął i zaczął chrapać, niepomny milczących łez Katie, niepomny jej nienawiści do niego i do samej siebie. Nie wiedział o pieniądzach, które podbierała mu niemal od roku, ani o farbie do włosów, którą miesiąc temu przemyciła do koszyka z zakupami, a później ukryła w szafie, ani o telefonie komórkowym schowanym w szafce pod zlewem w kuchni. Nie miał pojęcia, że jeszcze kilka dni i — jeśli wszystko pójdzie po jej myśli — on nigdy więcej jej nie zobaczy. I nigdy już jej nie uderzy.

19

Katie siedziała obok Alexa na werandzie. Nad nimi niebo było czarnym przestworem usianym światełkami. Katie od miesięcy próbowała wyrzucić z pamięci te wszystkie zdarzenia, skupiając się jedynie na strachu, który za sobą pozostawiła. Nie chciała pamiętać Kevina i nie chciała o nim myśleć. Pragnęła całkowicie zaprzeczać, że kiedykolwiek znała tego mężczyznę, udawać, że on nigdy nie istniał. Świetnie jednak wiedziała, że nigdy o nim nie zapomni.

Przez całą jej opowieść Alex milczał, siedząc niemal w bezruchu na zwróconym ku niej krześle. Katie mówiła przez łzy, chociaż wątpił, czy w ogóle wiedziała, że płacze. Snuła tę historię tonem pozbawionym emocji, prawie w transie, jak gdyby te zdarzenia przytrafiły się komuś innemu. Zanim skończyła, Alexowi niemal zrobiło się słabo.

Póki mówiła, nie potrafiła na niego spojrzeć. Słyszał już przedtem liczne wersje identycznej historii, teraz jednak sytuacja była nieco inna. Katie nie była po prostu ofiarą, lecz jego przyjaciółką, kobietą, którą pokochał.

Wsunął jej za ucho zbłąkany kosmyk, ona jednak wzdrygnęła się pod jego dotykiem i dopiero po chwili zdołała się odprężyć. Usłyszał jej znużone westchnienie. Mówienie ją zmęczyło. Zmęczyła ją jej przeszłość.

— Postąpiłaś właściwie, odchodząc od niego — ocenił. Jego głos był łagodny, ton wyrozumiały.

Sformułowanie odpowiedzi zabrało jej dobrą chwilę.

— Wiem — bąknęła w końcu.

— To nie miało nic wspólnego z tobą.

Zapatrzyła się w ciemność.

— Ależ miało — odparowała. — To ja go wybrałam. Wyszłam za niego za mąż. Pozwoliłam na przemoc raz i drugi, a potem było już za późno. Ciągle mu gotowałam i sprzątałam dom. Sypiałam z nim, ilekroć zechciał, robiłam wszystko, co chciał. Dzięki mojemu zachowaniu myślał, że go kocham!

— Robiłaś to, ponieważ tylko w ten sposób mogłaś przetrwać — oświadczył z przekonaniem.

Katie znowu umilkła. Świerszcze cykały, pszczoły brzęczały wśród drzew.

— Nigdy nie sądziłam, że coś takiego może mi się przydarzyć. Mój ojciec był wprawdzie pijakiem, ale nie bywał agresywny. Okazałam się po prostu taka... słaba. Nie wiem, dlaczego taki los mi się przytrafił.

— Na początku go kochałaś — wyjaśnił Alex spokojnie. — Potem uwierzyłaś mu, kiedy ci obiecał, że nigdy więcej cię nie uderzy. Jednakże twój mąż stopniowo, z czasem, stawał się coraz gwałtowniejszy i coraz ściślej cię kontrolował, ale działo się to na tyle powoli, że nie dostrzegałaś tych zmian, aż nagle zdałaś sobie sprawę, że masz do czynienia z kompletnie innym człowiekiem.

Słysząc jego analizę, Katie westchnęła gwałtownie i spuściła głowę, po czym podniosła i opuściła ramiona. Alex usłyszał w jej głosie taką udrękę, że z gniewu aż mu się gardło ścisnęło, szczególnie gdy myślał o życiu, które prowadziła wcześniej.

A na myśl, że Katie nadal ma obawy, odczuwał smutek. Pragnął ją przytulić, ale w chwili obecnej myślał raczej, czego pragnie ona. Była taka delikatna i podenerwowana. I wrażliwa.

Minęło kolejnych kilka minut, zanim Katie nareszcie przestała płakać. Oczy miała czerwone i zapuchnięte.

— Wybacz, że powiedziałam ci to wszystko — wydukała głosem wciąż zdławionym szlochem. — Nie powinnam była tego robić.

— Cieszę się, że mi powiedziałaś.

— Powiedziałam jedynie dlatego, że już o wszystkim wiedziałeś.

— Wiem.

— Ale nie musiałeś poznawać szczegółów mojego postępowania.

— Dobrze, że je poznałem.

— Nienawidzę go — kontynuowała. — Ale nienawidzę również siebie. Usiłowałam ci wyjaśnić, że lepiej ci będzie beze mnie. Nie jestem osobą, za jaką mnie uważałeś. Nie jestem kobietą, jakiej się spodziewałeś.

Obawiał się, że Katie znowu się rozpłacze, więc w końcu wstał. Wziął ją za rękę, sugerując, aby również wstała. Katie podniosła się, lecz nie patrzyła na niego. Alex opanował gniew, który ogarniał go na myśl o jej mężu.

— Posłuchaj mnie — poprosił cicho. Dotknął palcem jej podbródka i uniósł go. Początkowo się opierała, potem jednak poddała mu się i ostatecznie spojrzała na niego. — Nic, co mi powiesz — podjął zatem Alex — nie może zmienić moich uczuć wobec ciebie. Nic! Ponieważ nie byłaś w tamtym czasie sobą. To nigdy nie byłaś ty. Jesteś dokładnie taką kobietą, jaką poznałem. Jesteś kobietą, którą kocham.

Przypatrywała mu się z uwagą, starając się uwierzyć, że

mówi szczerze, i odkryła, że nagle coś się w niej załamuje. A jednak...

— Ale... — zaczęła.

— Nie ma żadnych „ale" — uciął. — Nie ma, i już. Ty widzisz w sobie osobę, która nie potrafiła uciec, a ja dzielną kobietę, która zdołała wyrwać się z koszmaru. Ty postrzegasz siebie jako kogoś, kto powinien się wstydzić lub zgoła czuć się winny, ponieważ dopuściłaś do tragedii, w którą zmieniło się twoje życie, ja twierdzę, że widzę przed sobą dobrą, piękną kobietę, która ma prawo odczuwać dumę, gdyż przerwała makabrę i nie pozwoli, aby coś takiego zdarzyło się ponownie. Niewiele kobiet znajduje w sobie siłę potrzebną do wyrwania się z takiego życia. Taką ciebie widzę i taką postrzegałem cię zawsze, kiedy na ciebie patrzyłem.

Uśmiechnęła się.

— Zdaje mi się, że potrzebujesz okularów.

— Nie pozwól, aby zwiodły cię moje siwe włosy. Wzrok wciąż mam sokoli. — Ruszył ku niej, upewniając się spojrzeniem, że może podejść, po czym pochylił się nad nią i pocałował. Całus był krótki i delikatny. Czuły. — Po prostu mi przykro, że musiałaś w ogóle przez coś takiego przechodzić.

— Ciągle przez to przechodzę — szepnęła.

— Ponieważ sądzisz, że on cię szuka?

— Wiem, że mnie szuka! I nigdy nie przestanie. — Przerwała na moment. — Z nim jest coś nie w porządku. To... szaleniec.

Alex zastanowił się nad jej odpowiedzią.

— Wiem, że nie powinienem zadawać takich pytań, ale czy kiedykolwiek myślałaś o powiadomieniu policji?

Zgarbiła się lekko.

— Tak — odparła. — Zgłosiłam to raz.

— I nic nie zrobili?

— Przyjechali do domu i porozmawiali ze mną. Przekonali mnie, żebym nie wnosiła oskarżenia.

Alex myślał chwilę.

— Wybacz, ale to nie ma sensu.

— Dla mnie jest to bardzo sensowne. — Wzruszyła ramionami. — Kevin ostrzegł mnie, że powiadamianie policji nic mi nie da.

— Skąd wiedział?

Westchnęła, myśląc, że równie dobrze może Alexowi powiedzieć wszystko.

— Ponieważ Kevin pracuje w policji — odparła wreszcie. Popatrzyła na niego z uwagą. — Jest detektywem w policji bostońskiej. I... nie nazywał mnie Katie. — Jej oczy wypełniła rozpacz. — Tylko Erin. Na imię mam Erin.

20

W święto Memorial Day setki kilometrów na północ od Southport Kevin Tierney stał na podwórzu za domem w Dorchester. Miał na sobie szorty i koszulę w stylu hawajskim, którą kupił, kiedy wraz z Erin spędzali miesiąc miodowy na wyspie Oahu.

— Erin jest w Manchesterze — powiedział.

Bill Robinson, jego kapitan, przewracał hamburgery na grillu.

— Znowu? — spytał.

— Mówiłem ci, że jej przyjaciółka ma raka, prawda? Erin uznała, że musi tam z nią być.

— Ten rak to paskudztwo — zauważył Bill. — Jak Erin znosi chorobę przyjaciółki?

— Jakoś znosi. Wiem jednak, że jest zmęczona. Trudno wciąż jeździć tam i z powrotem.

— Potrafię to sobie wyobrazić — przyznał Bill. — Emily też tak żyła przez jakiś czas, kiedy u jej siostry zdiagnozowali toczeń. Spędziła praktycznie dwa miesiące na północy, w Burlington, w środku zimy zamknięta w maleńkim mieszkaniu, gdzie były tylko we dwie. O mało nie doprowadziły się do szaleństwa. W końcu siostra spakowała walizki Emily, wystawiła je na korytarz i powiedziała, że lepiej będzie się rozstać. Ma się rozumieć, nie winiłem jej za to.

Kevin wypił łyk piwa i uśmiechnął się, ponieważ szef tego od niego oczekiwał. Emily była żoną Billa prawie od trzydziestu lat. Kapitan lubił mówić ludziom, że spędził z nią najszczęśliwsze sześć lat swojego życia. W ostatnich ośmiu latach wszyscy w dystrykcie słyszeli już ten dowcip z pięćdziesiąt razy, a większa część tych policjantów była teraz tutaj, w domu Billa. Kapitan zapraszał ich do siebie na grilla co roku z okazji Memorial Day i niemal wszyscy funkcjonariusze, którzy akurat nie pełnili dyżuru, zjawiali się u niego, nie tylko z poczucia obowiązku, lecz także dlatego, że brat Billa zajmował się zawodowo dostarczaniem piwa z hurtowni do sklepów. I sporo tego piwa przywoził tutaj.

Żony i mężowie, przyjaciółki i narzeczeni, a także dzieci — wszyscy zgromadzili się teraz w grupkach. Część przebywała w kuchni, inni na tarasie. Czterej detektywi grali w podkowę, toteż wokół słupków stale wzlatywał piasek.

— Następnym razem, gdy wróci do miasta — dodał kapitan — może przyprowadzisz ją do nas na kolację? Emily stale o nią pyta. O ile nadrobicie wcześniej stracony czas.

Mrugnął do niego.

Kevin zastanowił się nad szczerością oferty Billa. W takie dni jak ten kapitan lubił udawać, że jest kumplem, a nie szefem. A szefem był ostrym. I przebiegłym. Można by rzec, że bardziej był z niego polityk niż oficer policji.

— Wspomnę jej o tym.

— Kiedy wyjechała?

— Wcześniej dziś rano. Już jest pewnie na miejscu.

Hamburgery skwierczały na ruszcie, a płomienie pod nim

podskakiwały i tańczyły, ilekroć w ogień spadła kropla tłuszczu z pieczonego mięsa.

Bill nacisnął łopatką jeden z hamburgerów, wyciskając z niego sok, co bez wątpienia spowoduje wyschnięcie mięsa.

Ten facet nie ma zielonego pojęcia o grillowaniu, pomyślał Kevin. Bez soku będą smakowały jak kamienie: suche, pozbawione aromatu i twarde. Staną się po prostu niejadalne!

— Wróćmy do sprawy Ashleya Hendersona — kapitan zmienił temat. — Chyba będziemy w stanie postawić go nareszcie w stan oskarżenia. Wykonałeś, stary, dobrą robotę.

— Najwyższy czas! — odburknął Kevin. — Myślałem, że oskarżyli go dawno temu.

— Też tak sądziłem. Ale prokurator okręgowy miał wątpliwości. — Bill docisnął kolejnego hamburgera, niszcząc go. — Chciałem również z tobą porozmawiać o Terrym.

Terry Canton był partnerem Kevina przez ubiegłe trzy lata, w grudniu jednak miał atak serca i od tamtego czasu przebywał na chorobowym, więc Kevin pracował sam.

— Co z nim?

— Nie wraca. Dowiedziałem się właśnie dziś rano. Lekarze zalecają mu wcześniejszą emeryturę i uznał, że mają rację. Pomyślał, że skoro przepracował dwadzieścia lat, nie będzie szczególnie niska.

— Co to dla mnie oznacza?

Kapitan wzruszył ramionami.

— Znajdziemy ci nowego partnera, ale nie teraz, bo miejski budżet jest zamrożony i musimy pewnie poczekać, aż przegłosują nowy.

— Czy to nie będzie czekanie na próżno?

— Dostaniesz partnera! Ale prawdopodobnie nie przed lipcem. Przykro mi z tego powodu. Wiem, że masz przez to więcej pracy, ale nic nie poradzę. Postaram się nie zarzucać cię sprawami.

— Doceniam to, szefie.

Na taras przybiegła grupa dzieci. Wszystkie miały ubrudzone twarze. Z domu wyszły dwie kobiety. Niosły miski z chipsami i zapewne plotkowały. Kevin nienawidził plotek. Bill wycelował kuchenną łopatkę w balustradę tarasu.

— Podaj mi tamten talerz, jeśli możesz. Te kotlety są już prawie gotowe.

Kevin chwycił półmisek — ten sam, na którym Bill przyniósł surowe hamburgery, toteż pokrywały go kropelki soku i krwi. Obrzydliwe! Kevin wiedział, że Erin zawsze w takim przypadku brała czyste naczynie.

Postawił półmisek obok grilla.

— Muszę wziąć sobie kolejne piwo — powiedział, podnosząc pustą butelkę. — Też chcesz?

Kapitan pokręcił głową i zrujnował następnego hamburgera.

— Ciągle jeszcze mam. Ale dzięki za chęci.

Kevin skierował się ku domowi, po kontakcie z talerzem czując na opuszkach palców lepki brud. Brud, który w niego wsiąkał!

— Hej! — krzyknął za nim Bill.

Kevin się odwrócił.

— Lodówka jest tam, pamiętasz?

Wskazał narożnik tarasu.

— Wiem. Ale chcę przed jedzeniem umyć ręce.

— W takim razie uwiń się szybko. Kiedy wystawiam talerz z hamburgerami, znikają w jednej chwili.

Kevin zatrzymał się przy tylnych drzwiach prowadzących do domu i przed wejściem do środka wytarł na wycieraczce buty. W kuchni obszedł grupkę szczebioczących żon policjantów i ruszył do zlewu. Umył ręce dwukrotnie, za każdym razem używając mydła. Przez okno zobaczył, że Bill akurat stawia talerz z hot dogami i hamburgerami na ławie, obok bułek, przypraw i misek z chipsami. Niemal natychmiast zapach wyczuły muchy, które opadły jedzenie chmarą, brzęcząc nad hamburgerami i lądując na nich. Ludzie najwyraźniej nie przywiązywali wagi do higieny, gdyż natychmiast utworzyli ruchliwą kolejkę. Odganiali jedynie muchy i nakładali jedzenie na talerze, udając, że owady zupełnie im nie przeszkadzają. Zniszczone hamburgery, pomyślał Kevin. I chmara much. On i Erin zrobiliby wszystko zupełnie inaczej. On nie dociskałby hamburgerów łopatką, a Erin pozostawiłaby przyprawy, chipsy i pikle w kuchni, toteż goście jedliby w miejscu, w którym jest czysto.

Tierney uważał muchy za stworzenia odrażające, a ponieważ hamburgery Billa były w tej chwili bez wątpienia twarde jak kamień, nie zamierzał ich jeść. Mało tego, na samą myśl czuł mdłości.

Poczekał, aż hamburgery znikną z półmiska, i dopiero wówczas skierował się na zewnątrz. Podszedł do stolika, udając rozczarowanie.

— Ostrzegałem cię, że szybko się rozejdą. — Bill wyraźnie się rozpromienił. — Ale Emily ma kolejny talerz w lodówce, więc niedługo przygotuję drugą partię. Podasz mi piwo, zanim będę się musiał nimi zająć?

— Jasne — odparł Kevin.

Kiedy kapitan usmażył następne hamburgery, Kevin nałożył sobie jeden na talerz i skomplementował Billa uwagą, że kotlet wygląda fantastycznie. Muchy nadal krążyły nad wyschniętymi hamburgerami, więc gdy kapitan się odwrócił, Tierney wrzucił jedzenie do metalowego śmietnika, który stał przy bocznej ścianie domu. Po chwili powiedział szefowi, że ogromnie mu smakowało.

Pozostał przy grillu przez parę godzin. Rozmawiał z Coffeyem i Ramirezem. Tak jak on byli policyjnymi detektywami, tyle że obaj wprost zajadali się hamburgerami, nie dbając o rojące się muchy. Kevin nie chciał być pierwszym, który wyjdzie, ani nawet drugim, ponieważ kapitan usilnie starał się udawać jednego z nich, a Tierney nie miał ochoty obrażać własnego szefa. Nie lubił jednak ani Coffeya, ani Ramireza. Czasami, kiedy podchodził, milkli, stąd wiedział, że obmawiają go za plecami. Znów te plotki! Ale był dobrym detektywem i zdawał sobie z tego sprawę. Bill również miał tego świadomość, podobnie Coffey i Ramirez. Kevin pracował w wydziale zabójstw i umiał rozmawiać zarówno ze świadkami, jak i z podejrzanymi. Wiedział, kiedy trzeba zadawać pytania, a kiedy lepiej słuchać; wiedział, kiedy ludzie go okłamują, i szybko pakował morderców za kratki, ponieważ Biblia mówi: „Nie zabijaj", a Kevin wierzył w Boga i uważał się za wykonawcę dzieła bożego na ziemi. Jego obowiązkiem było zamykanie w więzieniu przestępców i wykonywał swoją pracę naprawdę dobrze.

Gdy wrócił do domu, przeszedł salon. Oparł się pokusie zawołania imienia żony. Gdyby Erin tu była, odkurzyłaby gzyms kominka, czasopisma na niskim stoliku ułożyłaby równo, a na kanapie nie leżałaby teraz pusta butelka po wódce. Gdyby Erin tu była, rozsunęłaby zasłony i przez okna wpadałyby promienie słońca, oświetlając deski podłogowe. Gdyby tu była, umyłaby naczynia i schowała je do szafki, na Kevina czekałaby na stole kolacja, a żona uśmiechałaby się i pytała, jak mu minął dzień. Później poszliby do łóżka, ponieważ Kevin kochał Erin, a Erin kochała jego.

Na górze, w sypialni, stanął w drzwiach szafy. Ciągle jeszcze czuł zapach perfum, których używała żona — tych, które sam kupił jej na Gwiazdkę. Widział, jak wąchała reklamową próbkę tych perfum w jakimś czasopiśmie. Uśmiechnął się wówczas, a kiedy Erin położyła się do łóżka, wyrwał kartkę z czasopisma i wsunął do portfela, dzięki czemu dokładnie wiedział, które perfumy kupić. Przypomniał sobie teraz, jak delikatnie żona skrapiała się nimi za uszami i na nadgarstkach, gdy wychodzili na sylwestra, i jak ładnie wyglądała owego dnia w czarnej sukience koktajlowej. Na imprezie sylwestrowej w restauracji natychmiast zauważył, jak jego żonę pożerają wzrokiem inni mężczyźni (nawet ci z partnerkami), kiedy przechodziła obok nich w drodze do stolika. Później, kiedy wrócili do domu, kochali się, aż nadszedł Nowy Rok.

Sukienka wciąż wisiała w tym samym miejscu, przywołując tamte wspomnienia. Teraz Kevin przypomniał sobie, że tydzień temu zdjął ją z wieszaka i wraz z nią usiadł na krawędzi łóżka. Płakał.

Na dworze słyszał głośne cykanie świerszczy, dźwięki te jednakże nie działały na niego uspokajająco. Chociaż to miał być dzień relaksu, Kevin był zmęczony. Nie chciał iść na grilla do kapitana ani odpowiadać na pytania dotyczące Erin, ponieważ nie miał ochoty kłamać. Nie dlatego, że brzydził się kłamstwem, lecz ponieważ coraz trudniej przychodziło mu udawanie, że żona go nie opuściła. Wymyślił opowieść o chorej koleżance i trzymał się jej od miesięcy: opowiadał, że Erin dzwoni co wieczór, że była w domu przez ostatnich kilka dni, lecz wróciła do New Hampshire, gdzie przyjaciółka przechodzi chemioterapię i potrzebuje pomocy. Wiedział, że nie może ciągnąć tej historii w nieskończoność, że wkrótce wymówka: „wsparcie dla koleżanki" zacznie brzmieć nieszczerze i niejedna osoba w jego towarzystwie zacznie się zastanawiać, czemu nigdy nie widuje Erin w kościele ani w sklepie, ani nigdzie w całej dzielnicy. Pojawią się pytania, jak długo można pomagać przyjaciółce. Ludzie będą gadali za jego plecami, na pewno będą mówić różne rzeczy, takie jak: „żona bez wątpienia go zostawiła, więc najprawdopodobniej ich małżeństwo nie było tak idealne, jak sądziliśmy". Pod wpływem tych rozważań Tierney poczuł ucisk w żołądku i przypomniał sobie, że na grillu nic nie zjadł.

W lodówce nie było zbyt dużo. Za czasów Erin w domu zawsze był indyk, szynka, musztarda diżońska i świeży żytni chleb prosto z piekarni, a teraz Kevin mógł co najwyżej odgrzać sobie smażoną potrawę z wołowiny, którą przyniósł dwa dni temu z chińskiej restauracji. Na dolnej półce dostrzegł plamy po jedzeniu i znowu chciało mu się płakać, ponieważ przypomniał sobie o krzykach Erin i odgłosie, z jakim jej głowa uderzyła o krawędź stołu kuchennego, gdzie pchnął żonę. Spoliczkował ją wtedy i skopał właśnie dlatego, że zobaczył w lodówce plamy po jedzeniu. Teraz zadawał sobie pytanie, dlaczego wtedy tak strasznie wściekł się z powodu takiego drobiazgu.

Poszedł do łóżka i położył się. Obudził się o północy; w całej okolicy panowała cisza. Po drugiej stronie ulicy zobaczył światła w domu Feldmanów. Nie lubił ich. W przeciwieństwie do innych sąsiadów Larry Feldman nigdy mu nie machał, jeśli przypadkiem przebywali na swoich podwórzach, a żona Larry'ego, Gladys, na widok Kevina odwracała się ostentacyjnie i wracała do domu. Małżonkowie mieli po sześćdziesiątce i należeli do tego typu ludzi, którzy bez wahania wybiegają na zewnątrz, aby zbesztać dziecko, które akurat wbiegło na ich trawnik po frisbee albo piłkę do baseballu. I mimo że byli Żydami, dekorowali dom lampkami bożonarodzeniowymi, chociaż równocześnie w święta stawiali w oknie menorę. Wprawiali go w zakłopotanie i nie uważał ich za dobrych sąsiadów.

Wrócił do łóżka, lecz nie mógł zasnąć. Rano, gdy słońce wpadało do wnętrza, wiedział, że w życiu sąsiadów i bliskich nic się nie zmieniło. Tylko jego życie było inne. Jego brat Michael wraz z żoną Nadine zawiozą dzieci do szkoły, a później skierują się do pracy w Boston College. Matka i ojciec Kevina prawdopodobnie czytają „Globe" i popijają poranną kawę. Ktoś popełnił w nocy przestępstwa, więc na posterunku na pewno będą świadkowie. A Coffey i Ramirez będą o nim plotkować. Wziął prysznic, a na śniadanie napił się wódki i zjadł tost. Na posterunku przydzielono mu sprawę pewnego morderstwa. Kobietę po dwudziestce, najprawdopodobniej prostytutkę, znaleziono zakłutą nożem; jej ciało wrzucono do śmietnika. Spędził poranek, rozmawiając z naocznymi świadkami, podczas gdy technicy zbierali dowody. Kiedy skończył przesłuchania, wrócił na posterunek i zaczął pisać raport, póki jeszcze miał wszystkie informacje na świeżo w pamięci. Był dobrym detektywem.

Na posterunku panował tłok. Koniec świątecznego weekendu. Świat zwariował. Inni śledczy wisieli na telefonach, pisali przy biurkach, rozmawiali ze świadkami i wysłuchiwali ofiar, które opowiadały, co im się przydarzyło. Panował hałas. I ruch. Ludzie wchodzili i wychodzili. Telefony dzwoniły. Tierney poszedł do swojego biurka, jednego z czterech zajmujących środek sali. Przez otwarte drzwi Bill pomachał mu, ale pozostał w swoim biurze. Ramirez i Coffey siedzieli naprzeciwko niego, przy swoich biurkach.

— Wszystko w porządku? — spytał Coffey. Był po czterdziestce, miał nadwagę i łysiał. — Wyglądasz okropnie.

— Nie spałem dobrze — odparł Kevin.

— Ja też nie sypiam dobrze bez Janet. Kiedy wraca Erin?

Kevin zachował obojętną minę.

— W następny weekend. Mam kilka dni wolnych i postanowiliśmy pojechać na Cape Cod. Nie byliśmy tam od lat.

— Tak? Moja mama tam mieszka. Gdzie na Cape?

— Do Provincetown.

— Właśnie tam mieszka. Spodoba wam się. Stale tam jeżdżę. Gdzie się zatrzymacie?

Kevin zastanowił się, dlaczego Coffey tak go wypytuje.

— Nie jestem pewny — odparł w końcu. — Wszystko załatwia Erin.

Podszedł do ekspresu i nalał sobie kubek kawy, chociaż wcale nie miał na nią ochoty. Będzie musiał znaleźć nazwy jakiegoś pensjonatu i kilku restauracji, tak żeby wiedział, co powiedzieć, jeśli Coffey go spyta o szczegóły.

Jego dni wypełniała ta sama rutyna. Pracował i rozmawiał ze świadkami, po czym w końcu wracał do domu. Pracę miał stresującą i chciał się po niej odprężyć, lecz w domu sytuacja wyglądała teraz zupełnie inaczej, więc myśli o robocie go nie opuszczały. Kiedyś wierzył, że przyjdzie dzień, gdy przyzwyczai się do widoku ofiar morderstw, jednak ich szare, martwe twarze zostawiały trwały ślad w jego wspomnieniach, a czasami widok ofiar towarzyszył mu nawet w snach.

Nie lubił obecnie wracać do domu. Kiedy kończył zmianę, w progu nie witała go piękna żona. Erin nie było już od stycznia. Teraz w jego domu stale panował bałagan i brud, prać Kevin również musiał sam. Nie umiał, niestety, obsługiwać pralki, więc za pierwszym razem wsypał zbyt dużo proszku i kolor ubrań nieco wyblakł. Nie otrzymywał już domowych posiłków i nie było świec na stole. Zamiast tego kupował byle co po drodze do domu i zjadał to na kanapie. Czasami oglądał telewizję. Erin lubiła poświęcony sprawom domu i ogrodu kanał HGTV w kablówce, więc często go włączał, a wtedy odnosił wrażenie, że pustka, którą czuje w sobie, staje się niemal niemożliwa do wytrzymania.

Po pracy już nie musiał się przejmować obecnością Erin, więc nie chował broni do pudełka, które trzymał w szafce; w pudełku miał drugiego glocka przeznaczonego do użytku osobistego. Żona bała się broni, i to nawet zanim przyłożył jej pistolet do głowy i zagroził, że ją zabije, jeśli znowu kiedykolwiek spróbuje uciec. Erin krzyczała wtedy i płakała, gdy zarzekał się, że zabije każdego faceta, z którym żona się prześpi, każdego, na którego ona w ogóle zwróci uwagę. Była strasznie głupia i okropnie go rozgniewała ucieczkami. Kevin zażądał nazwiska mężczyzny, który jej pomógł, ponieważ chciał go zabić. Ale Erin wrzeszczała, łkała, błagała o litość i przysięgała, że w jej życiu nie ma żadnego mężczyzny, więc jej zaufał, wszak była jego żoną. Ślubowali przecież przed Bogiem, a Biblia mówi: „Nie cudzołóż". Dlatego uwierzył, że Erin była mu wierna. Nigdy by nie uwierzył, że inny facet jest wmieszany w tę sprawę. W trakcie małżeństwa stale ją zresztą sprawdzał. Wydzwaniał w dzień do domu o różnych porach i nie pozwalał nigdzie chodzić żonie bez niego — czy to do sklepu, czy to do fryzjera. Ani do biblioteki. Erin nie miała samochodu ani prawa jazdy. Ilekroć Kevin był w pobliżu domu, wpadał i upewniał się, że żona tam jest. Nie, Erin nie odeszła dlatego, że chciała cudzołożyć. Uciekła, ponieważ zmęczyły ją jego kopniaki, ciosy pięścią i spychanie po prowadzących do piwnicy schodach. Kevin wiedział, że nie powinien był tak jej traktować, a po fakcie zawsze czuł się winny i przepraszał, lecz jej najwyraźniej przeprosiny nie wystarczyły.

Nie powinna odchodzić. Złamała mu serce, ponieważ ją kochał nad życie i zawsze się o nią troszczył. Kupił jej dom, lodówkę, pralkę, suszarkę i nowe meble. Wcześniej w domu zawsze było czysto, a teraz w zlewie wręcz nie mieściły się brudne naczynia i kosz na brudną bieliznę był przepełniony. Kevin wiedział, że powinien posprzątać dom, ale nie miał na to siły. Wolał pójść do kuchni i wyjąć z zamrażalnika butelkę wódki. Zostały cztery; tydzień temu było ich dwanaście! Czuł, że pije zbyt dużo. Powinien lepiej się odżywiać i przestać pić, ale co z tego, skoro miał ochotę jedynie wyjąć butelkę, usiąść na kanapie i pić. Wódka była dobra, bo rano nie śmierdziało mu z ust i nikt nawet nie podejrzewał, że Kevin ma kaca. Nalał sobie szklankę, wypił i nalał kolejną, po czym przeszedł pusty dom. Serce mu krwawiło, bo Erin nie było tu z nim. Wiedział, że gdyby nagle stanęła w drzwiach, przeprosiłby za to, że ją uderzył. Wyjaśniliby sobie wszystko, a potem kochaliby się w sypialni. Pragnął trzymać ją w ramionach i szeptać jej, jak bardzo ją uwielbia, obawiał się jednak, że żona nigdy nie wróci, i chociaż wciąż ją kochał, czasami bardzo się na nią gniewał... Żony nie odchodzą ot tak. Żony nie rzucają mężów bez powodu. Miał ochotę zbić ją, skopać, spoliczkować i ciągnąć za włosy za to, że jest taka głupia. Za to, że jest taką cholerną egoistką. Chciał jej pokazać, że ucieczki nie mają sensu.

Wypił trzecią i czwartą szklankę wódki.

Czuł się strasznie zdezorientowany. Dom wyglądał jak chlew. Na podłodze salonu leżało puste pudełko po pizzy, a futryna drzwi łazienki pękła i częściowo się oderwała, toteż drzwi pozostawały stale uchylone. Skopał je kiedyś, gdyż Erin zamknęła się w łazience, usiłując mu się wymknąć. Wcześniej chwycił ją za włosy i uderzył pięścią, dlatego właśnie umknęła z kuchni do łazienki; ścigał ją przez cały dom, a później walił w te drzwi, teraz zaś nawet nie potrafił sobie przypomnieć, o co poszło.

W ogóle nie pamiętał zbyt dużo z tamtej nocy. Nie pamiętał, jak złamał żonie dwa palce, chociaż później odkrył, że to zrobił. Ale nie zamierzał jej puścić do szpitala na cały tydzień, na pewno nie prędzej, niż będzie mogła zamalować fluidem siniaki na twarzy, więc Erin musiała gotować i sprzątać jedną ręką. Kupił jej kwiaty, przeprosił, powiedział, że ją kocha, i obiecał, że coś takiego nigdy więcej się nie powtórzy, a kiedy już zdjęli jej gips, zabrał ją na kolację do bostońskiej restauracji Petroni. Posiłek był kosztowny i Kevin uśmiechał się do żony nad stołem. Później poszli do kina i pamiętał, że w drodze do domu myślał o tym, jak bardzo kocha Erin i jak bardzo jest szczęśliwy, że ma za żonę taką kobietę jak ona.

21

Alex siedział u Katie jeszcze po północy, słuchając opowieści o jej wcześniejszym życiu. Kiedy w końcu zmęczyło ją mówienie, objął ją i pocałował na dobranoc. Wracając do domu, pomyślał, że nigdy nie spotkał osoby odważniejszej, silniejszej czy bardziej pomysłowej niż Katie.

W następnych dwóch tygodniach spędzali dużą część czasu razem — na tyle dużo w każdym razie, na ile pozwalały im zajęcia. Pomiędzy zmianami Katie w restauracji U Ivana i czasem, kiedy Alex pracował w sklepie, mieli dla siebie nie więcej niż kilka godzin dziennie, Alex jednak oczekiwał wizyt w jej domu z radosnym podnieceniem, jakiego nie czuł od lat. Czasami szli z nim Kristen i Josh, innymi razy Joyce wyganiała go do Katie samego i mrugnąwszy okiem, życzyła mu dobrej zabawy.

Rzadko bywali u niego w domu, a jeśli już — jedynie przez krótki czas. Alex wmawiał sobie, że chodzi o dzieci, że chce je przygotować powoli do obecności nowej kobiety, podejrzewał jednak, że dzieje się tak również z powodu Carly. Chociaż wiedział, że kocha Katie — z każdym dniem coraz bardziej — nie był pewny, czy jest już na to gotów. Odnosił wrażenie, że Katie rozumie jego opory i nie ma nic przeciwko temu powolnemu tempu, nawet jeśli po prostu lepiej czuła się z Alexem we własnym domu niż u niego. Tak czy owak, nie poszli jeszcze do łóżka. Chociaż Alex często przyłapywał się na snuciu rojeń, jak cudownie im będzie (szczególnie gdy leżał w łóżku tuż przed zaśnięciem), czuł, że na to z kolei nie jest gotowa Katie. Zdawali sobie oczywiście sprawę, że seks całkowicie zmieniłby status ich związku na pełen nadziei i bardziej trwały. Na razie Alexowi wystarczały pocałunki i fakt, że Katie tak chętnie go obejmowała. Uwielbiał zapach jaśminowego szamponu, którym myła włosy, i idealne wpasowanie jej dłoni w jego dłoń. Ilekroć się dotykali, Alexa ogarniała zachwycająca i radosna antycypacja. Jak gdyby każde z nich czekało na to drugie... Od śmierci żony nie uprawiał seksu z żadną kobietą, a teraz miał dziwne wrażenie, że nieświadomie czekał właśnie na Katie.

Znajdował przyjemność w pokazywaniu jej okolicy. Spacerowali po nadbrzeżu, mijając stare domostwa, oglądali zabytki architektoniczne, a raz na weekend pojechali do ogrodów Orton Plantation, gdzie wędrowali wśród tysięcy kwitnących krzewów różanych. Później zjedli lunch w małym nadoceanicznym bistrze na Caswell Beach. Usiedli i jak nastolatki trzymali się za ręce nad stolikiem.

Od ich pierwszej kolacji we dwoje Katie nie wspominała więcej o swojej przeszłości, a i Alex nigdy nie poruszał tego tematu. Wiedział, że ciągle rozmyślała o swojej opowieści i zastanawiała się, jak dużo już mu powiedziała, z czego jeszcze powinna się zwierzyć, czy może mu zaufać, jakie znaczenie ma dla niego fakt, że nadal jest mężatką, i co się zdarzy, jeśli Kevin jakoś ją tutaj znajdzie. Kiedy Alex wyczuwał, że Katie zaczyna dumać nad takimi sprawami, przypominał jej łagodnie, że niezależnie od tego, co się stanie, jej sekret zawsze będzie u niego bezpieczny. Że nigdy nikomu nie zdradzi jej tajemnicy.

Obserwując ją, nierzadko musiał walczyć z ogarniającym go, wręcz przytłaczającym gniewem na Kevina Tierneya. Odruchy mężczyzn, którzy lubią prześladować i torturować, były mu tak obce jak dar oddychania pod wodą lub latania; bardziej niż wszystkiego innego pragnął zemsty. I sprawiedliwości! Chciał, żeby ów Kevin cierpiał tak samo jak Katie, żeby doświadczył tego samego strachu, a także niekończących się brutalnych ataków i bólu fizycznego. Podczas pracy w wojsku Alex zabił pewnego mężczyznę — żołnierza, który nafaszerował się metamfetaminą, wziął zakładnika i groził, że go zabije. Ten żołnierz był niebezpieczny i nie panował nad sobą, więc kiedy pojawiła się okazja unieszkodliwienia go, Alex bez wahania pociągnął za spust. Ten wyczyn sprawił, że jego praca nabrała powagi i nowego znaczenia, w duszy Alex jednak wiedział, że istnieją chwile w życiu, gdy przemoc jest niezbędna, jeśli chcemy uratować życie niewinnych. Czuł, że jeśli Kevin kiedyś zjawi się w Southport, on, Alex, będzie chronił Katie, nie bacząc na nic. Podczas służby w wojsku w pewnym momencie doszedł do wniosku, że istnieją ludzie dobrzy i tacy, którzy żyją po to, by niszczyć. Decyzja wspierania niewinnej kobiety, takiej jak Katie, przed psychopatą w typie Kevina przyszła Alexowi łatwo, była wręcz jasna jak to, że coś jest czarne, a coś białe — innymi słowy, wybór był prosty.

Na ogół widma dawnego życia Katie nie niepokoiły ich, toteż spokojnie spędzali razem każdy dzień, a ich zażyłość rosła. Alex szczególnie sobie cenił popołudnia z dziećmi. Katie traktowała je w sposób bardzo naturalny — czy pomagała Kristen karmić kaczki w stawie, czy grała z Joshem w piłkę, zawsze bez wysiłku potrafiła się do nich dopasować i tak jak oni na przemian dokazywała, śmiała się, hałasowała lub cichła. Podobnie zachowywała się Carly, toteż Alex był pewny, że żona polubiłaby Katie i że kiedyś o takiej właśnie kobiecie dla niego mówiła.

W ostatnich tygodniach życia żony Alex często czuwał przy jej łóżku. Mimo iż Carly spała przez większość czasu, bał się, że przeoczy rzadkie chwile, gdy była przytomna, te dłuższe i te bardzo krótkie. Miała już niemal całkowicie niewładną lewą stronę ciała i mówienie przychodziło jej z trudem. Pewnej nocy jednak, w trakcie krótkiego przebłysku świadomości, ledwie na godzinę przed świtem, wyciągnęła do niego rękę.

— Chcę, żebyś coś dla mnie zrobił — przemówiła z wysiłkiem, oblizując popękane wargi.

Jej głos był ochrypły, ponieważ rzadko się ostatnio odzywała.

— Wszystko.

— Chcę, żebyś był... szczęśliwy.

W tym momencie dostrzegł cień dawnego uśmiechu, śmiałego, opanowanego uśmiechu, którym zauroczyła go podczas ich pierwszego spotkania.

— Jestem szczęśliwy.

Lekko pokręciła głową.

— Mówię o przyszłości. — Jej oczy lśniły na wymizerowanej twarzy intensywnie niczym gorące węgielki. — Oboje wiemy, o czym mówię.

— Ja nie wiem.

Zignorowała jego odpowiedź.

— Poślubienie ciebie... bycie z tobą każdego dnia i urodzenie twoich dzieci... to były moje najlepsze decyzje. Jesteś najwspanialszym mężczyzną, jakiego kiedykolwiek spotkałam.

Wzruszenie chwyciło go za gardło.

— Czuję tak samo — odrzekł.

— Wiem. — Pokiwała głową. — I dlatego jest to dla mnie takie trudne. Ponieważ wiem, że zawiodłam...

— Nie zawiodłaś — przerwał jej.

Na jej twarzy widział smutek.

— Kocham cię, Alexie, i kocham nasze dzieci — wyszeptała. — Pęka mi serce na myśl, że mógłbyś już nigdy nie być całkowicie szczęśliwy.

— Carly...

— Chcę, żebyś poznał kogoś nowego. — Starała się wziąć głęboki wdech, jej krucha klatka piersiowa podniosła się, po czym opadła z wysiłkiem. — Chcę, żeby była bystra i dobra... I pragnę, żebyś się w niej zakochał, ponieważ nie powinieneś spędzić reszty życia w samotności. — Alex nie mógł mówić i ledwie widział przez łzy. — Dzieci potrzebują matki — ciągnęła, a dla niego to stwierdzenie zabrzmiało prawie jak błaganie. — Kogoś, kto będzie je kochał tak bardzo jak ja, kogoś, kto będzie je uważał za własne dzieci.

— Czemu mi o tym mówisz? — spytał łamiącym się głosem.

— Ponieważ — wyjaśniła — muszę wierzyć, że to jest możliwe. — Jej kościste palce trzymały jego ramię kurczowo, z rozpaczliwą siłą. — Wiara to jedyne, co mi zostało.

Teraz, kiedy Alex widział, jak Katie biega za Joshem i Kristen po trawiastym poboczu niedaleko sadzawki dla kaczek, czuł słodkie, lecz zaprawione kroplą goryczy ukłucie na myśl, że być może ostatnie życzenie Carly w końcu się spełniało.

*

Lubiła go za bardzo, aby miało jej to wyjść na dobre. Wiedziała, że stąpa po cienkim lodzie. Tamtego wieczoru opowieść o własnej przeszłości wydawała jej się decyzją właściwą, a w trakcie mówienia czuła, że z serca spada jej straszliwy ciężar tajemnicy. Jednakże rano po ich pierwszej kolacji Katie obudziła się kompletnie przerażona tym, co zrobiła. Alex był przecież kiedyś śledczym, więc prawdopodobnie bez trudu mógłby zadzwonić w jedno czy dwa miejsca i ustalić fakty... niezależnie od obietnic i zapewnień. Jeśli porozmawia z kimś, a on z kimś kolejnym, ostatecznie... Kevin dowie się o wszystkim. Nie wyznała Alexowi, że Kevin posiada prawie nieludzką umiejętność łączenia pozornie przypadkowych informacji; nie wspomniała, że kiedy szukano jakiegoś podejrzanego, jej mąż niemal zawsze wiedział, gdzie znaleźć uciekiniera. Na samą myśl, jak wielki błąd popełniła, czuła mdłości.

Ale stopniowo, w ciągu następnych paru tygodni, rósł w niej spokój, a lęki słabły. Kiedy byli we dwoje, Alex, zamiast zadawać jej kolejne pytania, zachowywał się tak, jakby jej rewelacje nie miały żadnego wpływu na ich los w Southport. Dni mijały, a jej nowy mężczyzna wciąż był spontaniczny, wciąż niezrażony widmami jej wcześniejszego życia. Katie nie miała wyboru — zaufała mu. A gdy się całowali, co zdarzało się zaskakująco często, były momenty, że kolana jej drżały i naprawdę musiała bardzo nad sobą panować, aby nie wziąć go za rękę i nie zaciągnąć do sypialni.

W sobotę, dwa tygodnie po pierwszej randce, stali na frontowej werandzie jej domu. Alex obejmował ją czule, ich wargi się stykały. Z okazji końca roku chłopiec z klasy Josha zaprosił jego i Kristen na zabawę nad basenem. Później Alex i Katie zamierzali zabrać dzieci na plażę na wieczornego grilla, lecz kilka godzin mieli tylko dla siebie.

Kiedy wreszcie odsunęli się od siebie, Katie westchnęła.

— Naprawdę musisz przestać.

— Ale co?

— Wiesz dokładnie, co robisz.

— Nie mogę nic na to poradzić.

Znam to uczucie, pomyślała Katie.

— Wiesz, co w tobie lubię? — spytała.

— Moje ciało?

— Tak, to też. — Roześmiała się. — Ale podoba mi się również, że dzięki tobie czuję się wyjątkowa.

— Jesteś wyjątkowa — odparował.

— Mówię poważnie — złajała go. — Po prostu czasem zastanawiam się, dlaczego nigdy nie znalazłeś sobie kogoś. To znaczy po śmierci żony.

— Bo nie szukałem — odrzekł. — Ale nawet gdybym miał dziewczynę, rzuciłbym ją, aby być z tobą.

— Bardzo nieładnie.

Szturchnęła go lekko w żebra.

— Ale to prawda. Wierz mi lub nie, jestem wybredny.

— Tak — przyznała wesoło — naprawdę wybredny. Spotykasz się jedynie z kobietami poranionymi emocjonalnie.

— Nie jesteś poraniona emocjonalnie. Było ci ciężko, ale przetrwałaś. Przeżyłaś! I to jest faktycznie seksowne.

— Sądzę, że tylko próbujesz mi się przypochlebić w nadziei, iż zedrę z ciebie ciuchy.

— I udaje mi się?

— Jesteś blisko — przyznała, a odgłos jego śmiechu przypomniał jej ponownie, jak bardzo Alex ją kocha.

— Cieszę się, że trafiłaś do Southport — oznajmił.

— Hm...

Na moment chyba znów się zamyśliła.

— Co takiego?

Patrzył jej w twarz, nagle czujny.

Pokręciła głową.

— Nieszczęście było tak blisko... — Westchnęła, podniosła ręce i objęła się na to wspomnienie. — Jedna chwila i wcale by mi się nie udało.

22

Lodowaty śnieg przysypał całe Dorchester, tworząc roziskrzoną skorupę pokrywającą świat za oknem. Styczniowe niebo, poprzedniego dnia szare, dziś przybrało zimny odcień błękitu. Temperatura spadła poniżej zera. Był niedzielny poranek, dzień po wizycie u fryzjera. Erin wysiusiała się i zerknęła do muszli klozetowej, pewna, że zobaczy krew w moczu. Czuła pulsujący ból nerki, promieniujący w dół, do nóg. Z tego powodu w nocy nie mogła zasnąć przez wiele godzin, chociaż Kevin smacznie chrapał obok niej. Na szczęście sytuacja okazała się mniej poważna, niż się obawiała. Zamknąwszy drzwi sypialni za sobą, pokuśtykała do kuchni, przypominając sobie, że jeszcze zaledwie parę dni i ten koszmar się skończy. Powtarzała sobie jednak, że uda jej się tylko, jeśli zachowa pełną ostrożność i nie wzbudzi podejrzeń. Jeśli zignoruje fakt, że Kevin ją wczoraj pobił, mąż zacznie coś podejrzewać. Podobnie będzie, jeśli posunie się za daleko w swoich pretensjach. Po czterech latach życia w piekle dobrze już znała zasady.

Mimo niedzieli Kevin musiał być w pracy koło południa, toteż wiedziała, że mąż wkrótce wstanie. W domu panowało zimno i rano wkładała na piżamę bluzę od dresu, a Kevin zwykle nie miał nic przeciwko temu, gdyż był zbyt skacowany, aby przywiązywać wagę do drobiazgów. Wstawiła dzbanek z kawą, na stół postawiła mleko, cukier, masło i dżem. Ułożyła sztućce dla męża, a obok widelca postawiła szklankę z lodowatą wodą. Potem włożyła dwie kromki chleba do tostera, jeszcze jednak nie włączyła urządzenia. Ułożyła trzy jajka na blacie, skąd mogła je szybko wziąć. Ukroiła kilka plastrów bekonu i wrzuciła je na patelnię, na rozgrzany tłuszcz. Skwierczały i strzelały, gdy Kevin w końcu wszedł do kuchni. Zajął miejsce przy pustym stole i pił wodę, a wtedy przyniosła mu kubek kawy.

— Spałem ubiegłej nocy jak zabity — zagaił. — O której poszliśmy wreszcie do łóżka?

— Może o dziesiątej — odrzekła. Postawiła kawę obok pustej szklanki. — Nie było późno. Wiem, że pracujesz ciężko i byłeś zmęczony.

Oczy miał przekrwione.

— Przepraszam za ubiegły wieczór. Nie chciałem tego, co się stało. Ostatnio mam mnóstwo stresów i działam pod presją. Od czasu zawału Terry'ego muszę pracować za dwóch, a jeszcze w tym tygodniu rozpoczyna się proces Preston.

— W porządku — bąknęła. Od męża nadal śmierdziało alkoholem. — Śniadanie będzie gotowe za kilka minut.

Wróciła do kuchenki i odwróciła bekon widelcem. Kropla gorącego tłuszczu wystrzeliła i oparzyła jej ramię, toteż na chwilę zapomniała o bólu w plecach.

Kiedy bekon był chrupiący, ułożyła cztery kawałki na talerzu Kevina i dwa na swoim. Wylała tłuszcz do puszki po zupie, wytarła patelnię papierowym ręcznikiem i ponownie ją natłuściła odrobiną oleju. Musiała działać szybko, zanim bekon wystygnie. Włączyła toster i rozbiła jajka. Kevin lubił

215

średnio wysmażone, z nietkniętym żółtkiem, a ona stała się już mistrzynią tej metody. Patelnia wciąż była gorąca i jajka smażyły się szybko. Odwróciła je raz, po czym zsunęła dwa na jego talerz i jedno na własny. Tosty były gotowe, więc mu je podała.

Usiadła naprzeciwko Kevina przy stole, ponieważ lubił, gdy jedli razem śniadanie. Kevin posmarował tost masłem i dżemem winogronowym, zanim wziął widelec i wbił go w jajko. Żółtko rozlało się jak żółta krew. Wycierał je pieczywem.

— Co będziesz dziś robiła? — spytał.

Nie przestając żuć, przeciął widelcem kolejny kawałek jajka.

— Zamierzałam umyć okna i zrobić pranie — odparła.

— Prawdopodobnie trzeba także zmienić pościel, co? Po naszych ubiegłonocnych igraszkach? — podsunął, poruszając brwiami.

Włosy sterczały mu we wszystkie strony, a w kąciku ust miał kawałek jajka.

Próbowała nie pokazywać po sobie uczucia odrazy. Postanowiła zmienić temat.

— Sądzisz, że uda się skazać Preston? — spytała.

Kevin najpierw rozsiadł się na krześle, potem zgarbił, wreszcie znowu pochylił nad talerzem.

— Wszystko zależy od prokuratora okręgowego. Higgins jest dobry, ale nigdy nie wiadomo. Preston ma bystrego prawnika, który będzie stale przekręcał fakty.

— Jestem pewna, że sobie poradzisz. Jesteś inteligentniejszy od niego.

— Zobaczymy. Cholernie mi się nie podoba tylko to, że proces odbywa się w Marlborough. Higgins chce mnie przygotować we wtorek wieczór, po swojej ostatniej sesji.

Erin wiedziała o tym wszystkim, toteż teraz skinęła jedynie głową. Sprawa Preston była powszechnie znana. Początek procesu zaplanowano na poniedziałek — w Marlborough zamiast w Bostonie. Lorraine Preston postawiono zarzut wynajęcia mężczyzny, który zabił jej męża. Douglass Preston kierował wartym miliardy funduszem hedgingowym, a jego żona od pokoleń należała do elity społeczeństwa i zajmowała się działalnością charytatywną, wspierając szereg instytucji — od galerii sztuki i orkiestr symfonicznych po szkoły w podupadłej części śródmieścia. Zabójstwo nagłośniono na długo przed rozpoczęciem rozprawy, toteż w ostatnich tygodniach nie było dnia bez kilku artykułów na pierwszych stronach gazet i rozbudowanych informacji w wieczornych wiadomościach. Ogromne pieniądze, ostry seks, narkotyki, zdrada, niewierność, morderstwo i nieślubne dziecko. Właśnie z powodu tego potężnego rozgłosu proces przeniesiono do Marlborough. Kevin był jednym z wielu detektywów, którzy prowadzili śledztwo, i wszyscy mieli zeznawać w środę. Erin wraz z całym społeczeństwem śledziła nowiny dotyczące sprawy, a od czasu do czasu pytała męża o szczegóły.

— Wiesz, co powinniśmy zrobić, gdy proces się skończy? — spytała. — Pójść do jakiegoś lokalu. Ubierzemy się elegancko i wyskoczymy gdzieś na kolację. Piątek masz wolny, prawda?

— Przecież wyszliśmy w sylwestra — mruknął niechętnie Kevin, machając umaczanym w żółtku tostem.

Teraz miał żółte plamy również na palcach.

— Och, jeśli nie chcesz wychodzić, mogę tutaj przygotować dla ciebie coś specjalnego. Cokolwiek zechcesz. Napijemy się wina i może rozpalimy w kominku, a ja włożę coś seksownego. Mogłoby być naprawdę romantycznie. — Podniósł na nią wzrok znad talerza, lecz kontynuowała niezrażo-

217

na: — Chodzi o to, że... Jestem otwarta — mruczała. — Potrzebujesz wytchnienia. Nie lubię, kiedy tak ciężko pracujesz. Mam wrażenie, że oczekują od ciebie, iż im rozwiążesz wszystkie sprawy.

Postukał widelcem o talerz, wpatrując się w żonę z uwagą.

— Czemu nagle zrobiłaś się taka czuła i kochająca? Co się dzieje?

Erin nie dała się sprowokować. Powtórzyła sobie w myślach, że musi się trzymać scenariusza. Odsunęła się od stołu i wstała.

— Och, więc po prostu zapomnij o mojej propozycji, dobrze? — Chwyciła talerz tak gwałtownie, że widelec zsunął się, odbił od kantu stołu i spadł na podłogę. — Usiłowałam ci tylko jakoś okazać serce, ponieważ wyjeżdżasz z miasta, ale skoro ci się to nie podoba, trudno. Powiem ci coś: zastanów się, czego byś chciał, a później mnie powiadom, okay?

Szybkim krokiem poszła do zlewu i gwałtownie odkręciła kran. Wiedziała, że go zaskoczyła, czuła, że emocje Kevina wahają się pomiędzy złością i zmieszaniem. Włożyła ręce pod płynącą wodę, a potem przyłożyła je do twarzy. Nie odrywając dłoni od policzków, wzięła serię prędkich wdechów i wydała z siebie zdławiony odgłos. Pospiesznie uniosła, po czym opuściła ramiona.

— Płaczesz? — spytał. Usłyszała, że odsunął krzesło. — Dlaczego, do diabła, płaczesz?

Usiłowała wydać mu się przybita.

— Już nie mam pojęcia, co robić. Nie mam pojęcia, czego chcesz. Wiem, jak duża jest ta sprawa i jak ważna, i pod jak ogromną presją żyjesz...

Kiedy wypowiadała ostatnie słowo, jej głos się załamał. Wyczuła, że Kevin podchodzi. Gdy jej dotknął, wzdrygnęła się.

— Och, w porządku — mruknął rad nierad. — Nie musisz płakać.

Zacisnęła oczy, odwróciła się ku niemu i przylgnęła do jego piersi.

— Ja chcę cię przecież jedynie uszczęśliwiać — wyjąkała.

Wytarła mokrą twarz w jego koszulę.

— Wymyślimy coś, w porządku? — powiedział. — Zrobimy sobie miły weekend. Obiecuję! Odbijemy sobie ostatnią noc.

Otoczyła go ramionami i przyciągnęła do siebie, pociągając nosem. Zrobiła kolejny chrypliwy wdech.

— Naprawdę przepraszam. Wiem, że nie potrzebujesz dziś moich ataków histerii. Nie powinnam beczeć bez potrzeby. I tak masz już dość spraw na głowie.

— Poradzę sobie — zapewnił ją.

Pochylił się, a ona zadarła głowę, aby go pocałować, wciąż jednak nie otwierała oczu. Odsunęła się, wytarła palcami twarz i ponownie przylgnęła do niego. Gdy przycisnął ją do siebie, poczuła, że się podniecił. Miała świadomość, jak działa na niego jej bezbronność.

— Zostało trochę czasu, zanim będę musiał jechać do pracy — oznajmił.

— Powinnam najpierw posprzątać w kuchni.

— Możesz to zrobić później — zapewnił ją.

*

Kilka minut później, gdy Kevin robił swoje, a ona wydawała odgłosy, których pragnął, Erin wpatrywała się w okno sypialni i rozmyślała o czymś zupełnie innym.

Nienawidziła zimy, miesięcy niekończącego się chłodu i podwórza zasypanego śniegiem, ponieważ w tym czasie nie mogła wychodzić na zewnątrz. Kevin nie lubił, jak kręciła się po okolicy, ale pozwalał jej uprawiać ogród za domem, ponieważ ogrodzony był drewnianym płotem. Wiosną sadziła kwiaty w donicach i warzywa na małej działce blisko tylnej ściany garażu, tam gdzie dochodziło pełne, mocne słońce, a wielkie klony nie rzucały cienia. Jesienią wkładała sweter i czytała książki z biblioteki wśród spadłych liści, brązowych, pomarszczonych, zalegających dziedziniec.

Jednakże zima zmieniała jej życie w więzienie — zimne, szare i przygnębiające. Koszmar! Większość dni spędzała, nie wystawiając stopy za drzwi wyjściowe, ponieważ nigdy nie wiedziała, kiedy Kevin nieoczekiwanie nawiedzi dom. Znała nazwisko tylko jednych sąsiadów, Feldmanów, którzy mieszkali po drugiej stronie ulicy. W pierwszym roku małżeństwa Kevin jeszcze rzadko ją bił i czasami pozwalał jej na samotne spacery. Feldmanowie, starsza para, lubili pracować w ogrodzie; w tym pierwszym roku od wprowadzenia się Erin często zatrzymywała się i gawędziła z nimi przez chwilę. Kevinowi stopniowo udało się położyć kres tym wizytom towarzyskim, toteż teraz Erin widywała się z Feldmanami jedynie wtedy, gdy miała pewność, że mąż jest zajęty w pracy i na pewno nie zdoła do niej zadzwonić. W takim przypadku upewniała się, że żaden z innych sąsiadów nie patrzy, i dopiero wówczas przebiegała ulicę do frontowych drzwi starszego małżeństwa. Podczas każdych odwiedzin czuła się jak przestępczyni. Starsi państwo pokazywali jej fotografie córek z okresu dorastania. Jedna z nich zmarła, druga wyprowadziła się daleko, toteż Erin odnosiła wrażenie, że Feldmanowie są równie samotni jak ona. Latem piekła dla nich placki z borówkami, a później dokładnie wycierała kuchnię, usiłując się pozbyć wszelkich śladów mąki, aby Kevin nie domyślił się jej zajęcia.

Dziś, gdy pojechał do pracy, umyła okna i zmieniła pościel na łóżku. Wyjęła odkurzacz, wyczyściła podłogi, a później starła kurze i wysprzątała kuchnię. Kiedy pracowała, mówiła do siebie obniżonym głosem, ćwicząc po to, by mogła udawać mężczyznę. Próbowała nie myśleć o telefonie komórkowym, który naładowała w nocy i ponownie wsunęła pod zlew. Chociaż wiedziała, że nigdy nie otrzyma lepszej szansy, była przerażona, gdyż istniało mnóstwo szczegółów, które mogły zakłócić jej plan.

W poniedziałek rano przygotowała Kevinowi śniadanie, tak samo jak zawsze. Cztery plasterki bekonu, jajka średnio wysmażone i dwa tosty. Mąż był gderliwy i zdenerwowany. Głównie czytał gazetę i niezbyt dużo się do niej odzywał. W końcu włożył płaszcz na garnitur i ruszył do wyjścia, a wtedy powiedziała mu, że idzie pod prysznic.

— Musi być przyjemnie — warknął, po czym odchrząknął. — Budzić się każdego dnia i wiedzieć, że możesz robić cokolwiek, cholera, chcesz i kiedy, cholera, chcesz.

— Masz ochotę na jakąś wyjątkową kolację? — spytała, udając, że nie słyszy jego zrzędzenia.

Zastanowił się nad jej pytaniem.

— Lasagne i pieczywo czosnkowe. I sałatkę — dodał.

Kiedy wyszedł, stanęła w oknie i obserwowała, jak jego samochód skręca za róg. Natychmiast gdy zniknął, podeszła do telefonu, oszołomiona myślą, co się teraz stanie.

Zadzwoniła do firmy telekomunikacyjnej i przełączono ją do działu obsługi klienta. Minęło pięć minut, potem sześć. Kevin jechał do pracy dwadzieścia minut i natychmiast gdy dotrze, bez wątpienia do niej zadzwoni. Ciągle miała czas. W końcu odezwał się jakiś pracownik firmy telekomunikacyjnej, który spytał ją o nazwisko, adres oraz — dla celów identyfikacyjnych — o nazwisko panieńskie matki Kevina. Konto było na męża, więc mówiła niskim głosem, recytując informacje wyuczonym, niskim głosem. Nie brzmiała jak

221

Kevin, może nawet nie jak mężczyzna, ale znudzony przedstawiciel firmy niczego nie zauważył.

— Czy istnieje możliwość przekierowania rozmów na inną linię? — spytała.

— Ta usługa jest dodatkowo płatna, ale dzięki niej otrzyma pan usługę poczty głosowej i będzie powiadamiany o rozmowie oczekującej. To jest tylko...

— Świetnie. Możemy uruchomić to dziś?

— Tak — odparł.

Usłyszała, że mężczyzna zaczyna pisać na klawiaturze. Minął długi czas, zanim znowu przemówił, a wtedy powiedział, że dodatkowa opłata pojawi się dopiero na następnym rachunku, który zostanie przesłany w przyszłym tygodniu. Opłata będzie obejmowała pełny miesiąc, nawet jeśli zostanie aktywowana dziś. Erin zapewniła przedstawiciela, że nic nie szkodzi. Poprosił o kilka dodatkowych informacji i w końcu oświadczył, że można już korzystać z usługi. Erin odłożyła słuchawkę i spojrzała na zegarek. Cała operacja zajęła osiemnaście minut.

Kevin zadzwonił z posterunku trzy minuty później.

*

Natychmiast po rozmowie z mężem zatelefonowała do Super Shuttle, firmy, która transportowała ludzi na lotnisko i dworzec autobusowy. Zarezerwowała miejsce na następny dzień. Potem wyjęła spod zlewu i włączyła telefon komórkowy. Zadzwoniła do lokalnego kina i wysłuchała nagrania, upewniając się, że komórka działa. Następnie aktywowała usługę przekierowania, wystukując dla rozmów przychodzących numer kina. Aby sprawdzić, zadzwoniła pod numer domowy z telefonu komórkowego. Serce jej łomotało, gdy telefon zadzwonił. Po drugim dzwonku usłyszała nagranie z kina. Mimo lęku ciężar spadł jej z serca. Ręce jej drżały, kiedy wyłączała telefon komórkowy i odkładała go do pudełka pod zlewem. Na telefonie domowym wybrała odpowiedni kod i deaktywowała usługę przekierowania.

Kevin zadzwonił ponownie czterdzieści minut później.

Resztę popołudnia spędziła w oszołomieniu, intensywnie i bez przerwy pracując, aby nie myśleć i się nie zamartwiać. Wyprasowała dwie koszule męża i przyniosła z garażu składaną torbę i walizkę. Wyłożyła czyste skarpetki i wypucowała Kevinowi drugą parę czarnych butów. Oczyściła szczoteczką garnitur, czarny, który Kevin wkładał na rozprawy sądowe, i wyjęła trzy krawaty. Wyszorowała łazienkę, aż podłoga błyszczała, a następnie przetarła listwy przypodłogowe octem. Odkurzyła każdy przedmiot w serwantce i wreszcie zaczęła przygotowywać lasagne. Ugotowała makaron i zrobiła sos boloński, po czym całość posypała tartym serem. Posmarowała cztery kromki chleba na zakwasie masłem, czosnkiem i oregano, a następnie pokroiła w kostkę wszystkie składniki na sałatkę. Wzięła prysznic, ubrała się seksownie i o godzinie siedemnastej wstawiła danie do piekarnika.

Kiedy mąż wrócił do domu, kolacja była gotowa. Zjadł zapiekankę i rozmawiali o jego dniu pracy. Gdy poprosił o dokładkę, wstała od stołu i przyniosła mu jedzenie. Po kolacji pił wódkę przed telewizorem. Obejrzeli powtórkowe odcinki seriali *Kroniki Seinfelda* oraz *Diabli nadali*. Później Celtics grali z Timberwolves, a Erin siedziała obok męża i z głową na jego ramieniu oglądała mecz. Kevin zasnął przed telewizorem, więc wymknęła się do sypialni. Położyła się do łóżka i gapiła w sufit, aż mąż się obudził i chwiejnym krokiem wszedł do sypialni, po czym padł na materac. Zasnął natychmiast, otaczając ją ramieniem. Jego chrapanie brzmiało jak ostrzeżenie.

We wtorek rano Erin przygotowała mu śniadanie. Kevin

223

spakował ubranie i przybory toaletowe. Po chwili był gotów wyruszać do Marlborough. Załadował rzeczy do samochodu, a potem wrócił do frontowych drzwi, w których stała. Pocałował ją.

— Wrócę do domu jutro wieczorem — powiedział.

— Będę za tobą tęskniła — odparła, przytulając się do niego i oplatając ramionami jego kark.

— Powinienem być w domu około dwudziestej.

— Przygotuję coś, co będę mogła odgrzać po twoim przyjeździe — zapewniła go. — Może chili?

— Prawdopodobnie zjem w drodze do domu.

— Jesteś pewny? Naprawdę wolisz jeść fast food? Przecież ci nie służy.

— Zobaczymy — mruknął.

— I tak coś przyrządzę — stwierdziła. — Ot tak, na wszelki wypadek.

Pocałował ją, przytuloną do niego.

— Zadzwonię do ciebie — obiecał, gładząc jej ciało.

Pieścił ją.

— Wiem — odrzekła.

*

W łazience zdjęła ubranie i położyła je na sedesie, potem zwinęła dywanik. Rozpostarła w zlewie worek na śmieci i, naga, patrzyła na siebie w lustrze. Przesunęła palcami po siniakach na żebrach i nadgarstku. Żebra jej sterczały, a ciemne kręgi pod oczami wyglądały na jej twarzy jak wydrążone otwory. Ogarnęła ją nagła wściekłość zmieszana ze smutkiem, kiedy wyobraziła sobie, jak Kevin będzie ją wołał, gdy przejdzie dom po powrocie. Zawoła jej imię i pójdzie do kuchni. Poszuka jej w sypialni. Sprawdzi garaż, tylną werandę i piwnicę.

„Gdzie jesteś? — będzie krzyczał. — Co jest na kolację?".

Wzięła nożyczki i bez litości zaczęła ciąć włosy. Chwyciła pierwszy kosmyk i dziesięć centymetrów blond włosów wpadło do worka na śmieci. Wzięła kolejną garść, odmierzyła i przycięła. Poczuła w piersi ucisk i straciła oddech. — Nienawidzę cię! — syknęła. Głos jej drżał. — Poniżałeś mnie przez cały czas! — Zagarnęła kolejny kosmyk i ścięła. W oczach stanęły jej łzy gniewu. — Biłeś mnie, bo musiałam robić zakupy?! — Więcej włosów spadło do worka. Próbowała panować nad sobą, pracować wolniej, wyrównać końce. — Zmuszałeś mnie, żebym ci kradła pieniądze z portfela, i kopałeś mnie po pijanemu! — Dygotała teraz cała, a ręce straszliwie jej się trzęsły. Nierównej długości włosy zebrały się u jej stóp. — Zmusiłeś mnie, żebym ukrywała się przed tobą! Uderzyłeś mnie tak mocno, że wymiotowałam! — Szaleńczo wymachiwała nożyczkami. — Kochałam cię! — Załkała. — Obiecałeś, że już nigdy więcej mnie nie uderzysz, i ja ci uwierzyłam! Chciałam ci wierzyć! — Cięła i szlochała, a kiedy wszystkie włosy były tej samej długości, wyjęła z kryjówki za zlewem farbę. Ciemnobrązową. Potem weszła pod prysznic i zmoczyła włosy. Przechyliła buteleczkę i zaczęła wmasowywać farbę we włosy. Stanęła przed lustrem i łkała spazmatycznie, czekając, aż kolor się wchłonie. Później ponownie weszła pod prysznic i spłukała farbę. Umyła włosy szamponem, nałożyła odżywkę i stanęła przed lustrem. Ostrożnie umalowała tuszem do rzęs brwi, przyciemniając je. Skórę pokryła pudrem brązującym. Włożyła dżinsy i sweter, a potem znów wpatrywała się w siebie.

Z lustra patrzyła na nią obca brunetka o krótkich włosach.

Erin bardzo dokładnie posprzątała łazienkę, starając się, by żadne włosy nie pozostały pod prysznicem ani na podłodze. Znalezione ścinki trafiły do worka na śmieci wraz z pudełkiem po farbie. Wytarła umywalkę, blat, po czym związała worek ze śmieciami. Na koniec zakropliła oczy, usiłując pozbyć się zaczerwienienia spowodowanego płaczem.

Teraz musiała się spieszyć. Spakowała rzeczy do worka marynarskiego. Trzy pary dżinsów, dwie bluzy od dresu, koszulki. Majtki i biustonosze. Skarpetki. Szczoteczkę do zębów i pastę. Szczotkę do włosów. Mascarę na brwi. Nieliczną posiadaną biżuterię. Ser i krakersy, orzeszki i rodzynki. Widelec i nóż. Wyszła na tylną werandę i wykopała pieniądze spod donicy. Z kuchni wzięła telefon komórkowy. I na koniec dowód tożsamości, którego potrzebowała, aby zacząć nowe życie, dowód tożsamości skradziony ludziom, którzy jej zaufali. Nienawidziła siebie za tę kradzież i wiedziała, że postąpiła niewłaściwie, lecz nie miała innego wyjścia i modliła się do Boga o wybaczenie. Na odwrót było już zresztą zbyt późno.

Wcześniej tysiąc razy szczegółowo powtórzyła sobie w głowie wymyślony scenariusz, teraz więc mogła działać szybko. Większość sąsiadów przebywała obecnie w pracy: Erin obserwowała ich każdego ranka, znała więc ich rozkłady dnia. Nie chciała, by ktoś zobaczył, jak będzie opuszczała dom. Nie chciała, by ktokolwiek ją rozpoznał.

Włożyła czapkę, żakiet, szalik i rękawiczki. Ukształtowała worek marynarski w kulę i wepchnęła go pod bluzę od dresu, ubijając i przyklepując, aż wyglądała na kobietę ciężarną. Włożyła długi płaszcz, na tyle obszerny, że mieścił powiększony brzuch.

Znowu gapiła się na swoje odbicie. Krótkie, ciemne włosy. Cera w odcieniu miedzi. Ciężarna. Założyła jeszcze okulary przeciwsłoneczne, a w drodze do drzwi włączyła telefon komórkowy i uruchomiła usługę przekierowywania rozmów. Wyszła z domu przez boczną furtkę, przeszła między domem swoim i sąsiadów, potem wzdłuż ogrodzenia, aż dotarła do ich śmietnika i wrzuciła do niego swój worek z odpadkami. Wiedziała, że oboje sąsiedzi pracują i nikogo nie ma w ich domu. Podobnie w budynku za jej domem. Przecięła podwórze, przeszła wzdłuż bocznej ściany i wreszcie znalazła się na oblodzonym chodniku.

Śnieg znowu zaczął padać i wiedziała, że do jutra ślady jej butów znikną. Miała do pokonania sześć przecznic, ale czuła, że podoła. Trzymała głowę spuszczoną i szła, próbując ignorować przejmujący wiatr, czując się oszołomiona, wolna i... przerażona równocześnie. Wiedziała, że jutro w nocy Kevin przejdzie ich dom, wołając jej imię, i nie znajdzie jej, gdyż jej tam nie będzie. Jutro w nocy zacznie jej szukać.

*

Płatki śniegu wirowały w powietrzu, kiedy Erin stanęła na skrzyżowaniu obok nieznanej taniej restauracji. W oddali zobaczyła niebieską furgonetkę firmy Super Shuttle skręcającą za róg i serce zabiło jej w piersi. Dokładnie w tym samym momencie zadzwonił jej telefon komórkowy.

Zbladła. Obok niej z rykiem przemykały pojazdy, słyszała też odgłosy opon aut przejeżdżających przez zimną breję. W oddali furgonetka zmieniała pasy, kierując się ku poboczu, na którym stała Erin. Ale musiała odebrać, w tym momencie nie miała wyboru! Furgonetka nadjeżdżała, a na ulicy panował hałas. Jeśli Erin odbierze teraz, Kevin będzie wiedział, że wyszła z domu. Odkryje, że od niego uciekła.

Komórka zadzwoniła po raz trzeci. Niebieska furgonetka zatrzymała się na czerwonym świetle. Jedną przecznicę od niej.

Erin odwróciła się i weszła do restauracji. Odgłosy ulicy były tu przytłumione, lecz docierały z kolei inne, niemal

równie głośne dźwięki: szczęk talerzy, rozmowy gości lokalu...
A bezpośrednio przed nią znajdowało się stanowisko hostessy i jakiś mężczyzna pytał właśnie o wolny stolik. Poczuła napływ mdłości. Otoczyła dłonią telefon i wyjrzała przez okno, modląc się, żeby mąż nie usłyszał otaczającego ją zgiełku. Nogi uginały się pod nią, niemniej jednak wcisnęła guzik i przyjęła rozmowę.

— Czemu tak długo nie odbierałaś? — warknął.

— Byłam pod prysznicem — odparła. — A co się stało?

— Wchodzę za dziesięć minut — odrzekł. — Jak się miewasz?

— W porządku.

Zawahał się.

— Dziwnie cię słychać — zauważył. — Coś nie tak z telefonem?

Na ulicy światło zmieniło się na zielone. Furgonetka z Super Shuttle sygnalizowała zjazd na bok. Erin modliła się, żeby samochód poczekał. Za nią ludzie w restauracji zachowywali się teraz zaskakująco cicho.

— Nie mam pojęcia. Ale ja ciebie słyszę doskonale — odcięła się. — Prawdopodobnie coś z zasięgiem w miejscu, gdzie jesteś. Jak ci się jechało?

— Nieźle, odkąd opuściłem miasto. W paru miejscach droga była oblodzona.

— Och, to niedobrze. Bądź ostrożny.

— Nic mi nie będzie — stwierdził.

— Wiem — przyznała. Furgonetka podjechała do krawężnika. Kierowca wyciągał szyję i rozglądał się, szukając jej. — Słuchaj, ciężko mi ciebie o to prosić, ale mógłbyś zadzwonić za kilka minut? Wciąż mam odżywkę na włosach i chcę ją spłukać.

— No dobra — odburknął — zadzwonię za jakiś czas.

— Kocham cię — zapewniła go.

— I ja cię kocham.

Pozwoliła, by mąż rozłączył się pierwszy, po czym dla pewności wcisnęła na klawiaturze telefonu guzik z przekreśloną słuchawką. Potem wyszła z restauracji i pospiesznie ruszyła do furgonetki. Na dworcu autobusowym kupiła bilet do Filadelfii. Okropnie jej się nie podobało, że mężczyzna w kasie usiłował ją zagadywać. Zamiast czekać na dworcu, przeszła ulicę, postanawiając zjeść śniadanie. Pieniądze na przejazd furgonetką i bilet autobusowy uszczupliły o ponad połowę oszczędności, które zbierała przez rok, ale była głodna, więc zamówiła naleśniki, kiełbasę i mleko. Na kanapie przy jej ławie ktoś zostawił gazetę, więc zmusiła się do czytania. Kevin zadzwonił, kiedy jadła, i ponownie jej powiedział, że dźwięk brzmi dziwacznie, a wtedy zasugerowała, że pewnie z powodu burzy.

Dwadzieścia minut później wsiadła do autobusu. Jakaś starsza kobieta wskazała na jej brzuch, kiedy Erin przechodziła wzdłuż siedzeń.

— Ile jeszcze? — spytała.

— Miesiąc.

— Pierwsze?

— ˙ Tak — odparła, lecz w ustach miała tak sucho, że trudno jej było mówić. Ruszyła ku tyłowi autobusu i zajęła miejsce prawie na samym końcu. Ludzie siedzieli na siedzeniach za nią, lecz większość przed nią. Środkiem szła para bardzo młodych ludzi, nastolatków. Objęci, oboje słuchali muzyki. Ich głowy kołysały się rytmiczne to w górę, to w dół.

Erin zapatrzyła się przez okno. Autobus odjeżdżał, a ona czuła się jak we śnie. Ruszyli autostradą, Boston zaczął się oddalać i maleć, szary i zimny. Z każdym kilometrem była coraz dalej od domu. Autobus jechał, a ją znów bolały okolice nerek. Śnieg ciągle padał, mijające autobus pojazdy rozchlapywały szarawą breję. Żałowała, że nie może z nikim porozmawiać. Chciała powiedzieć ludziom, że ucieka, ponieważ mąż ją bił, i że nie mogła powiadomić policji, bo on pracuje w policji! Chciała im powiedzieć, że nie posiada zbyt dużo pieniędzy i może nigdy ponownie nie będzie mogła używać swego prawdziwego nazwiska, bo gdyby to zrobiła, mąż by ją znalazł i sprowadził do domu, a tam znowu zacząłby ją bić, tyle że tym razem być może nigdy by nie przestał. Chciała im powiedzieć, że jest przerażona, gdyż nie wie, gdzie będzie spała dziś w nocy ani co będzie jadła, kiedy skończą jej się fundusze.

Mijali miasta, w szyby wciąż dmuchał lodowaty wiatr. Ruch na autostradzie osłabł, a potem znów liczba samochodów wzrosła. Erin nie wiedziała, co zrobi dalej. Wszystkie jej plany kończyły się na tym autobusie. I nie miała do kogo zadzwonić po pomoc. Była sama i posiadała jedynie te rzeczy, które miała na sobie.

Na godzinę przed Filadelfią komórka zadzwoniła ponownie. Zasłoniła telefon dłonią i porozmawiała z Kevinem. Zanim mąż się rozłączył, przyrzekł, że zadzwoni jeszcze raz przed pójściem spać.

*

Do Filadelfii przybyła późnym popołudniem. Było zimno, ale śnieg nie padał. Pasażerowie wysiedli z autobusu, a Erin ociągała się przez chwilę, czekając, aż wszyscy wyjdą. W toalecie publicznej wyjęła marynarski worek, a potem weszła do poczekalni i zajęła miejsce na ławce. W brzuchu jej burczało, więc ukroiła kawałek sera i zjadła wraz z krakersami.

Przypomniała sobie jednak, że musi oszczędnie gospodarować jedzeniem, odłożyła zatem resztę, chociaż nadal czuła głód. Kupiła plan miasta i w końcu opuściła dworzec.

Znalazła się w całkiem przyzwoitej dzielnicy; widziała centrum kongresowe i Trocadero Theater, dzięki czemu czuła się w mieście bezpiecznie, chociaż oczywiście nigdy nie będzie mogła sobie pozwolić na wynajęcie pokoju hotelowego w tej okolicy. Zgodnie z planem miasta znajdowała się niedaleko Chinatown i z braku lepszego pomysłu skierowała się właśnie w tamtą stronę. Trzy godziny później znalazła wreszcie miejsce do spania. Hotelik był obskurny i śmierdział dymem papierosowym, a w jej pokoiku ledwo mieściło się małe łóżko. Nie miała lampy; całego światła dostarczała pojedyncza żarówka zwisająca z sufitu. Wspólna łazienka znajdowała się na korytarzu. Ściany były szare, woda miała odcień rdzy, a w oknie Erin dostrzegła kraty. W sąsiednich pomieszczeniach po obu stronach słyszała ludzi, który mówili w niezrozumiałym dla niej języku. Niestety, na nic lepszego nie mogła sobie na razie pozwolić. Pieniędzy powinno jej starczyć na trzy noce, może cztery — jeśli zdoła się zadowolić tą niewielką ilością jedzenia, którą przywiozła ze sobą z domu.

Usiadła na krawędzi łóżka, drżąc. Bała się mieszkać w tym hoteliku, obawiała się przyszłości i mąciło jej się w głowie. Musiała pójść do toalety, ale nie miała ochoty opuszczać pokoju. Próbowała wmawiać sobie, że to przygoda i że wszystko będzie dobrze. Choć pytanie brzmiało szaleńczo, naprawdę zastanawiała się, czy nie popełniła błędu, odchodząc. Usiłowała nie myśleć o kuchni, sypialni i wszystkich rzeczach, które za sobą pozostawiła. Wiedziała, że może kupić bilet powrotny do Bostonu i znaleźć się w domu, zanim Kevin w ogóle zda sobie sprawę, że wyjechała. Ale włosy miała krótkie i ciemne, czego w żaden sposób nie potrafiłaby mężowi wyjaśnić.

Na dworze słońce już prawie zaszło, lecz w pokoju było jasno dzięki latarniom ulicznym, których światło wpadało przez brudne okno. Erin usłyszała dźwięki klaksonów i wyjrzała na zewnątrz. Wszystkie napisy były po chińsku; niektóre sklepiki i lokale wciąż jeszcze otwarte. Z ciemności docierały rozmowy, a na chodnikach widziała stosy plastikowych worków ze śmieciami. Przebywała w obcym mieście, w którym otaczały ją wyłącznie obce osoby. Pomyślała, że chyba sobie nie poradzi, że nie jest dość silna. Jeśli nie znajdzie pracy, za trzy dni nie będzie miała gdzie spać. Gdyby sprzedała biżuterię, kupiłaby sobie może jeszcze jeden dzień, ale co potem?

Była strasznie zmęczona, a okolice lędźwi rwały boleśnie. Położyła się na łóżku i niemal natychmiast zasnęła. Gdy zadzwonił Kevin, obudził ją dzwonek telefonu komórkowego. Bardzo się starała przemawiać mocnym głosem, gdyż nie chciała wzbudzać jego podejrzeń, ale mówiła ze znużeniem i wiedziała, że Kevin uwierzy, iż leżała w łóżku. Kiedy się rozłączył, w przeciągu kilku minut zasnęła ponownie.

Rano usłyszała, że ludzie przechodzą korytarzem, kierując się do łazienki. Dwie Chinki stały przy zlewach, w fugach Erin zauważyła zieloną pleśń, a na podłodze mokre kawałki papieru toaletowego. Drzwi do kabiny nie zamykały się i musiała je przytrzymywać ręką.

W pokoju miała ser i krakersy na śniadanie. Chciała wziąć prysznic, ale uprzytomniła sobie, że zapomniała zapakować szampon i mydło, więc zrezygnowała. Przebrała się, umyła zęby i uczesała włosy. Nie chciała zostawiać w pokoju worka marynarskiego, ponownie go więc zapakowała, przewiesiła sobie sznurek przez ramię i zeszła po schodach. W recepcji siedział ten sam mężczyzna, który dawał jej klucz. Przez głowę przemknęło jej pytanie, czy ów człowiek w ogóle kiedykolwiek opuszcza hotel. Zapłaciła za kolejną noc i poprosiła, aby zatrzymał dla niej pokój.

Niebo było błękitne, ulice suche. Erin zauważyła, że ból w plecach niemal całkowicie ustąpił. Było chłodno, ale nie tak zimno jak w Bostonie, więc — mimo lęków — odkryła, że się uśmiecha.

Zrobiłam to! — powiedziała sobie.

Uciekła i teraz Kevin znajdował się setki kilometrów od niej. I nie wiedział, gdzie jest żona. Nawet jeszcze nie wiedział, że uciekła! Zadzwoni do niej jeszcze parę razy, a potem Erin wyrzuci telefon komórkowy i nigdy więcej nie będzie musiała rozmawiać z mężem.

Wyprostowała się i odetchnęła głęboko w ostrym powietrzu. Czuła się prawie tak, jakby miała przed sobą niezliczoną wręcz liczbę najrozmaitszych możliwości.

Dzisiaj, zapewniła samą siebie, znajdę nową pracę.

Dzisiaj, zdecydowała, zacznę nowe życie.

*

Wcześniej uciekała już dwukrotnie i chciała wierzyć, że nauczyła się czegoś z własnych błędów. Pierwszy raz zrobiła to niecały rok po ślubie, gdy Kevin pobił ją, kulącą się ze strachu w rogu sypialni. Przyszły rachunki i mąż był na nią zły, ponieważ przyznała się, że z powodu zimna włączała w domu grzejnik. Kiedy w końcu przestał ją bić, wziął klucze i poszedł kupić więcej alkoholu. Erin bezwiednie złapała kurtkę i wyszła z domu, po czym pokuśtykała drogą przed siebie. Parę godzin później, gdy zaczął padać deszcz ze śniegiem, a ona nie miała dokąd pójść, zadzwoniła do Kevina, który natychmiast po nią przyjechał.

Następnym razem dotarła aż do Atlantic City, zanim ją znalazł. Zabrała mu pieniądze z portfela i kupiła bilet autobusowy, lecz mąż odszukał ją tam zaledwie godzinę po jej przybyciu do miasta. Przyjechał samochodem, pędząc na złamanie karku, wiedział bowiem, że Erin pobiegnie w jedno jedyne miejsce, gdzie wciąż może znaleźć przyjaciół. Założył jej kajdanki, przykuł do tylnego siedzenia auta i odwiózł z powrotem. Po drodze zatrzymał się, zjeżdżając na stary parking jakiegoś zamkniętego na głucho biurowca, i tam ją zbił; później tej samej nocy groził jej bronią.

Od tej pory trudniej jej było uciec. Zwykle trzymał pieniądze pod kluczem i zaczął ją obsesyjnie sprawdzać. Wiedziała, że mąż zada sobie naprawdę sporo trudu, chcąc ją znaleźć. Choć zdaniem Erin był szalony, nie mogła mu też odmówić wytrwałości i skrupulatności. I rzadko zawodził go instynkt. Wiedziała, że Kevin szybko odkryje, dokąd wyjechała, zjawi się w Filadelfii i będzie jej tutaj szukał. Na razie miała przewagę, ale to było wszystko, gdyż brakowało jej pieniędzy na rozpoczęcie życia w innym, odległym miejscu. Na razie będzie musiała stale oglądać się przez ramię i wypatrywać go wszędzie wokół. Miała świadomość, że w Filadelfii powinna spędzić jak najmniej czasu.

Trzeciego dnia znalazła pracę jako kelnerka w pubie. Podała wymyślone nazwisko i numer ubezpieczenia. Wiedziała, że w końcu ktoś ją sprawdzi, ale do tej pory mogła pracować bez przeszkód. Znalazła pokój w innym hotelu, po drugiej stronie Chinatown. Pracowała przez dwa tygodnie i zbierała napiwki, a równocześnie poszukiwała innej pracy. Później bez słowa odeszła, nie odbierając czeku. Nie było sensu próbować; bez dowodu tożsamości i tak nie mogłaby go zrealizować. Przepracowała kolejne trzy tygodnie w małej restauracji i ostatecznie wyprowadziła się z Chinatown do zrujnowanego motelu, gdzie przez tydzień wynajmowała pokój. Chociaż motel znajdował się w podejrzanej dzielnicy, a pokój był tu droższy, miała do własnego użytku prysznic i łazienkę, uznała więc, że warto dopłacić za odrobinę prywatności i dodatkowe pomieszczenie, w którym mogła zostawić kilka rzeczy. Przez cały czas oszczędzała, toteż miała teraz kilkaset dolarów, więcej niż w dniu, w którym opuszczała Dorchester, a jednak wciąż zbyt mało na nowy początek.

Zanim nadszedł dzień wypłaty, Erin ponownie porzuciła pracę, nawet nie powiadamiając nikogo o swojej rezygnacji. Kilka dni później znalazła następną posadę w kolejnej restauracji. Kierownikowi powiedziała, że ma na imię Erica.

Ciągłe zmiany pracy i przeprowadzki wzmogły jej czujność, toteż zaledwie cztery dni po rozpoczęciu nowej pracy, ledwie skręciła za róg w drodze do lokalu, bez trudu wychwyciła wzrokiem samochód, który jakoś nie pasował do tego miejsca. Zatrzymała się i patrzyła.

Nawet teraz nie do końca rozumiała, skąd wzięła się w niej wówczas ta pewność. Pamiętała jedynie, że auto wydawało jej się zbyt błyszczące — błyszczało tak bardzo, że odbijało się w nim wczesnoporanne słońce. Kiedy gapiła się w bezruchu na pojazd, dostrzegła na siedzeniu kierowcy jakieś poruszenie. Silnik nie pracował, więc uznała za dziwne, że ktoś siedzi w nieogrzewanym samochodzie w tak chłodny ranek. Tak siedzieć mogła chyba jedynie osoba, która na kogoś czekała.

Albo kogoś szukała.

Kevin!

Wiedziała, że to on, z przekonaniem, które ją zaskoczyło,

totež odwróciła się i odeszła po własnych śladach, modląc się, aby mąż nie zerknął w lusterko wsteczne. Modliła się, żeby jej nie zauważył. Natychmiast gdy auto zniknęło jej z pola widzenia, zaczęła biec z powrotem do motelu. Serce jej waliło. Nie biegała tak szybko od lat, ale ponieważ ostatnio dużo chodziła, wzmocniła mięśnie nóg i poruszała się szybko. Przeszła przecznicę. Dwie. Trzy. Oglądała się stale za siebie, na szczęście Kevin za nią nie jechał.

Dobrze, że za nią nie jechał, ale... I tak wiedział, że żona jest w Filadelfii! Wiedział, gdzie pracuje. Dowie się, że nie przyszła, a za kilka godzin odkryje, gdzie się zatrzymała.

Wróciła do pokoju, wrzuciła rzeczy do marynarskiego worka i w kilka minut znalazła się za drzwiami wyjściowymi. Ruszyła prosto na dworzec autobusowy. Uprzytomniła sobie jednak, że będzie tam szła przynajmniej godzinę, a może dłużej, na co nie miała czasu. Kiedy Kevin zda sobie sprawę, że nie przyszła do pracy, od razu na pewno uda się właśnie na dworzec. Odwróciła się na pięcie, pospiesznie wróciła do motelu i poprosiła recepcjonistę, aby wezwał dla niej taksówkę. Samochód przyjechał dziesięć minut później. To było najdłuższe dziesięć minut w jej życiu.

*

Na dworcu gorączkowo szukała rozkładu jazdy i w końcu wybrała autobus do Nowego Jorku, który miał planowany odjazd za pół godziny. Ukryła się w damskiej toalecie i przeczekała tam do czasu, aż nadeszła pora wsiadania. Wpadła do autobusu tuż przed odjazdem i z ulgą osunęła się na siedzenie. Dość szybko dotarła do Nowego Jorku, a tam ponownie badawczo przejrzała rozkład jazdy i kupiła bilet, dzięki któremu mogła dojechać aż do Omaha.

Wieczorem wysiadła z autobusu gdzieś w Ohio. Przespała się na dworcu, a następnego ranka znalazła drogę do zajazdu dla kierowców ciężarówek. Tam spotkała mężczyznę, który dostarczał jakieś materiały do Wilmington w Karolinie Północnej.

Kilka dni później, po sprzedaży biżuterii, zjawiła się w Southport i znalazła dom. Gdy zapłaciła czynsz za pierwszy miesiąc, nie zostało jej już pieniędzy na zakup jedzenia.

23

Była połowa czerwca i Katie wychodziła od Ivana po zakończeniu męczącej wieczornej zmiany, kiedy dostrzegła przy wejściu znajomą postać.

— Hej! — zawołała Jo i pomachała do niej spod latarni, do której słupa Katie przymocowała łańcuchem rower.

— Co tu robisz? — spytała Katie, pochylając się, aby uściskać przyjaciółkę.

Nigdy przedtem nie spotkała Jo w mieście i widząc ją teraz po raz pierwszy poza własnym domem, z jakiegoś powodu poczuła się dziwnie.

— Przyszłam się z tobą zobaczyć. Gdzie byłaś, dziewczyno?

— Mogłabym ci zadać dokładnie to samo pytanie.

— Och, bywam w domu dostatecznie często, więc wiem, że od kilku tygodni widujesz się z Alexem. — Jo mrugnęła do niej. — Ale jako przyjaciółka nigdy nie zamierzałam się wtrącać. Uznałam, że potrzebujecie trochę czasu sam na sam.

Katie wbrew sobie oblała się rumieńcem.

— Skąd wiedziałaś, że tu jestem?

— Nie wiedziałam. Jednak światła w twoim domu nie

były włączone, więc zaryzykowałam. — Wzruszyła ramionami. Wskazała przez ramię. — Masz coś w planie? Może wypijemy po drinku przed powrotem do domu? — Kiedy zobaczyła, że Katie się waha, dodała: — Wiem, że jest późno. Jeden drink, obiecuję. Potem pozwolę ci się położyć do łóżka.

— Jeden drink — zgodziła się Katie.

Kilka minut później weszły do lubianego przez miejscowych pubu. Ściany lokalu wyłożono boazerią z ciemnego drewna, obecnie uszkodzonego przez dziesięciolecia użytkowania; za barem ciągnęło się długie lustro. Dziś w pubie panował spokój i ledwie kilka stolików było zajętych, toteż przyjaciółki zajęły miejsca w kącie na tyłach pubu. Ponieważ najwyraźniej w lokalu nie obsługiwały kelnerki, Katie zamówiła przy barze dwa kieliszki wina.

— Dzięki — odparła Jo, biorąc kieliszek. — Następnym razem ja stawiam. — Rozparła się na siedzeniu. — Więc ty i Alex, co?

— Czy właśnie o tym chciałaś ze mną porozmawiać? — spytała Katie.

— No cóż, ponieważ moje życie miłosne jest zerowe, muszę cieszyć się twoim szczęściem. Wydaje mi się jednak, że dobrze wam się układa. Odwiedził cię... ile razy? Dwa czy trzy razy w ubiegłym tygodniu? I tyle samo w poprzednim?

Właściwie więcej razy, pomyślała Katie.

— Coś w tym rodzaju — odparła.

Jo zakołysała kieliszkiem, który trzymała za nóżkę.

— Aha.

— Aha... co? — spytała Katie.

— Gdybym cię nie znała, mogłabym pomyśleć, że sytuacja robi się poważna.

Jo uniosła brew.

239

— Wciąż się poznajemy — bąknęła Katie, niepewna, do czego sąsiadka zmierza tymi pytaniami.

— Tak zaczyna się każdy związek. On lubi ciebie, ty lubisz jego. Potem pokonujecie kolejne stopnie bliskości.

— Dlatego przyszłaś? — Katie usiłowała zapanować nad rozdrażnionym tonem. — Aby usłyszeć wszystkie szczegóły?

— Nie wszystkie. Tylko te pikantne.

Katie przewróciła oczami.

— A może pomówimy zamiast tego o twoim życiu intymnym?

— Po co? Masz ochotę popaść w przygnębienie?

— Kiedy ostatni raz byłaś na randce?

— Na prawdziwej? Czy po prostu na spotkaniu z mężczyzną?

— Na prawdziwej randce.

Jo się zawahała.

— Podejrzewam, że przynajmniej dobre parę lat temu.

— I co się stało później?

Jo zanurzyła palec w kieliszku, a później przesunęła nim po obrzeżu. Rozległ się dziwny odgłos.

W końcu kobieta podniosła oczy.

— Fajnego faceta trudno znaleźć — odparła tęsknym głosem. — Nie każdy ma takie szczęście jak ty.

Katie zupełnie nie wiedziała, co na to odpowiedzieć, więc tylko dotknęła dłoni przyjaciółki.

— Ale co tak naprawdę się dzieje? — spytała łagodnie. — Dlaczego chciałaś ze mną pomówić?

Jo rozejrzała się po pustym barze, jakby w otoczeniu szukała natchnienia.

— Usiadłaś kiedykolwiek spokojnie i zastanowiłaś się, co to wszystko oznacza? Czy istnieje coś... potężniejszego...

gdzieś? A może zadumałaś się, czy aby nie zostałaś stworzona do czegoś lepszego?

— Sądzę, że każdy ma takie myśli — odrzekła ostrożnie Katie.

Jej ciekawość wzrosła.

— Kiedy byłam dzieckiem, wierzyłam, że jestem księżniczką. Wiesz, jedną z tych dobrych. Kimś, kto zawsze postępuje właściwie i posiada moc ulepszania życia innych, tak by żyli długo i szczęśliwie. — Katie skinęła głową. Pamiętała, że sama myślała kiedyś podobnie, ponieważ jednak nie była pewna, do czego Jo zmierza, nic nie powiedziała. — Sądzę, że właśnie dlatego robię teraz to, co robię. Gdy zaczynałam, chciałam po prostu pomagać. Widziałam ludzi, którzy zmagali się ze stratą ukochanej osoby: rodzica, dziecka, przyjaciela... Serce miałam wprost przepełnione współczuciem. Ze wszystkich sił starałam się ich wesprzeć. Ale wraz z upływem czasu doszłam do wniosku, że niewiele mogę zrobić sama. Że ludzie w żałobie muszą sami chcieć zapomnieć i w końcu pójść dalej, że pierwszy krok należy do nich, a motywacja musi zrodzić się w nich. Ta pierwsza iskra otwiera drzwi na to, co niespodziewane.

Katie zrobiła wielki wdech, próbując zrozumieć chaotyczny wywód przyjaciółki.

— Nie wiem, co usiłujesz mi powiedzieć — przyznała się wreszcie.

Jo zakołysała kieliszkiem z winem, studiując poruszający się płyn.

— Mówię o tobie i Alexie — wyjaśniła i po raz pierwszy jej ton stał się absolutnie poważny.

Katie nie potrafiła ukryć zaskoczenia.

— O mnie i Alexie? — powtórzyła.

— Tak. — Sąsiadka kiwnęła głową. — Powiedział ci, że

241

stracił żonę, prawda? Opowiadał, jak ciężko mu było... Jak ciężko cała rodzina... to zniosła?

Katie wpatrywała się w nią nad stołem. Nagle zrobiło jej się nieswojo.

— Tak... — zaczęła.

— Bądź zatem ostrożna, jeśli chodzi o nich — ciągnęła Jo, nadal poważna. — Bądź ostrożna z nimi wszystkimi. Nie złam nikomu serca.

W krępującym milczeniu, które zapadło, Katie przypomniała sobie nieoczekiwanie ich pierwszą rozmowę o Alexie. „Spotykaliście się kiedyś?" — spytała wówczas przyjaciółkę. „Tak, ale może nie w sensie, o jakim myślisz. I żebyśmy się dobrze zrozumiały: to było dawno temu i wszyscy już o tym zapomnieliśmy".

W owym czasie zakładała, że Jo i Alex byli w przeszłości parą, ale teraz...

Uderzył ją oczywisty wniosek. Psycholożka, o której wspomniał Alex, osoba, która rozmawiała z dziećmi i z nim po śmierci Carly — tak, to na pewno była Jo.

Usiadła prosto.

— Zajmowałaś się Alexem i dziećmi, prawda? To znaczy po śmierci Carly?

— Wolałabym nie odpowiadać na to pytanie — odparła Jo. Jej ton był wyważony i opanowany. Dokładnie taki, jakim powinien mówić psycholog. — Powiem jedynie, że oni wszyscy... znaczą dla mnie wiele. I że jeśli nie traktujesz tej rodziny poważnie i nie bierzesz pod uwagę związania swojej przyszłości z tą trójką, myślę, że powinnaś zakończyć ten związek teraz. Zanim będzie za późno.

Katie poczuła, że policzki jej płoną. Uwagi przyjaciółki wydawały jej się niestosowne, może nawet aroganckie. Uważała, że Jo nie powinna mówić do niej w taki sposób.

— Nie jestem pewna, czy jest to rzeczywiście twoja sprawa! — odburknęła.

Jo przyznała jej rację, niechętnie kiwając głową.

— Zgadza się. To nie jest moja sprawa... I przekraczam w tym momencie granice, których nie powinnam. Ale naprawdę uważam, że wszyscy troje przeszli już zbyt wiele. I ostatnią rzeczą, jakiej dla nich pragnę, jest emocjonalny związek z kimś, kto nie ma zamiaru pozostać w Southport na stałe. Może martwi mnie, że o przeszłości nigdy właściwie nie da się zapomnieć i że być może w pewnym momencie postanowisz po prostu odejść, nie przejmując się, jak dużo smutku za sobą zostawisz.

Katie oniemiała. Ta rozmowa rozpoczęła się tak niespodziewanie i była taka nieprzyjemna. Słowa Jo wprowadziły prawdziwe zamieszanie, przez to nie mogła zebrać myśli. Jeśli przyjaciółka wyczuła jej skrępowanie, nie dała nic po sobie poznać, gdyż nie ustawała w wysiłkach.

— Miłość nic nie znaczy, jeżeli nie chcesz się z kimś wiązać — wyjaśniła. — I musisz myśleć nie tylko o sobie, lecz brać także pod uwagę pragnienia partnera. Nie tylko obecne, ale też przyszłe. — Brązowymi oczami wciąż wpatrywała się uporczywie w Katie ponad stolikiem. — Jesteś gotowa zostać żoną Alexa i być matką dla jego dzieci? Bo właśnie tego on pragnie. Może nie dziś, może nie w tej chwili, ale w niedalekiej przyszłości na pewno. Jeśli nie chcesz się wiązać i chcesz jedynie zabawić się jego uczuciami i uczuciami jego dzieci, w takim razie nie jesteś kobietą, której on potrzebuje w życiu. — Zanim Katie zdążyła cokolwiek powiedzieć, Jo wstała od stolika. — Może to źle — dodała — że wygarnęłam ci wszystko, i może już dłużej nie będziemy przyjaciółkami, nie czułabym się jednak dobrze, gdybym nie powiedziała ci szczerze, co myślę. Tak jak mówiłam ci od samego początku, Alex jest dobrym człowiekiem. Rzadki typ. Potrafi kochać mocno i nigdy nie przestaje. — Poczekała, aż sens jej uwagi dotrze do Katie, a wtedy rysy jej twarzy nagle złagodniały. — Myślę, że jesteś taka sama, chciałam ci jednak przypomnieć, że jeżeli Alex cię choć trochę obchodzi, powinnaś chcieć się z nim związać. Niezależnie od tego, co może przynieść przyszłość. Niezależnie od tego, jak bardzo cię ta myśl przeraża.

Po tych słowach odwróciła się i wyszła z baru, pozostawiając zaszokowaną przyjaciółkę siedzącą samotnie przy stoliku. Dopiero gdy Katie wstała i również ruszyła do wyjścia, zauważyła, że Jo nawet nie tknęła wina.

24

Kevin Tierney nie pojechał do Provincetown na weekend, mimo że tak powiedział Coffeyowi i Ramirezowi. Zamiast tego tkwił w domu przy szczelnie zasuniętych zasłonach i rozpamiętywał, jak blisko znalezienia Erin był w Filadelfii. Nie wyśledziłby jej tak daleko, gdyby nie popełniła błędu na dworcu autobusowym. Wiedział, że autobus to jedyny środek transportu, który mogła wybrać. Bilety tam są tanie, a przy kupowaniu ich nie trzeba pokazywać dowodu tożsamości. Nie miał pewności, jak dużo pieniędzy Erin mu ukradła, ale suma bez wątpienia nie była duża. Od pierwszego dnia po ślubie liczył przecież pieniądze. Zawsze kazał Erin zatrzymywać paragony i oddawać mu całą resztę, a po drugiej ucieczce żony zaczął również chować przed snem portfel do zamykanego pudełka na broń. Czasami jednak zasypiał na kanapie i prawdopodobnie wtedy wyjmowała mu portfel z kieszeni i kradła pieniądze. Wyobrażał sobie, jak robiąc to, w duszy śmiała się z niego. A gdy rano przygotowywała mu śniadanie, udawała, że nie popełniła żadnego wykroczenia. Uśmiechała się i całowała go, ale w sercu się śmiała. Śmiała się z niego! Okradała go, a on wiedział, że to źle, ponieważ Biblia mówi: „Nie kradnij".

W ciemnościach przygryzł wargę, przypominając sobie początkową nadzieję, że Erin może wróci. Padał śnieg i nie mogła zajść daleko; po raz pierwszy uciekła również w przenikliwie zimną noc i wówczas zadzwoniła do niego po kilku godzinach, prosząc, aby po nią przyjechał, ponieważ nie miała dokąd pójść. Po powrocie do domu przeprosiła go za swój czyn, a on przygotował jej kubek gorącego kakao i podał drżącej na kanapie. Przyniósł jej koc i obserwował, jak się nim okrywa, próbując się rozgrzać. Uśmiechnęła się do niego, a on do niej, ale kiedy przestała dygotać, wielkimi krokami przeszedł pokój i policzkował ją, aż się rozpłakała. Zanim wstał rano do pracy, Erin oczyściła podłogę z rozlanego kakao, chociaż na dywanie wciąż pozostała plama, której nie potrafiła usunąć. Ilekroć później Kevin spojrzał na tę plamę, jego gniew rósł.

Tym razem Erin uciekła w styczniu. Czekając na jej powrót, wypił dwie szklanki wódki, lecz telefon nie dzwonił, a frontowe drzwi pozostały zamknięte. Wiedział, że nie mogła odejść daleko. Przecież rozmawiał z nią przez telefon niecałą godzinę wcześniej. Powiedziała mu, że robi kolację, ale gdy wrócił do domu, na piecu nie czekało na niego żadne danie. Nie dostrzegł śladów żony ani w domu, ani w piwnicy, ani w garażu. Stanął na werandzie i szukał wzrokiem śladów butów na śniegu, było jednak oczywiste, że nie wyszła frontowymi drzwiami. Jednakże śnieg na tylnym dziedzińcu również był nietknięty, więc i tamtędy nie uciekła. Miał wrażenie, jakby odleciała albo wyparowała. Czyli że powinna być gdzieś w domu... a jednak nigdzie jej nie znalazł.

Wypił następne dwie wódki i minęło kolejne pół godziny. Do tej pory czuł już wściekłość, uderzył z całych sił pięścią w drzwi sypialni i zrobił dziurę w drewnie. Wypadł z domu jak szalony i zaczął walić w drzwi sąsiadów, pytając, czy ktoś

246

zauważył ucieczkę Erin, lecz nikt nie potrafił mu nic powiedzieć. Wskoczył do auta i jeździł tam i z powrotem po ulicach dzielnicy, szukając żony i próbując się domyślić, w jaki sposób zdołała opuścić dom bez pozostawiania śladów. Uważał, że Erin ma nad nim dwugodzinną przewagę, ale przecież przemieszczała się na piechotę, a podczas takiej pogody nie mogła zajść daleko. Chyba że ktoś po nią przyjechał i ją zabrał! Ktoś, kogo lubiła. Jakiś mężczyzna! Uderzył pięścią w kierownicę. Gniew wykrzywił mu twarz. Sześć przecznic stąd zaczynała się dzielnica handlowa. Kevin obszedł sklepy, pokazując ekspedientom trzymaną w portfelu fotografię żony, i pytał, czy ktoś widział Erin. Nikt jej nie widział! Mówił ludziom, że być może Erin towarzyszył mężczyzna, nadal wszakże wszyscy kręcili głowami. Faceci, których pytał, odpowiadali stanowczo: „Taka ładna blondynka? Zauważyłbym ją, szczególnie w taką noc jak dziś".

Przejechał wszystkie bez wyjątku drogi w obrębie dziesięciu kilometrów od domu dwa albo trzy razy, zanim w końcu zrezygnował i wrócił. Była trzecia nad ranem, a on w mieszkaniu tkwił sam. Po kolejnej wódce ze smutkiem poszedł spać.

Rano, kiedy się obudził, znowu był wściekły i roztrzaskał młotkiem donice, które Erin trzymała na podwórzu za domem. Oddychając z trudem, powlókł się do telefonu, zadzwonił do pracy, na posterunek, i powiedział, że jest chory, a potem wrócił na kanapę i usiłował wymyślić, jak Erin uciekła. Tak, ktoś musiał ją stąd zabrać; ktoś musiał gdzieś ją wywieźć. Ktoś, kogo znała. Jakiś przyjaciel z Atlantic City? Z Altoony? Przypuszczał, że to możliwe, tyle że przecież co miesiąc sprawdzał billingi telefoniczne. Erin nigdy nie dzwoniła poza stan. Czyli że ten mężczyzna musiał być miejscowy. Ale kto? Nigdy nigdzie nie wychodziła, nigdy z nikim nie rozmawiała. Kevin był tego pewny.

Poszedł do kuchni i nalał sobie kolejnego drinka, kiedy usłyszał, że dzwoni telefon. Rzucił się w jego stronę, mając nadzieję, że telefonuje Erin. Co dziwne jednak, telefon zadzwonił tylko raz, a kiedy Kevin podniósł słuchawkę, usłyszał w niej sygnał ciągły. Wpatrywał się w słuchawkę, próbując domyślić się, o co chodzi, aż wreszcie ją odłożył. Jak Erin uciekła?! Na pewno coś przeoczył. Nawet jeśli zabrał ją do auta ktoś tutejszy, w jaki sposób dotarła do drogi, nie pozostawiając śladów? Zagapił się w okno, usiłując ustalić kolejność zdarzeń. Coś mu nie pasowało, ale nie wiedział co. Odwrócił się od okna i odkrył, że koncentruje się na aparacie telefonicznym. I wtedy właśnie fakty nagle same ułożyły mu się w całość. Wyjął komórkę. Wystukał numer domowy. Telefon stacjonarny zadzwonił raz, choć w komórce wciąż słyszał sygnał wolny. Kiedy podniósł słuchawkę stacjonarnego, usłyszał sygnał ciągły i wtedy pojął, że Erin przekierowała rozmowy na jakiś telefon komórkowy. Co znaczyło, że nie była w domu, kiedy zadzwonił do niej ubiegłego wieczoru. W ten sposób znalazł również przyczynę kiepskiej słyszalności, która nie umknęła mu podczas rozmów z żoną w ciągu ostatnich dwóch dni. Oraz, oczywiście, powód braku śladów butów na śniegu. Teraz wiedział, że Erin nie ma w domu od wtorkowego ranka.

*

Na dworcu autobusowym popełniła błąd, nawet jeśli tak naprawdę nic nie mogła na to poradzić. Powinna wszakże kupić bilety od kobiety, ponieważ Erin jest ładna, a mężczyźni zawsze zapamiętują ładne babeczki. Nieważne, czy kobieta ma włosy długie i blond, czy raczej krótkie i ciemne. Nie miało też znaczenia, czy Erin udawała na przykład, że jest w ciąży.

Pojechał na dworzec autobusowy. Pokazał odznakę i większe fotografie żony. Za pierwszym i drugim razem żaden z kasjerów nie rozpoznał Erin, ale za trzecim jeden ze sprzedających bilety mężczyzn zawahał się i powiedział, że być może ją widział, tyle że włosy miała krótkie i brązowe. I była w zaawansowanej ciąży. Kasjer nie pamiętał jednak celu podróży kobiety. Po powrocie do domu Kevin znalazł fotografię Erin w komputerze i w programie Photoshop zmienił jej włosy z jasnych na kasztanowe, a potem je skrócił. W piątek znowu zadzwonił do pracy i wykpił się rzekomą chorobą. „To ona" — potwierdził kasjer, a Kevin poczuł nagły przypływ energii. Myślała, że jest bystrzejsza od niego, a przecież była głupia i nieostrożna. I popełniła błąd. W następnym tygodniu Kevin wziął parę dni wolnego i ciągle kręcił się po dworcu, pokazując nową fotografię kierowcom autobusów. Zjawiał się rano, a do domu wracał późnym wieczorem, ponieważ kierowcy przyjeżdżali i odjeżdżali przez cały dzień. Miał w samochodzie dwie butelki wódki; nalewał sobie do styropianowego kubka i sączył przez słomkę.

W sobotę, jedenaście dni po odejściu Erin, znalazł kierowcę autobusu, który zawiózł ją do Filadelfii. Kierowca powiedział, że zapamiętał Erin, gdyż była ładna, ciężarna i nie miała żadnego bagażu.

*

Filadelfia. Kevin wiedział, że żona mogła już opuścić to miasto i ruszyć w nieznanym kierunku, był to jednakże jedyny trop, który posiadał. Ale wiedział też, że Erin nie ma zbyt dużo pieniędzy.

Spakował torbę, wskoczył do auta i pojechał do Filadelfii. Zaparkował przy dworcu autobusowym i starał się myśleć tak jak żona. Był dobrym detektywem i wiedział, że jeśli uda mu się w nią wcielić, zdoła ją znaleźć. Już dawno temu odkrył, że ludzie są przewidywalni. Autobus przyjechał kilka minut przed szesnastą i Kevin stanął na dworcu, rozglądając się wokół siebie. Pomyślał, że kilka dni wcześniej Erin stała tutaj tak samo jak on teraz, i zastanowił się, co zrobiłaby w obcym mieście bez pieniędzy, przyjaciół i kryjówki. Ćwierćdolarówki, dziesięciocentówki i banknoty jednodolarowe nie zaprowadzą jej daleko, szczególnie że większość wydała na bilet autobusowy. Przypomniał sobie, że było chłodno i wkrótce zapadnie zmierzch. Erin nie chciałaby iść zbyt daleko, a musiała się gdzieś zatrzymać. Potrzebny był jej hotel, w którym przyjmują gotówkę. Ale gdzie? Nie tutaj, nie w tej dzielnicy. Tu było zbyt drogo. Dokąd zatem poszła? Nie chciałaby się zgubić ani skierować w niewłaściwym kierunku, co oznaczało, że prawdopodobnie zajrzała do książki telefonicznej. Kevin poszedł na dworzec i przejrzał spis hoteli. Odkrył, że lista zajmowała wiele stron. Erin mogła wybrać jeden, ale co dalej? Musiała tam jakoś dojść. Czyli że potrzebowała planu miasta.

Poszedł do sklepu ogólnospożywczego na dworcu i kupił plan Filadelfii. Pokazał sprzedawcy zdjęcie żony, lecz mężczyzna pokręcił głową. Powiedział, że nie pracował w tamten wtorek. Ale Kevin czuł, że się nie pomylił. Uważał, że tak właśnie Erin postąpiła. Rozłożył plan miasta i znalazł dworzec. Odkrył, że stąd niedaleko jest do Chinatown, i domyślił się, że żona skierowała się właśnie w tamtą stronę.

Wrócił do samochodu i ruszył ulicami Chinatown. Znów czuł, że jest na tropie. Pił wódkę i kręcił się po ulicach. Zaczął od hoteli położonych najbliżej dworca autobusowego i wszędzie pokazywał fotografię Erin. Nikt nic nie wiedział, ale Kevin odnosił wrażenie, że niektórzy z rozmówców kłamią. Zwiedzał tanie hoteliki, do których nigdy by nie zabrał żony, ohydne miejsca, gdzie dają brudną pościel, hotele prowadzone przez ludzi, który ledwie mówili po angielsku i przyjmowali wyłącznie gotówkę. Sugerował w rozmowach, że szuka jej, gdyż grozi jej niebezpieczeństwo i może jej się stać coś złego, jeżeli jej nie znajdzie. Wyśledził pierwszy hotel, w którym się zatrzymała, ale właściciel nie wiedział, dokąd później odeszła. Przyłożył mu pistolet do głowy, lecz mężczyzna tylko płakał i nie potrafił powiedzieć mu nic więcej.

Kevin musiał wrócić do pracy w poniedziałek, wściekły, że Erin mu się wymknęła. Ale w kolejny weekend wrócił do Filadelfii. I w kolejny. Rozszerzał teren poszukiwań, niestety, miejsc do sprawdzenia było dla jednej osoby zbyt wiele. W dodatku nie wszyscy ufali gliniarzowi spoza miasta. Ale był cierpliwy i skrupulatny, a poza tym wciąż wracał, gdyż stale brał urlop. Minął kolejny weekend. Rozszerzył krąg poszukiwań, wiedząc, że żona będzie potrzebowała gotówki. Zachodził do barów i restauracji, dużych i mniejszych. Postanowił, że jeśli będzie musiał, sprawdzi każdy lokal w Filadelfii. W końcu, tydzień po walentynkach, spotkał kelnerkę imieniem Tracy, która mu powiedziała, że Erin pracuje w pewnej taniej restauracyjce. Tyle że kazała się nazywać Erica. Miała przyjść do pracy nazajutrz. Kelnerka mu zaufała, ponieważ był policyjnym detektywem; nawet flirtowała z nim i zanim wyszedł, zapisała mu swój numer telefonu.

Wynajął samochód i czekał w odległości przecznicy od lokalu następnego ranka, zanim wzeszło słońce. Pracownicy wchodzili przez drzwi z bocznej uliczki. Kevin siedział na przednim siedzeniu i popijając wódkę ze styropianowego kubka, czekał na żonę. Dostrzegł idące uliczką właścicielkę lokalu, Tracy oraz inną kobietę, ale Erin nie pojawiła się ani tego dnia, ani nazajutrz, a nikt nie wiedział, gdzie mieszka. W ogóle nie wróciła po wypłatę.

251

Dowiedział się, gdzie wynajmowała pokój, kilka godzin później. Hotelik mieścił się kilka kroków od lokalu i był kiepski. Mężczyzna, który przyjmował jedynie gotówkę, nie wiedział nic — oprócz tego, że Erin wyszła poprzedniego dnia, wróciła, a później znów wyszła, tym razem pospiesznie. Kevin przeszukał jej pokój, ale nie znalazł niczego, a kiedy poszedł po rozum do głowy i popędził na dworzec autobusowy, odkrył, że we wszystkich kasach pracują wyłącznie kobiety i żadna nie zapamiętała jego żony. W ciągu ostatnich dwóch godzin autobusy odjechały na północ, południe, wschód i zachód. Czyli wszędzie. Erin zatem znowu zniknęła. Kevin wrócił do auta. Krzyczał i bił pięściami o kierownicę, aż porobił sobie siniaki i dłonie mu spuchły.

*

W miesiącach, które upłynęły od odejścia żony, Kevin cierpiał, a jego ból stawał się coraz straszniejszy i coraz trudniejszy do opanowania, z każdym dniem rozrastając się niczym złośliwy nowotwór. Przez następnych kilka tygodni Kevin wracał do Filadelfii i wypytywał kierowców, lecz jego poszukiwania nie przyniosły oczekiwanych rezultatów. Ostatecznie dowiedział się, że Erin pojechała do Nowego Jorku, lecz tam ślad się urywał, od jej wyjazdu bowiem upłynęło już tyle dni... W Nowym Jorku było zbyt wiele autobusów, zbyt wielu kierowców i zbyt wielu pasażerów; za dużo możliwości. Erin mogła obecnie przebywać gdziekolwiek. Gdy o tym myślał, czuł prawdziwą udrękę albo dostawał napadów wściekłości, a wówczas rozbijał wszystko, co wpadło mu w ręce. Albo płakał, zanim zasnął. Przepełniała go rozpacz, a czasami odnosił wrażenie, że traci rozum.

To nie było w porządku! Kochał Erin, kochał ją od dnia,

gdy po raz pierwszy spotkali się w Atlantic City. I byli przecież szczęśliwi, nieprawdaż? Na samym początku małżeństwa, tuż po ślubie, Erin zdarzało się podśpiewywać, gdy nakładała makijaż. Kevin często chodził z nią do biblioteki, gdzie wypożyczała osiem czy dziesięć książek. Czasami czytała mu fragmenty z tych powieści, a wtedy słuchał jej głosu i patrzył, jak opierała się o blat w kuchni. I myślał wówczas, że ma za żonę najpiękniejszą kobietę na świecie.

Był dobrym mężem. Kupił jej taki dom, jaki chciała, a także firanki i meble, jakie chciała, chociaż właściwie nie było go na to wszystko stać. Po ślubie w drodze z pracy do domu nierzadko kupował żonie kwiaty od ulicznych sprzedawców, a ona wkładała je do wazonu, który stawiała na stoliku obok świec. I razem jadali romantyczne kolacje. Czasami kochali się później w kuchni, a Erin przyciskała plecy do szafki.

Nigdy nie kazał jej pracować. Nie wiedziała, jak cudowne ma życie. Nie rozumiała, jak bardzo on się dla niej poświęca. Była rozpieszczoną egoistką i myśl ta naprawdę gniewała Kevina. Tak, Erin w ogóle nie zdawała sobie sprawy z tego, jak beztroskie prowadzi życie! Musiała tylko posprzątać dom i przygotować posiłki, a resztę czasu codziennie mogła spędzać na czytaniu głupich powieści, które znosiła z biblioteki, oglądaniu telewizji lub drzemkach. I nigdy nie musiała martwić się o rachunki ani o czynsz, ani o ludzi, którzy gadają za plecami. Nigdy nie musiała oglądać ciał osób, które zostały zamordowane. Kevin chronił ją przed światem, ponieważ ją kochał, ale dla niej fakt ten nie miał żadnego znaczenia. Nigdy nie mówił jej o dzieciach poparzonych żelazkiem lub zrzuconych z dachu budynku ani o kobietach, które ktoś zadźgał w bocznej uliczce, a ich zwłoki porzucił na śmietniku. Nigdy nie opowiadał Erin, jak czasami musiał zeskrobywać zaschniętą krew z butów, zanim wsiadł do samochodu, i nie zwierzał jej się, że kiedy zagląda w oczy mordercom, wie, iż ma do czynienia z prawdziwym złem, gdyż Biblia mówi: *[Jeśli] kto przeleje krew ludzką, przez ludzi ma być przelana krew jego, bo człowiek został stworzony na obraz Boga**. Kochał ją i Erin kochała jego, więc powinna wrócić do domu, a jednak nie mógł jej znaleźć. Mogłaby ponownie prowadzić szczęśliwe życie i on nigdy by jej już nie bił, nie uderzałby pięścią, nie policzkował ani nie kopał... Gdyby tylko weszła tymi drzwiami. Ponieważ zawsze był dobrym mężem. Kochał ją, a ona kochała jego. Pamiętał dzień, w którym spytał, czy za niego wyjdzie, a ona przypomniała mu o nocy, gdy spotkali się przed kasynem, kiedy jacyś mężczyźni poszli za nią. Niebezpieczni ludzie. Przegonił ich wtedy, dzięki czemu nie zrobili jej krzywdy, a rano poszli we dwoje na spacer po promenadzie i Kevin zaprosił Erin na kawę. Powiedziała mu, że oczywiście, iż wyjdzie za niego. Powiedziała, że go kocha. Że dzięki niemu czuje się bezpieczna.

Tak, bezpieczna. Tego właśnie słowa użyła — „bezpieczna".

---

* Księga Rodzaju 9,6. Wszystkie cytaty z Biblii pochodzą z: Pismo Święte Starego i Nowego Testamentu, Biblia Tysiąclecia, Wydawnictwo Pallottinum, Poznań 2003.

25

Na trzeci tydzień czerwca złożyła się seria cudownych letnich dni. Popołudniami temperatura rosła stopniowo, przynosząc ze sobą na tyle dużą wilgotność, że powietrze gęstniało, a horyzont wyglądał na zamglony. Szybko, jakby za dotknięciem czarodziejskiej różdżki, tworzyły się ciężkie chmury, z których spadały gwałtowne deszcze; strugi wody lały się z nieba wstrząsanego grzmotami. Przelotne deszcze nigdy nie trwały wszakże długo, toteż już po chwili jedynym śladem po nich były ociekające liście drzew i warstwa mgiełki tuż nad ziemią.

Katie nadal przyjmowała długie wieczorne zmiany w restauracji. Do domu jechała zmęczona, a rano nogi i stopy często ją bolały od chodzenia. Połowę pieniędzy otrzymywanych w ramach napiwków wkładała do puszki po kawie, która była już niemal po brzegi wypełniona. Katie miała więcej pieniędzy, niż sądziła, że jest w stanie oszczędzić, więcej niż dość, by opuścić Southport, jeśli będzie musiała. Po raz pierwszy zastanowiła się, czy powinna w ogóle dalej zbierać.

Powoli żuła ostatnie kęsy śniadania i przez okno patrzyła na dom Jo. Nie rozmawiały od ostatniego spotkania, ale ubiegłej nocy, po zmianie w restauracji, Katie widziała, że w kuchni i salonie Jo palą się światła. Wcześniej dziś rano usłyszała, jak sąsiadka z chrzęstem odjeżdża autem po żwirowej drodze. Nie wiedziała, co jej powiedzieć ani czy w ogóle ma ochotę z nią rozmawiać. Nie potrafiła nawet zdecydować, czy gniewa się na Jo za wścibstwo. Dla tej kobiety najwyraźniej bardzo się liczyli Alex i dzieci; martwiła się o nich i podzieliła się z Katie tą troską. Trudno się było doszukiwać złośliwości w jej poczynaniach.

Później Katie miał odwiedzić Alex. Jego wizyty łatwo wpisały się w jej tryb życia, a kiedy byli we dwoje, stale dostrzegała u niego te wszystkie cechy, z powodu których się w nim zakochała. Ten mężczyzna bez trudu akceptował jej częste chwile milczenia i zmienne nastroje. I traktował ją z łagodnością, która wciąż ją zadziwiała i wzruszała. Tyle że Katie od rozmowy z Jo zastanawiała się, czy nie krzywdzi Alexa. Co się stanie, gdy w końcu zjawi się Kevin? Jak Alex i dzieci zareagują, jeśli Katie zniknie i nigdy nie wróci? Czy potrafiłaby opuścić całą trójkę i nigdy więcej się do nich nie odezwać?

Znienawidziła zadane jej przez przyjaciółkę pytania, ponieważ nie była jeszcze gotowa się z nimi zmierzyć.

„Nie masz pojęcia, przez co przeszłam — chciała powiedzieć sąsiadce później, gdy znalazła czas na przemyślenie ich rozmowy. — Nie masz pojęcia, jaki jest mój mąż".

A jednak sama sobie również zadawała te pytania.

Po śniadaniu włożyła naczynia do zlewu i obeszła swój niewielki dom, rozmyślając, jak wiele zmieniło się w ostatnich kilku miesiącach. Nie posiadała dosłownie nic, lecz odnosiła wrażenie, że ma więcej niż kiedykolwiek. Czuła, że kocha kogoś po raz pierwszy od lat. Nigdy nie cechowała się przesadnym instynktem macierzyńskim, teraz jednak odkrywała, że często myśli o Kristen i Joshu i martwi się o nich. Refleksje na ich temat dopadały ją w momentach, gdy najmniej się tego spodziewała. Wiedziała, że nie jest w stanie przewidzieć własnej przyszłości, a jednak uderzyła ją nagła pewność, że nie wyobraża już sobie życia bez dzieci i Alexa.

Co powiedziała jej kiedyś Jo? „Mówię ludziom tylko to, co już wiedzą, ale do czego boją się przyznać nawet przed sobą".

Zastanowiwszy się nad słowami przyjaciółki, Katie doskonale zdawała sobie sprawę z tego, co musi zrobić.

*

— Jasne — zgodził się Alex natychmiast, gdy wyłuszczyła mu swoją prośbę. Zauważyła, że jest zaskoczony, lecz równocześnie wyglądał na zadowolonego. — Kiedy chcesz zacząć?

— Może dziś? — zasugerowała. — O ile masz trochę czasu.

Rozejrzał się po sklepie. Tylko jeden mężczyzna siedział w części jadalnej. Z klientem gawędził oparty o kontuar Roger.

— Hej, Roger! — zawołał Alex. — Możesz obsłużyć kasę przez godzinę?

— Pewnie, szefie — odparł Roger.

Pozostał na swoim miejscu, lecz Alex wiedział, że w razie konieczności stanie na wysokości zadania. Na szczęście rano w dni robocze, po pierwszej godzinie większego ruchu, do sklepu nie zaglądało wiele osób, więc Roger na pewno sobie poradzi.

Alex wyszedł zza kasy.

— Jesteś gotowa?

— Właściwie nie — bąknęła. Objęła się nerwowo ramionami. — Ale wiem, że powinnam się tego nauczyć.

257

Wyszli ze sklepu i poszli do jeepa Alexa. Wsiadając, Katie czuła na sobie wzrok mężczyzny.

— Skąd to niespodziewane pragnienie prowadzenia auta? — spytał. — Rower już ci nie wystarcza?

Wyraźnie się z nią drażnił.

— Nie potrzebuję lepszego środka transportu niż rower — odparowała. — Ale chcę mieć prawo jazdy.

Sięgnął po kluczyki samochodowe, lecz zatrzymał się w pół ruchu. Odwrócił się ponownie do Katie, a gdy patrzył na nią z uwagą, przypomniała sobie, że był kiedyś oficerem śledczym. Bez wątpienia to, co powiedziała, wzbudziło jego czujność i ostrożność.

— Nauka prowadzenia auta to tylko część problemu. Chcąc zdobyć prawo jazdy w tym stanie, musisz mieć dokumenty potwierdzające tożsamość. Metrykę urodzenia, kartę ubezpieczenia społecznego, tego typu rzeczy.

— Wiem — odrzekła.

— Takie informacje można wyśledzić — zauważył, dobierając starannie słowa. — Jeśli dostaniesz prawo jazdy, ludzie będą mogli cię znaleźć.

— Już przecież podałam numer ubezpieczenia — przypomniała mu. — Gdyby Kevin o nim wiedział, do tej pory zdążyłby mnie odszukać. Ale jeżeli zamierzam zostać w Southport, muszę to zrobić!

Alex pokręcił głową.

— Katie...

Pochyliła się ku niemu i pocałowała go w policzek.

— W porządku — zapewniła go. — Nie mam na imię Katie, pamiętasz?

Przesunął palcem po jej krągłym policzku.

— Dla mnie zawsze będziesz Katie.

Uśmiechnęła się.

— Mam jeszcze jeden sekret — ciągnęła. — Moje włosy nie są brązowe. Tak naprawdę jestem naturalną blondynką.

Usiadł prosto, przyswajając sobie tę nowinę.

— Jesteś pewna, że chcesz, abym to wiedział?

— Podejrzewam, że prędzej czy później i tak się dowiesz. Kto wie, może pewnego dnia wrócę do pierwotnego koloru.

— O co chodzi? Chcesz nauczyć się prowadzić auto, bez pytania zarzucasz mnie informacjami...?

— Twierdziłeś, że mogę ci zaufać. — Wzruszyła ramionami. — Wierzę ci.

— I tyle?

— Tak — odparła. — Czuję, że mogę ci powiedzieć wszystko.

Wpatrywał się w ich ręce splecione między siedzeniami, po czym spojrzał na Katie.

— W takim razie przejdę do rzeczy. Jesteś pewna, że nikt nie podważy twoich dokumentów? Wiesz, że to nie mogą być kopie, lecz oryginały.

— Wiem — powiedziała.

Uznał, że lepiej nie pytać więcej. Sięgnął po kluczyki, ale nie uruchomił silnika.

— O co chodzi? — spytała.

— Skoro chcesz się nauczyć jeździć, równie dobrze możemy zacząć teraz. — Otworzył drzwi i wysiadł. — Usiądź za kierownicą. — Zamienili się miejscami. Gdy tylko Katie znalazła się za kółkiem, Alex wyjaśnił jej kwestie podstawowe: pedał gazu i hamulec, zmiana biegów, kierunkowskazy, światła i wycieraczki, wskaźniki na tablicy rozdzielczej. Najlepiej zawsze zacząć od początku. — Gotowa? — spytał.

— Chyba tak — odparła, koncentrując się.

— Ponieważ samochód nie posiada ręcznej skrzyni biegów,

używasz tylko jednej stopy. Stawiasz ją albo na gazie, albo na hamulcu, okay?

— Okay — odparła.

Przesunęła lewą stopę bliżej drzwi.

— Teraz wciśnij hamulec i uruchom samochód. Kiedy będziesz gotowa, lekko zwolnij nogę i wrzuć bieg wsteczny. Nie używaj gazu i powoli unoś nogę. Potem przekręć kierownicę i zacznij cofać, wciąż trzymając stopę lekko na hamulcu.

Zrobiła wszystko dokładnie tak, jak jej powiedział, i zaczęła ostrożnie wycofywać auto, a wtedy Alex wyjaśnił jej, jak wyjechać z parkingu. Tu po raz pierwszy się zawahała.

— Jesteś pewny, że powinnam wyjechać na główną drogę?

— Gdyby był duży ruch, nie proponowałbym ci tego. Ani gdybyś miała szesnaście lat. Ale sądzę, że dasz sobie radę, a ja jestem tutaj, aby ci pomóc. Gotowa? Skręcisz w prawo i jedziemy prosto do następnego zakrętu. Potem ponownie skręcimy w prawo. Chcę, żebyś nauczyła się wyczuwać samochód.

Spędzili następną godzinę, jeżdżąc po wiejskich drogach. Jak większość początkujących, Katie czasem zbyt mocno kręciła kierownicą, czasami zjeżdżała na pobocze, a nauka parkowania zajęła jej trochę czasu, poza tym jednak szło jej lepiej, niż prawdopodobnie któreś z nich oczekiwało. Pod koniec pierwszej lekcji Alex polecił Katie zaparkować na jednej z ulic centrum.

— Dokąd idziemy?

Wskazał mały bar kawowy.

— Pomyślałem, że może chcesz to uczcić. Świetnie sobie poradziłaś.

— Nie wiem — odparła. — Nie mam wrażenia, że wiedziałam, co robię.

— To przyjdzie wraz z praktyką — zapewnił ją. — Im

więcej człowiek jeździ, tym bardziej naturalnie czuje się za kółkiem.

— Możemy znów pojeździć jutro? — spytała.

— Oczywiście — odrzekł. — Wolałbym jednak rano, dobrze? Josh ma ferie, więc przez parę tygodni jego i Kristen wysyłam na zajęcia dzienne. Wracają właśnie koło południa.

— Poranki to doskonała pora — zgodziła się Katie. — Naprawdę myślisz, że będzie ze mnie kierowca?

— Po paru dniach jazdy prawdopodobnie zdałabyś część egzaminu praktycznego. Musisz oczywiście jeszcze zaliczyć test pisemny, ale w tym przypadku wszystko sprowadza się do czasu, który trzeba poświęcić na naukę.

Katie wyciągnęła ręce i spontanicznie go uściskała.

— Tak na marginesie, bardzo ci dziękuję.

Alex odwzajemnił się uściskiem.

— Cieszę się, że mogłem pomóc. Mimo iż nie posiadasz auta, prawdopodobnie powinnaś umieć prowadzić. Dlaczego nie...?

— Dlaczego nie nauczyłam się jeździć, gdy byłam młodsza? — Wzruszyła ramionami. — Kiedy dorastałam, mieliśmy tylko jeden samochód i zazwyczaj jeździł nim ojciec. Nawet gdybym zdobyła prawo jazdy, i tak bym nie jeździła, więc nigdy nie wydawało mi się to ważne. Po wyprowadzce natomiast nie mogłam sobie pozwolić na auto, więc prawo jazdy nadal mnie nie interesowało. A potem, kiedy wyszłam za mąż, Kevin nie chciał, żebym zrobiła kurs. — Odwróciła się. — A teraz jestem tutaj. Dwudziestosiedmioletnia rowerzystka.

— Masz dwadzieścia siedem lat?

— Wiedziałeś o tym!

— Właściwie nie.

— No i?

— Nie wyglądasz na więcej niż trzydzieści.

Lekko szturchnęła go w ramię.

— Za karę masz mi kupić również croissanta.

— Zgoda! A ponieważ jesteś w nastroju do zwierzeń, chciałbym usłyszeć historię o tym, jak w końcu uciekłaś.

Wahała się tylko chwilę.

— No dobrze — stwierdziła.

*

Przy małym stoliku przed lokalem Katie zdała Alexowi szczegółową relację ze swojej ucieczki — opowiedziała, jak przekierowała rozmowy telefoniczne, jak dotarła do Filadelfii, gdzie kilkakrotnie zmieniała pracę i pokoje w kiepskich hotelach. Aż w końcu trafiła do Southport. W przeciwieństwie do ich pierwszej pogawędki teraz potrafiła opisać Alexowi własne doświadczenia na spokojnie, jak gdyby opowiadała o kimś innym. Kiedy skończyła opowieść, mężczyzna pokręcił głową.

— Coś nie tak?

— Po prostu usiłowałem sobie wyobrazić, jak musiałaś się czuć, kiedy wyłączyłaś telefon po tej ostatniej rozmowie z Kevinem. Podczas gdy on ciągle myślał, że jesteś w domu. Założę się, że poczułaś ulgę.

— Tak. Ale równocześnie byłam przerażona. W tamtym momencie nadal nie miałam pracy i nie wiedziałam, co zrobię.

— Ale poradziłaś sobie.

— Tak — przyznała. — Udało mi się. — Skupiła wzrok na jakimś odległym punkcie. — Nie o takim życiu marzyłam dla siebie.

— Wiesz — zauważył łagodnie Alex — nie jestem pewny,

czy komukolwiek życie układa się dokładnie tak, jak sobie zamarzył. Możemy jedynie starać się ze wszystkich sił realizować nasze dążenia. Nawet jeśli wydaje nam się to niemożliwe.

Wiedziała, że mówi nie tylko o niej, lecz także o sobie, i przez długą chwilę oboje milczeli.

— Kocham cię — szepnął wreszcie on.

Katie pochyliła się do przodu i dotknęła jego twarzy.

— Wiem. I ja ciebie kocham.

26

Pod koniec czerwca w ogrodach kwiatowych Dorchester, które wiosną zapłonęły najrozmaitszymi kolorami, roślinność zaczynała powoli marnieć; kwiaty pobrązowiały, pomarszczyły się i zwiędły. Wilgotność w powietrzu stopniowo rosła, toteż uliczki centrum Bostonu coraz bardziej śmierdziały zepsutym jedzeniem, moczem i zgnilizną. Kevin powiedział Coffeyowi i Ramirezowi, że wraz z Erin zamierza spędzić weekend w domu. Będą oglądać filmy i trochę popracują w ogrodzie. Coffey spytał o Provincetown, a Kevin skłamał, opowiadając o jakimś pensjonacie, w którym on i Erin rzekomo się zatrzymali, wymienił też kilka restauracji, które odwiedzili. Coffey odparł, że zna wszystkie te lokale i jadał w nich, a potem spytał, czy Kevin zamówił może przypadkiem w jednym kotleciki krabowe. Kevin zaprzeczył, ale obiecał, że weźmie je następnym razem.

Erin nie wróciła, lecz on ciągle nie ustawał w poszukiwaniach. Nie potrafił przestać. Kiedy jechał ulicami Bostonu i dostrzegał błysk jasnych, długich do ramion włosów, czuł, że ze smutku coś ściska go za gardło. Wypatrywał małego noska i zielonych oczu, szukał wzrokiem kobiet, które chodziły z taką gracją jak ona. Czasami stawał przed piekarnią, udając, że czeka na Erin. Powinien umieć ją znaleźć, nawet jeśli uciekła do Filadelfii! Ludzie zostawiają wszak za sobą ślady. Okazane dokumenty zostawiają ślady... W Filadelfii Erin używała wprawdzie fałszywego nazwiska i fałszywego numeru ubezpieczenia, ale nie mogła żyć tak bez końca, o ile nie chciała do kresu swoich dni mieszkać w tanich hotelikach i co kilka tygodni zmieniać pracy. Do chwili obecnej jednakże nikomu nie przedstawiła numeru własnej książeczki ubezpieczeniowej. Dla Kevina sprawdził to pewien funkcjonariusz z innego dystryktu, który miał koneksje; był jedyną osobą, która wiedziała o odejściu Erin, ale mężczyzna trzymał usta na kłódkę, gdyż Tierney wiedział o jego romansie z nieletnią opiekunką do dzieci. Kevin czuł się zbrukany za każdym razem, kiedy musiał z nim rozmawiać, ponieważ facet był zboczeńcem i powinien siedzieć w więzieniu, jako że Biblia mówi: *O nierządzie zaś i wszelkiej nieczystości albo chciwości niechaj nawet mowy nie będzie wśród was, jak przystoi świętym* *. Ale teraz potrzebował go, aby pomógł mu znaleźć Erin i sprowadzić ją do domu. Mąż i żona mają pozostawać razem, ponieważ przysięgali przed Bogiem i rodziną.

Wiedział, że znajdzie ją w marcu. Później czuł pewność, że Erin pojawi się gdzieś w kwietniu. Był przekonany, że jej nazwisko wypłynie w maju, jednak miesiące mijały, dom zaś pozostawał pusty. Teraz kończył się czerwiec i Kevin bywał roztargniony; czasem potrafił jedynie stwarzać pozory, że coś robi. Miał trudności z koncentracją, wódka już najwyraźniej nie pomagała, musiał okłamywać Coffeya i Ramireza, i odchodził, gdy plotkowali.

---

* List do Efezjan 5,3.

Jedno wiedział: żona nie może uciekać wiecznie. Nie mogła przecież ciągle przeprowadzać się z jednego hotelu do drugiego ani stale zmieniać pracy. Nie było to zresztą do niej podobne. Erin lubiła ładne rzeczy i pragnęła się nimi otaczać. Wniosek nasuwał się sam — najprawdopodobniej używała tożsamości innej osoby. Tak, jeżeli nie chciała stale uciekać, potrzebowała prawdziwego świadectwa urodzenia i prawdziwego ubezpieczenia. Pracodawcy wymagali obecnie dowodu tożsamości, Kevin nie miał jednakże pojęcia, gdzie i w jaki sposób Erin mogłaby poznać i przejąć osobowość innej kobiety. Wiedział, że w takiej sytuacji najłatwiej znaleźć kogoś w podobnym wieku, kto niedawno umarł, i podszyć się pod niego. Pierwszej części takiego wyjścia Kevin nie mógł wykluczyć, choćby z powodu częstych wizyt Erin w bibliotece. Wyobraził sobie, jak żona badawczo przeglądała nekrologi na mikrofilmach, szukając nazwiska, które mogłaby ukraść. W bibliotece zatem Erin knuła i planowała, udając jedynie, że przegląda półki z książkami. W dodatku zapewne robiła to w jego dniu wolnym, gdy zdobył się na wysiłek i ją tam zawiózł! Okazał jej tyle dobroci, a ona odpłaciła mu się zdradą! Myśl ta rozwścieczyła Kevina, szczególnie gdy wyobraził sobie, jak śmiała się z niego, grzebiąc w tych aktach. Wyobrażając sobie Erin w bibliotece, o mało nie dostał szału i ze złości roztrzaskał młotkiem porcelanowy serwis, który dostali z okazji ślubu. Kiedy wyładował gniew, wreszcie potrafił się skupić na tym, co powinien zrobić. Przez cały marzec i kwiecień spędzał wiele godzin w bibliotece, identycznie jak zapewne postępowała Erin, i próbował znaleźć jej nową tożsamość. Ale nawet jeśli żona wyszukała odpowiednie nazwisko, jak zdobyła dowód tożsamości zmarłej? Gdzie była teraz? Dlaczego nie wróciła do domu?

Pytania te dręczyły Kevina, a czasami był tak zdezorientowany, że nie mógł przestać płakać, ponieważ tęsknił za Erin i pragnął, ażeby znów była z nim w domu. Nienawidził być sam. Innymi razy jednak fakt, że żona go opuściła, powodował zadumę nad jej egoizmem. Tak, Erin była samolubna i pragnął ją za to zabić!

*

Lipiec rozpoczął się upałami. Było gorąco i wilgotno, a daleki horyzont migotał jak fatamorgana. Świąteczny weekend przeminął i rozpoczął się kolejny tydzień. W domu zepsuł się klimatyzator, ale Kevin nie zadzwonił po mechanika. Co rano bolała go głowa i z tym bólem szedł do pracy. Metodą prób i błędów odkrył, że wódka działa lepiej niż tylenol, ale ból i tak nie ustępował do końca, łomocząc w jego skroni.

Kevin przestał chodzić do biblioteki, a gdy Coffey i Ramirez ponownie spytali o jego żonę, odparł, że Erin czuje się dobrze, ale nic więcej nie dodał, a po chwili zmienił temat. Przydzielono mu nowego partnera, młokosa, który nazywał się Todd Vannerty i dopiero co otrzymał awans. Todd cieszył się, że Tierney prowadzi większość przesłuchań, a także rozmów ze świadkami i ofiarami. Kevinowi również ta sytuacja bardzo odpowiadała.

Pouczył młodego partnera, że ofiara prawie zawsze zna mordercę, dodał jednak, że rozwiązanie sprawy o zabójstwo nie zawsze jest proste.

Pod koniec pierwszego wspólnego tygodnia pracy zostali wezwani do mieszkania mniej niż trzy przecznice od posterunku, gdzie od rany postrzałowej zginął dziesięcioletni chłopiec. Strzelcem był niedawny emigrant z Grecji, który świętował zwycięstwo swego kraju w jakimś turnieju piłki nożnej i bez powodu wystrzelił z broni palnej w podłogę. Kula przebiła sufit mieszkania pod nim i zabiła mieszkającego piętro niżej chłopca, który akurat jadł pizzę. Ponieważ kula trafiła go w czubek głowy, chłopiec wpadł twarzą w talerz z pizzą, dlatego gdy został znaleziony, miał na czole ser i sos pomidorowy. Matka dziecka krzyczała i płakała przez dwie godziny, a kiedy funkcjonariusze prowadzili po schodach zatrzymanego i zakutego w kajdanki Greka, usiłowała się na niego rzucić, niestety, potknęła się i spadła na podest, więc policjanci musieli wezwać karetkę.

Po skończonym dyżurze Kevin i Todd poszli do baru. Vannerty usiłował udawać, że nie zrobiło na nim wrażenia to, co widział, niemniej jednak w niecały kwadrans wypił trzy piwa jedno za drugim. Zwierzył się Kevinowi, że zdał egzamin na detektywa dopiero za drugim podejściem. Kevin pił wódkę, ale z uwagi na towarzystwo młodego partnera kazał barmanowi dolać odrobinę soku żurawinowego.

Był to bar policyjny: wielu funkcjonariuszy, niskie ceny, przyćmione światła i kobiety, które kręcą się wokół gliniarzy. Barman pozwalał palić w lokalu, chociaż nie było to zgodne z prawem, ale większość palaczy stanowili przecież policjanci. Todd nie miał żony i często przychodził do tego baru, dla Kevina to był pierwszy raz i teraz nie był pewny, czy mu się podoba. Do domu jednak również nie chciał wracać.

Todd poszedł do toalety, a kiedy wrócił, nachylił się nad Kevinem.

— Te dwie na końcu baru chyba nam się przyglądają.

Tierney się odwrócił. Kobiety miały chyba koło trzydziestki tak jak on. Brunetka zauważyła jego wzrok, oceniła go, po czym odwróciła się do rudowłosej przyjaciółki.

— Kiepsko, że jesteś żonaty, co? Są całkiem niebrzydkie.

Raczej zmęczone życiem, pomyślał Kevin. Nie jak Erin, która ma delikatną skórę i pachnie cytryną, miętą i perfumami, które dał jej na Boże Narodzenie.

— Podejdź do nich i zagadaj, jeśli chcesz — mruknął do Todda.

— Chyba pójdę — zgodził się partner.

Zamówił kolejne piwo, poszedł na koniec baru i uśmiechnął się do kobiet. Prawdopodobnie powiedział coś głupiego, ale jego uwaga wystarczyła, by je rozśmieszyć. Kevin zamówił podwójną wódkę bez soku i obserwował ich odbicia w lustrze za barem. Brunetka znów dostrzegła jego zainteresowanie, więc odwrócił się do niej. Dziesięć minut później podeszła powoli i usiadła na stołku, który wcześniej zajmował Todd.

— Nie masz dziś wieczorem ochoty na pogawędki? — spytała.

— Nie jestem dobry w pogawędkach.

Brunetka wyraźnie zastanowiła się nad jego słowami.

— Jestem Amber — przedstawiła się.

— Kevin — odparł i znowu nie wiedział, co powiedzieć. Wypił łyk wódki, myśląc, że smakuje niemal jak woda.

Brunetka pochyliła się ku niemu. Na pewno nie pachniała cytryną i miętą, raczej piżmem.

— Todd mówi, że obaj pracujecie w wydziale zabójstw.

— Tak.

— Ciężko jest?

— Czasami — przyznał. Dopił wódkę i podniósł szklankę. Barman przyniósł mu kolejną. — Czym ty się zajmujesz?

— Jestem kierowniczką biura w piekarni mojego brata. Brat piecze bułki i chleby dla restauracji.

— Brzmi interesująco.

Posłała mu cyniczny uśmiech.

— Nie, na pewno tak nie brzmi. I nie jest interesujące, ale dzięki tej pracy mam pieniądze na rachunki. — Błysnęła białymi zębami w półmroku. — Nie widziałam cię tutaj wcześniej.

— Todd mnie przyprowadził.

Kiwnęła głową w stronę partnera Kevina.

— Jego widziałam. Interesuje go wszystko, co nosi spódniczkę i oddycha, chociaż czasem mam obawy, że ten drugi warunek nie zawsze musi być spełniony. Moja przyjaciółka uwielbia ten lokal, ja jednak zazwyczaj nie mogę znieść otoczenia. No ale Ruda stale mnie tu ciągnie ze sobą. — Kevin skinął głową i poruszył się niespokojnie na stołku. Zadał sobie pytanie, czy Coffey albo Ramirez czasami tu przychodzą. — Przynudzam? — spytała. — Mogę zostawić cię w spokoju, jeśli wolisz.

— Nie nudzisz mnie.

Odrzuciła włosy, a on pomyślał, że kobieta jest ładniejsza, niż sądził w pierwszej chwili.

— Chciałbyś kupić mi drinka? — podsunęła.

— A czego się napijesz?

— Cosmopolitan — odparła i Kevin dał znak barmanowi, który wkrótce przyniósł koktajl.

— Nie mam w tym wprawy — przyznał się.

— W czym?

— W tym.

— Przecież tylko rozmawiamy — zauważyła. — I radzisz sobie świetnie.

— Jestem żonaty.

Uśmiechnęła się.

— Wiem. Widziałam obrączkę.

— Czy to cię martwi?

— Jak wspomniałam, tylko rozmawiamy. — Przesunęła palcem po szklance, a Kevin zobaczył, jak na opuszce zbiera się rosa. — Żona wie, że tu jesteś? — spytała.

— Wyjechała z miasta — wyjaśnił. — Jej przyjaciółka zachorowała, więc jej pomaga.

— A ty sobie pomyślałeś, że wyskoczysz do baru? Chciałeś poznać jakąś babkę?

— Nie jestem taki — obruszył się stanowczo. — Kocham żonę.

— Powinieneś. To znaczy... skoro jesteście małżeństwem. — Miał ochotę na następną podwójną wódkę, nie chciał jednak zamawiać, póki kobieta nie dopije drinka, ponieważ i tak zbyt dużo już wypił. Jego towarzyszka wszakże, jak gdyby czytając mu w myślach, dała znak barmanowi, który przyniósł mu kolejną wódkę. Kevin wypił wielki łyk, wciąż myśląc, że płyn smakuje jak woda. — Dobrze zrobiłam? — spytała.

— Bardzo dobrze — przyznał.

Gapiła się na niego kusząco.

— Na twoim miejscu nie mówiłabym żonie o wizycie w lokalu.

— Czemu? — spytał.

— Ponieważ jesteś o wiele zbyt przystojnym facetem na taką knajpkę jak ta. Nigdy nie wiadomo, kto spróbuje cię poderwać.

— A ty mnie podrywasz?

Zanim odpowiedziała, milczała chwilę.

— Zgorszysz się, jeśli potwierdzę? — odezwała się w końcu.

Zakołysał stojącą na barze szklanką.

— Nie — odparł. — Nie zgorszę się.

*

Pili i flirtowali przez kolejne dwie godziny, a później umówili się u niej w domu. Amber zrozumiała, że Kevin chce być dyskretny, i podała mu adres swojego mieszkania. Gdy wraz z przyjaciółką wyszła, on został w barze z Toddem jeszcze pół godziny, po czym powiedział, że wraca do siebie, ponieważ chce zadzwonić do Erin.

Podczas jazdy autem świat rozmazywał mu się przed oczami. W głowie Kevin miał mętlik i był zdezorientowany. Wiedział, że jedzie zygzakiem, lecz był dobrym detektywem, toteż nawet jeśli zostanie zatrzymany, nie aresztują go, bo gliniarze nie aresztują gliniarzy. A zresztą cóż to było te kilka drinków?

Amber mieszkała kilka przecznic od baru. Zastukał do drzwi, a kiedy otworzyła, nie miała na sobie nic pod prześcieradłem, którym się owinęła. Pocałował ją i zaniósł do sypialni, czując, jak jej palce rozpinają jego koszulę. Położył kobietę na łóżku i rozebrał się, a potem wyłączył światło, gdyż nie chciał pamiętać, że zdradza żonę. Cudzołóstwo jest grzechem i Kevin wcale nie pragnął uprawiać z Amber seksu, ale był pijany i świat mu się rozmazywał przed oczami, a ona nie nosiła nic poza prześcieradłem. Kompletnie się pogubił.

Kochanka w niczym nie przypominała Erin. Miała inne ciało, sylwetkę, inną woń. Pachniała pikantnie, prawie zwierzęco, i za bardzo wymachiwała rękami. Wszystko w niej było inne i nowe. Ogólnie rzecz biorąc, Kevinowi się nie podobało, a równocześnie nie mógł się od niej oderwać. Słyszał, że Amber woła jego imię i mówi różne nieprzyzwoitości. Chciał jej powiedzieć, żeby się zamknęła, bo chciał spokojnie pomyśleć o Erin, niestety, nie umiał się skupić. Był rozkojarzony.

Ścisnął ją za ramiona, a wtedy usłyszał, że kobieta gwałtownie chwyta powietrze i prosi: „Nie tak mocno". Wówczas poluźnił uchwyt, lecz po chwili ponownie ścisnął jej ramiona, ponieważ taki miał kaprys. Tym razem Amber się nie odezwała. Pomyślał o Erin i o tym, gdzie żona może być w tej chwili i czy ma się dobrze. I znowu zdał sobie sprawę, jak bardzo za nią tęskni.

Nie powinien był jej bić, ponieważ Erin jest słodka, dobra i łagodna. I nie zasłużyła ani na ciosy, ani na kopniaki. Tak, odeszła z jego winy. Sam ją przepędził, mimo że ją kochał. Szukał jej i nie mógł znaleźć, chociaż pojechał za nią do Filadelfii, a teraz był tutaj z jakąś Amber, która nie wiedziała, co robić z rękami, wydawała dziwne odgłosy i zachowywała się nieodpowiednio.

Kiedy skończyli, Kevin nie chciał zostać. Od razu wstał z łóżka i zaczął się ubierać. Kobieta włączyła lampę i usiadła prosto na łóżku. Jej widok przypomniał mu ponownie, że nie ma przed sobą Erin, i nagle ogarnęły go mdłości. Biblia mówi: *Lecz kto cudzołoży, ten jest niemądry: na własną zgubę to czyni* *.

Musiał uciec od Amber. Nie wiedział, dlaczego przyszedł, lecz kiedy wpatrywał się w nią, skręcało mu kiszki.

— Wszystko w porządku? — spytała.

— Nie powinno mnie tu być — odparł. — Nie powinienem był tutaj przychodzić.

— Trochę już na to za późno — zauważyła.

— Muszę iść.

— Tak po prostu?

— Jestem żonaty — powtórzył.

— Wiem. — Obrzuciła go znużonym uśmiechem. — Nic nie szkodzi.

— Nieprawda — odburknął, a gdy się ubrał, natychmiast opuścił jej mieszkanie.

Zbiegł po schodach i wskoczył do auta. Jechał szybko, ale tym razem prosto, ponieważ wyrzuty sumienia, które od-

---

* Księga Przysłów 6,32.

273

czuwał, zadziałały na jego zmysły niesamowicie trzeźwiąco. Dotarł do domu i zauważył światła w domu Feldmanów. Wiedział, że oboje małżonkowie zerkają przez okno, patrząc, jak wjeżdża na podjazd. Feldmanowie byli okropnymi sąsiadami. Nigdy do niego nie machali, a wszystkim okolicznym dzieciakom stale powtarzali, że mają trzymać się z dala od ich trawnika. Na pewno teraz wiedzą, co Kevin zrobił, ponieważ byli złymi ludźmi, a on postąpił źle; wszak mówi się, że ciągnie swój do swego. Wszedł do domu. Potrzebował drinka, ale na myśl o wódce zrobiło mu się niedobrze. Myśli w jego głowie szalały. Zdradził żonę, chociaż Biblia mówi: *...a jego hańba się nie zmaże* *. Złamał Boże przykazanie oraz przysięgę małżeńską i był pewny, że prawda prędzej czy później wyjdzie na jaw. O jego zdradzie wiedziała wszak Amber, a także Todd i Feldmanowie. Ci ludzie rozpowiedzą nowinę innym osobom, oni zaś kolejnym. W ten sposób Erin dowie się, co zrobił. Chodził po salonie, oddychając pospiesznie, ponieważ uprzytomnił sobie, że w żaden sposób nie będzie w stanie wytłumaczyć Erin swojego czynu tak, by zrozumiała. Erin jest jego żoną i nigdy mu tego nie wybaczy. Rozgniewa się i każe mu spać na kanapie, a rano będzie na niego patrzyła z rozczarowaniem w oczach, ponieważ był grzesznikiem. I nigdy więcej już mu nie zaufa. Miał teraz dreszcze i mdłości. Przespał się z inną kobietą, chociaż Biblia mówi: *Zadajcie więc śmierć temu, co jest przyziemne w [waszych] członkach: rozpuście, nieczystości, lubieżności, złej żądzy i chciwości* **. Był strasznie zdezorientowany i chciał przestać myśleć o swoim wyskoku, lecz nie potrafił. Pragnął się napić, ale nie mógł, i dręczyło go

---

* Księga Przysłów 6,33.
** List do Kolosan 3,5.

wrażenie, że Erin lada chwila stanie niespodziewanie w progu domu. A w domu panował straszliwy bałagan i brud, więc żona natychmiast odkryje, co Kevin zrobił. I chociaż miał mętlik w głowie, wiedział, że te dwie sprawy jakoś się ze sobą łączą. Wciąż jak oszalały chodził po salonie wielkimi krokami. Tak, brud i zdrada są bez wątpienia ze sobą powiązane, ponieważ zdrada jest brudna, więc Erin na widok brudu w domu będzie wiedziała, że mąż ją zdradził. Tak, bo te dwie rzeczy idą w parze. Nagle Kevin zatrzymał się w pół kroku. Później poszedł do kuchni i znalazł pod zlewem worek na śmieci. Wrócił do salonu, padł na kolana i zaczął pełzać po podłodze, napełniając worek pojemnikami po jedzeniu na wynos, starymi czasopismami, plastikowymi sztućcami, pustymi butelkami po wódce i pudełkami po pizzy. Było dobrze po północy, a on nie musiał iść rano do pracy, zamiast więc kłaść się do łóżka, posprzątał dom, pozmywał naczynia, a potem włączył odkurzacz, który kupił kiedyś Erin. Sprzątał, aby żona nie domyśliła się jego zdrady, bo wiedział, że zdrada i brud idą w parze. Wrzucił zabrudzone ubrania do pralki, a kiedy je wyprał i wysuszył w suszarce, złożył je, podczas gdy prała się i suszyła następna partia. Słońce wzeszło, a Kevin wciąż sprzątał — zdjął poduszki z sofy i odkurzał je, aż nie dostrzegał już ani jednego okruszka. W trakcie tych działań stale wypatrywał przez okno, wiedząc, że Erin w każdej chwili może się zjawić w domu. Wyszorował ubikację, zmył z lodówki plamy po jedzeniu i wytarł na mokro linoleum. Świt przeszedł w poranek, a następnie zrobił się późny ranek. Kevin wyprał pościele, rozsunął zasłony i wytarł z kurzu ramkę zdjęcia, które przedstawiało jego i żonę w dzień ślubu. Skosił trawnik i opróżnił nad śmietnikiem pojemnik kosiarki, a kiedy skończył, poszedł do sklepu i kupił indyka, szynkę oraz musztardę diżońską, a w piekarni świeży żytni chleb. Kupił kwiaty i włożył do wazonu, który postawił na stoliku. Zapalił świece. Po wszystkim oddychał ciężko. Wrzucił kilka kostek lodu do wysokiej szklanki, nalał wódki, usiadł przy kuchennym stole i czekał na Erin. Był szczęśliwy, ponieważ posprzątał dom, co oznaczało, że żona nigdy się nie dowie o jego zdradzie i będą trwali w takim małżeństwie, jakiego Kevin zawsze pragnął. Będą sobie ufali i będą szczęśliwi, on będzie kochał Erin zawsze i nigdy więcej jej nie zdradzi, ponieważ po co, do cholery, miałby kiedykolwiek zrobić coś tak odrażającego?!

27

Katie otrzymała prawo jazdy w drugim tygodniu lipca. W dniach poprzedzających test Alex zabierał ją na jazdy regularnie i mimo drobnej tremy zdała egzamin z wynikiem prawie doskonałym. Prawo jazdy przysłano pocztą po kilku dniach, a Katie — kiedy otworzyła kopertę — poczuła niemal oszołomienie. Popatrzyła na własną fotografię obok nazwiska, którego nigdy nie chciała użyć, lecz według władz Karoliny Północnej była osobą o imieniu Katie, równie rzeczywistą jak wszyscy inni mieszkańcy stanu.

Tej nocy Alex zaprosił ją na kolację do Wilmington. Później chodzili ulicami centrum, trzymając się za ręce, i oglądali wystawy sklepowe. Co jakiś czas widziała, że mężczyzna przygląda jej się z rozbawieniem.

— O co chodzi? — spytała w końcu.

— Myślałem tylko, że nie wyglądasz na Erin. Wyglądasz jak Katie.

— Powinnam wyglądać jak Katie — odparowała. — Takie noszę imię i aby to udowodnić, mogę okazać prawo jazdy.

— Wiem, że tak — odrzekł. — Teraz potrzebujesz już tylko samochodu.

— Po co mi samochód? — Wzruszyła ramionami. — To małe miasto i mam rower. A kiedy pada deszcz, pewien pan chętnie zawiezie mnie wszędzie, gdzie muszę dotrzeć. Czuję się prawie tak, jakbym miała szofera.

— Naprawdę?

— No tak. I jestem całkiem pewna, że gdybym poprosiła, nawet pożyczyłby mi swoje auto. Owinęłam go sobie wokół małego palca.

Alex uniósł brwi.

— Mało stanowczy z niego facet.

— Jest w porządku — drażniła się Katie. — Od początku desperacko dawał mi prezenty, ale w końcu jakoś się do tego przyzwyczaiłam.

— Masz złote serce.

— Rzeczywiście — przyznała. — Jestem jedna na milion.

Roześmiał się.

— Zaczynam podejrzewać, że nareszcie wyszłaś ze swojej skorupy i dopiero teraz dostrzegam twoje prawdziwe cechy.

Kilka kroków przeszła w milczeniu.

— Znasz prawdziwą mnie — odcięła się, po czym zatrzymała się i podniosła na niego wzrok. — Lepiej niż ktokolwiek inny.

— Wiem — odparł, przyciągając ją ku sobie. — I właśnie dlatego uważam, że nie mogliśmy się nie spotkać. Było nam to pisane.

*

Chociaż w sklepie panował tak duży ruch jak zwykle, Alex zrobił sobie wolne. Był to jego pierwszy urlop od jakiegoś czasu i większość popołudni spędzał z Katie i dziećmi, delektując się leniwymi dniami lata w sposób, którego nie zaznał od dzieciństwa. Łowił ryby z Joshem i budował domki dla lalek z Kristen; zabrał też Katie na festiwal jazzowy w Myrtle Beach. Kiedy świetliki tłumnie zaroiły się w powietrzu, całą rodziną łapali w sieci tuziny owadów i umieszczali je w słoikach, a później w nocy przez pewien czas obserwowali niezwykłą łunę z mieszaniną zdumienia i fascynacji, aż Alex ostatecznie odkręcał wieczka.

Jeździli na rowerach i chodzili do kina, a w te wieczory, gdy Katie nie pracowała, Alex lubił rozpalać grill. Dzieci jadły, potem pływały w zatoczce niemal do zapadnięcia całkowitych ciemności. Kiedy umyły się i poszły do łóżek, dorośli siadali na małym nabrzeżu za domem i machali nogami nad wodą, patrząc, jak księżyc powoli przesuwa się po niebie. Sączyli wino i gawędzili o błahostkach, a Alex nauczył się rozkoszować tymi spokojnymi wspólnymi chwilami.

Kristen szczególnie uwielbiała spędzać czas z Katie. Kiedy we czworo szli gdzieś razem, dziewczynka często sięgała po rękę kobiety; również ilekroć upadła na placu zabaw, wstawała i biegła do Katie. Chociaż serce Alexa radowało się na ten widok, równocześnie czuł także ukłucie smutku, ponieważ po raz kolejny uświadamiał sobie, że niezależnie od siły swoich starań nigdy nie zdoła dać córeczce wszystkiego, czego mała potrzebuje. Kiedy Kristen przybiegła do niego i spytała, czy Katie może zabrać ją na zakupy, nie potrafił dziecku odmówić. Mimo iż starał się jeździć z córką na większe zakupy raz lub dwa razy do roku, niestety, postrzegał te wyprawy bardziej jako rodzicielski obowiązek niż okazję do dobrej zabawy. Kobieta natomiast — w przeciwieństwie do niego — wyglądała na zachwyconą tym pomysłem. Alex dał jej więc trochę pieniędzy, a później wręczył kluczyki od jeepa, kiedy zaś Katie z dziewczynką odjeżdżały, pomachał im z parkingu.

Kristen wyraźnie uszczęśliwiała obecność przyjaciółki ojca, lecz uczucia Josha nie były równie oczywiste. Poprzedniego dnia Alex odebrał go z organizowanego nad basenem przez klasowego kolegę przyjęcia i przez resztę wieczoru synek nie odzywał się ani do niego, ani do Katie. Dziś na plaży Josh także wyglądał na przybitego. Alex wiedział, że chłopca coś dręczy, toteż tuż przed zmierzchem zaproponował łowienie ryb. Było coraz ciemniej, woda wydawała się czarna, a zatoczka przypominała nieruchome, mroczne lustro, w którym odbijały się powoli sunące po niebie chmury.

Zarzucili wędki i siedzieli przez godzinę, podczas gdy niebo ciemniało, stając się najpierw fioletowe, potem w odcieniu indygo. Kiedy zarzucali przynęty, na wodzie pojawiały się kręgi. Josh przez cały czas był dziwnie cichy. W innej sytuacji Alex delektowałby się spokojem, teraz jednak miał nieznośne wrażenie, że coś jest nie w porządku. Właśnie miał spytać o to syna, gdy ten lekko odwrócił się w jego kierunku.

— Tato?

— Tak?

— Nigdy nie myślisz o mamie?

— Przez cały czas o niej myślę — zapewnił go.

Josh kiwnął głową.

— Ja też o niej myślę.

— To dobrze. Bardzo cię kochała. A o czym wtedy dokładnie myślisz?

— Pamiętam, jak robiła nam ciasteczka. Pozwoliła mi nakładać lukier.

— Przypominam sobie tę sytuację. Był różowy i miałeś go wszędzie na buzi. Zrobiła ci wtedy zdjęcie. Ciągle wisi na lodówce.

— Chyba dlatego to pamiętam. — Położył sobie wędkę na kolanach. — Tęsknisz za nią?

— Oczywiście, że tak. Ogromnie ją kochałem — odparł Alex, wytrzymując spojrzenie chłopca. — Co się dzieje, Josh?

— Wczoraj na przyjęciu...

Syn potarł sobie nos. Wahał się.

— Co tam się zdarzyło?

— Większość mam została przez cały czas. Rozmawiały i tak dalej...

— Zostałbym, gdybyś chciał. — Josh spuścił wzrok i zapadło milczenie. Alex nagle domyślił się tego, czego maluch mu nie powiedział. — Cóż, miałem zostać. Wiesz, że zostałbym, gdybyś poprosił. — Jego ton sugerował raczej stwierdzenia niż pytania. — Ale nie chciałeś mnie poprosić, ponieważ byłbym tam wówczas jedynym ojcem, zgadza się?

Josh skinął głową. Wyglądał na winnego.

— Nie chcę, żebyś się na mnie gniewał.

Alex objął synka ramieniem.

— Nie gniewam się — odrzekł.

— Jesteś pewny?

— Zdecydowanie tak. Nie mógłbym rozgniewać się na ciebie za coś takiego.

— Myślisz, że mama poszłaby ze mną...? Gdyby żyła?

— Oczywiście, że tak! Nie opuściłaby takiej imprezy.

Na dalekim końcu zatoczki podskoczyła barwena, tworząc fale, które się ku nim zbliżały.

— Co robicie, gdy wychodzisz gdzieś z panną Katie? — spytał Josh.

Alex przesunął się nieznacznie.

— Mniej więcej to samo, co robiliśmy dziś na plaży. Jemy i rozmawiamy, czasem spacerujemy.

— Spędzasz z nią ostatnio dużo czasu.

— Tak.

Josh przemyślał jego odpowiedź.

— O czym rozmawiacie?

— O sprawach ogólnych. — Pochylił głowę w stronę

chłopca. — Zdarza nam się także rozmawiać o tobie i twojej siostrze.

— Co wtedy mówicie?

— Mówimy, jak przyjemnie jest nam we czwórkę, jak dobrze radzisz sobie w szkole. Albo że wspaniale umiesz sprzątać pokój.

— Powiesz jej, że nie poprosiłem cię, abyś został na przyjęciu?

— A chcesz, żebym jej powiedział?

— Nie — odparł.

— W takim razie nic nie powiem.

— Obiecujesz? Bo nie chcę, żeby się na mnie rozgniewała.

Alex podniósł dwa palce.

— Słowo skauta. Ale wiesz na pewno, że Katie by się na ciebie nie rozgniewała, gdybym jej powtórzył. Uważa cię za świetnego dzieciaka.

Josh usiadł prosto i zaczął wciągać żyłkę wędki.

— To dobrze — odparł. — Ponieważ ja również sądzę, że ona jest całkiem fajna.

*

Po tej rozmowie z Joshem Alex nie mógł zasnąć w nocy. Sącząc trzecie tego wieczoru piwo, odkrył, że wpatruje się w portret Carly, który wisiał w sypialni.

Kristen i Katie wróciły do domu naładowane energią i radośnie podniecone. Wesoło pokazywały Alexowi ubrania, które kupiły. Co zadziwiające, Katie oddała mu prawie połowę pieniędzy, tłumacząc po prostu, że całkiem dobrze potrafi znajdować ładne rzeczy na wyprzedażach. Alex siedział na kanapie, kiedy córeczka prezentowała się przed nim w jakimś stroju, po czym znikała w sypialni, a po chwili wracała w czymś zupełnie innym. Nawet Josh, który zazwyczaj ani trochę nie dbał o babskie fatałaszki, odłożył grę na Nintendo, a kiedy Kristen ponownie opuściła pokój, podszedł do Katie.

— Możesz mnie także zabrać na takie zakupy? — spytał głosem ledwie głośniejszym od szeptu. — Potrzebuję kilka nowych koszulek i innych rzeczy.

Później Alex zamówił chińszczyznę i siedzieli przy stole, jedząc i śmiejąc się. W pewnym momencie podczas kolacji Katie wyjęła z torebki skórzaną bransoletkę i zwróciła się do Josha.

— Pomyślałam, że fajnie wygląda — powiedziała, wręczając mu prezent.

Włożył bransoletkę na nadgarstek i jego zaskoczenie szybko zmieniło się w radość; przez resztę wieczoru Alex stale zauważał, że chłopiec co rusz zerka na Katie błyszczącymi oczami.

Jak na ironię, właśnie w takie wieczory jak ten Alex tęsknił za Carly najbardziej. Chociaż żona nigdy nie miała szansy na takie rodzinne wieczory — umarła, zanim dzieci stały się dostatecznie duże — Alex przyłapywał się na myśli, że bez trudu potrafi sobie wyobrazić ją siedzącą z nimi przy stole.

Być może z tego właśnie powodu nie mógł zasnąć, mimo że Katie dawno już wróciła do domu, a Kristen i Josh spali w swoich pokojach. W końcu odrzucił kołdrę, poszedł do szafy i otworzył sejf, który zainstalował kilka lat wcześniej. Trzymał w nim ważne dokumenty finansowe i ubezpieczeniowe, a także pamiątki z okresu małżeństwa, przedmioty należące do Carly — fotografie z miesiąca miodowego, czterolistną koniczynę, którą znaleźli podczas wakacji w Vancouver, zasuszoną wiązankę piwonii i kalii, którą żona niosła w dzień ślubu, zdjęcia USG Josha i Kristen, kiedy jeszcze nosiła dzieci pod sercem, oraz ubranka, w których przybyły ze szpitala.

Były tam także negatywy zdjęć i dyski z kamer, stanowiące zapis spędzonych razem lat. Przedmioty ważne i aż ciężkie od wspomnień. Od śmierci żony Alex nie dodał do sejfu niczego poza listami, które Carly napisała. Jeden był zaadresowany do niego, na kopercie drugiego nie było natomiast żadnej adnotacji, więc list pozostał nietknięty. Alex nie potrafił go otworzyć — obietnica to przecież obietnica.

Wyjął pierwszy list, który przeczytał już wcześniej sto razy, a drugi pozostawił znów w sejfie. Nie wiedział nic o nich, póki żona nie wręczyła mu kopert mniej niż tydzień przed śmiercią. W tamtym momencie nie wstawała już z łóżka, a żywiła się jedynie płynami. Kiedy niósł ją do łazienki, odkrywał, że jest lekka, jak gdyby została wydrążona. Nieliczne chwile, w których była przytomna, spędzał milcząco przy niej. Zwykle zasypiała ponownie w kilka minut, a on wpatrywał się w nią w bezruchu, lękał się bowiem opuścić pokój, w razie gdyby żona go potrzebowała. Równocześnie jednak obawiał się zostać, ponieważ nie chciał zakłócać jej spokoju.

Tamtego dnia dała mu koperty z listami, wcześniej skrywane w fałdach koca; ukazały się nagle, niczym za sprawą czarów. Dopiero później Alex dowiedział się, że Carly napisała je dwa miesiące wcześniej i oddała na przechowanie matce.

Teraz otworzył kopertę i wyjął wielokrotnie dotykany list. Został napisany na żółtym papierze. Gdy przykładał go do nosa, nadal był w stanie wyczuć zapach balsamu do ciała, którego żona często używała. Pamiętał swoje zaskoczenie i jej oczy błagające go o zrozumienie.

Pamiętał, że spytał: „Chcesz, żebym przeczytał najpierw ten pierwszy?".

Wskazał ten ze swoim imieniem, a Carly nieznacznie skinęła głową. Kiedy wyjął list, żona odprężyła się i jej głowa opadła na poduszkę.

Najdroższy Alexie,

istnieją marzenia, które nawiedzają nas tuż po prze-budzeniu. To one sprawiają, że warto żyć. Ty, mój słodki mężu, zawsze byłeś dla mnie takim marzeniem i odczuwam smutek, gdy muszę ubrać w słowa uczucia, które żywię do Ciebie.

Piszę ten list teraz, w czasie gdy ciągle jeszcze mogę, lecz i tak nie jestem pewna, jak wyrazić to, co pragnę Ci powiedzieć. Nie jestem pisarką, a teraz wszelkie określenia wydają mi się strasznie nieodpowiednie i niedostatecznie mocne. Jak mogę opisać ogrom mojej miłości do Ciebie? Czy w ogóle można opisać taką miłość jak nasza? Nie mam pojęcia, ale kiedy siedzę tutaj z długopisem w ręce, wiem, że muszę spróbować.

Pamiętam, że lubisz opowiadać, jak trudno było mnie zdobyć, jednak gdy spojrzę wstecz i pomyślę o tej nocy, kiedy spotkaliśmy się po raz pierwszy, wydaje mi się, że już wtedy zdawałam sobie sprawę z tego, iż byliśmy sobie przeznaczeni. Przypominam sobie tamtą noc bardzo wyraźnie, dokładnie pamiętam wrażenia związane z dotykiem Twojej ręki w mojej i każdy szczegół pochmurnego popołudnia na plaży, kiedy ukląkłeś i poprosiłeś mnie, abym została Twoją żoną. Póki się nie pojawiłeś, wcale nie wiedziałam, jak wiele mi umyka. Nie miałam pojęcia, że czyjś dotyk może mieć tak ogromne znaczenie, a wyraz czyjejś twarzy bywa tak bardzo wymowny; nawet nie podejrzewałam, że pocałunek może mi dosłownie zaprzeć dech w piersiach. Jesteś i zawsze byłeś prawdziwym uosobieniem męża, o jakim zawsze marzyłam. Jesteś dobry, silny, czuły i inteligentny; dodajesz mi otuchy i jesteś lepszym ojcem, niż sądzisz. Masz naturalny talent do opieki nad dziećmi i jakiś sposób, dzięki któremu Ci

*ufają. Patrzę, jak zasypiają w Twoich czułych ramionach,
i wręcz nie potrafię wyrazić radości, która ogarnia mnie
na ten widok.*

*Moje życie stało się nieskończenie lepsze, odkąd mam
Ciebie. Lecz właśnie dlatego jest mi również tak strasznie trudno; prawdopodobnie właśnie z tego względu nie
mogę znaleźć słów, których potrzebuję. Szczerze przeraża mnie myśl, że wkrótce wszystko się skończy. Nie
o siebie jednak się boję — gnębi mnie pytanie, co stanie się z Tobą i z naszymi dziećmi. Łamie mi serce
wiedza, że przysporzę Wam tak wielu zgryzot, nie wiem
jednak, co mogę zrobić poza przypomnieniem Ci powodów, dla których w ogóle się w Tobie zakochałam, i wy-
rażeniem smutku, że muszę skrzywdzić Ciebie i nasze
piękne dzieci. Wszystko mnie boli na myśl, że Twoja
miłość do mnie stanie się także źródłem tak wielkiej
udręki.*

*Ale wierzę naprawdę, że miłość — choć potrafi ra-
nić — może także uleczyć... Oto, dlaczego załączam
drugi list.*

*Proszę, nie czytaj go. Nie jest przeznaczony dla Ciebie
ani dla nikogo z naszej rodziny. Ani nawet dla naszych
przyjaciół. Szczerze wątpię, czy któreś z nas spotkało już
kobietę, której kiedyś wręczysz ten list. Bo widzisz, jest
przeznaczony dla kobiety, która ostatecznie uleczy Cię
ze smutku, kobiety, dzięki której zostaniesz uzdrowiony.*

*Rozumiem, że teraz nie jesteś w stanie sobie czegoś
takiego wyobrazić. Twoje osamotnienie być może potrwa
kilka miesięcy, a może i parę lat, lecz wierz mi, w końcu
dasz ten list swojej kolejnej kobiecie. Zaufaj instynktowi,
tak samo jak ja to zrobiłam tamtej nocy, gdy po raz
pierwszy do mnie podszedłeś. Będziesz wiedział, kiedy*

286

i gdzie to zrobić, tak jak będziesz wiedział, która kobieta na to zasługuje. A kiedy taką znajdziesz (zaufaj mi, kiedy to mówię), będę gdzieś z góry uśmiechała się do Was obojga.

Z miłością

Carly

Po ponownym przeczytaniu listu Alex wsunął go z powrotem do koperty, którą odłożył do sejfu. Niebo za oknem wypełniały rozświetlone księżycową poświatą chmury, świat niesamowicie się jarzył. Alex patrzył w górę, myśląc o Carly i o Katie. Żona powiedziała, że powinien zaufać instynktowi, że będzie wiedział, co zrobić z listem.

I nagle uświadomił sobie, że miała właściwie rację, przynajmniej w połowie. Wiedział już, że chciałby wręczyć drugi list Katie. Nie był tylko pewny, czy ona jest już gotowa go przyjąć.

28

— Hej, Kevin. — Bill skinął głową. — Możesz wejść na minutkę do mojego biura?

Wcześniej Tierney prawie już dotarł do swojego biurka, a teraz Coffey i Ramirez podążyli za nim wzrokiem. Nowy partner, Todd, posłał mu zza biurka słaby uśmiech, który jednak przygasł szybko, po czym mężczyzna pospiesznie odwrócił wzrok.

Kevina bolała głowa i nie miał ochoty rozmawiać z kapitanem od razu rano, ale nie przejmował się. Dobrze sobie radził ze świadkami i ofiarami, wiedział, kiedy przestępcy kłamią, i dokonał licznych aresztowań, a podejrzewane przez niego osoby uznawano za winne i skazywano.

Bill dał mu znak, aby usiadł, i chociaż Tierney nie chciał, zajął miejsce na krześle i zastanowił się, po co szef każe mu siadać, ponieważ zazwyczaj, kiedy rozmawiali, stał. Ból w skroni zmienił się w tętnienie i Kevinowi wydawało się, że ktoś kłuje go ołówkiem w czoło. Kapitan przez chwilę tylko się na niego gapił, aż w końcu wstał i zamknął drzwi. Gdy wrócił, oparł się o krawędź biurka.

— Jak się miewasz, Kevinie?

— W porządku — odparł. Miał ochotę zamknąć oczy, aby złagodzić ból, widział jednak, że Bill bacznie go obserwuje. — O co chodzi?

Szef założył ramiona na piersi.

— Wezwałem cię tutaj, aby cię powiadomić, że otrzymaliśmy na ciebie skargę.

— Jakiego rodzaju?

— To poważna sprawa, Kevinie. Wydział spraw wewnętrznych zainteresował się tobą. Od dziś jesteś zawieszony i nie prowadzisz żadnego śledztwa.

W pierwszej chwili Tierney nie zrozumiał, gdyż wypowiedziane przez kapitana słowa nie miały dla niego żadnego sensu, przynajmniej na początku... Później jednak skoncentrował się, ocenił minę Billa i pożałował, że obudził się z bólem głowy i potrzebował rano tak dużo wódki.

— O czym mówisz?

Szef podniósł kilka kartek z biurka.

— Zabójstwo Gatesa — odparł. — Mały chłopiec, którego pewien facet zastrzelił przez sufit. W tym miesiącu.

— Pamiętam — przyznał. — Miał na czole sos do pizzy.

— Co takiego?

Kevin zamrugał.

— Chłopiec. Tak go znaleźliśmy. Okropny widok. Todd był mocno wstrząśnięty.

Bill zmarszczył czoło.

— Wezwano karetkę — podpowiedział.

Kevin zrobił wdech i wydech. Skupił się.

— Dla jego matki — wyjaśnił. — Była zdenerwowana, co oczywiste, i rzuciła się na Greka, który wystrzelił. Szamotali się przez chwilę i kobieta spadła ze schodów. Natychmiast wezwaliśmy ambulans... O ile wiem, trafiła do szpitala.

Bill gapił się na niego przez chwilę, po czym odłożył kartki.

— Rozmawiałeś z nią przedtem, prawda?

— Próbowałem... Ale była naprawdę rozhisteryzowana. Starałem się ją uspokoić, ale babka wariowała. Co jeszcze mogę powiedzieć? Wszystko jest w raporcie.

Kapitan znowu sięgnął po papiery na biurku.

— Czytałem to, co napisałeś. Niestety, ta kobieta oskarża cię, że kazałeś jej zepchnąć sprawcę ze schodów.

— Co takiego?!

Szef odczytał z kartek:

— Twierdziła, że mówiłeś coś o Bogu, i oświadczyłeś, że ten mężczyzna jest grzesznikiem i zasłużył na karę, ponieważ Biblia mówi: „Nie zabijaj". Kobieta twierdzi, że wmawiałeś jej również, iż chociaż zabił jej dziecko, prawdopodobnie dostanie jedynie wyrok w zawieszeniu, więc powinna wziąć sprawy w swoje ręce. Ponieważ przestępcy zasługują na karę. Czy coś z tego ci się kojarzy?

Kevin poczuł, że się czerwieni.

— To absurd! — oznajmił. — Wiesz, że ona kłamie, prawda?

Przypuszczał, że Bill natychmiast się z nim zgodzi i powie, iż ludzie z wydziału spraw wewnętrznych go oczyszczą. Ale kapitan tego nie zrobił. Za to pochylił się do przodu.

— Co właściwie jej powiedziałeś? Słowo po słowie?

— Niczego jej nie mówiłem. Spytałem, co się zdarzyło, a ona mi opowiedziała. Obejrzałem otwór w suficie, poszedłem na górę, aresztowałem sąsiada, kiedy przyznał się, że wystrzelił. Skułem go i zacząłem schodzić wraz z nim po schodach... Wiem tylko, że ta kobieta rzuciła się na niego.

Bill milczał, nie odrywał wszakże spojrzenia od Kevina.

— Nigdy nie rozmawiałeś z nią o grzechu?

— Nie.

Podniósł wyżej kartkę, z której czytał.

— Nigdy nie użyłeś słów: *Do Mnie należy pomsta. Ja wymierzę zapłatę* — mówi Pan*?

— Nie.

— Nic z tego nie brzmi swojsko? W ogóle nic?

Kevina ogarnął szczery gniew, ale zmusił się i zapanował nad sobą.

— Nic. To kłamstwo! Wiesz, jacy są ludzie. Ta kobieta prawdopodobnie chce zaskarżyć miasto i uzyskać duże odszkodowanie.

Kapitan zacisnął szczęki i minęło sporo czasu, zanim znów przemówił.

— Piłeś alkohol przed rozmową z tą kobietą?

— Nie wiem, skąd takie podejrzenie. Nie, nie robię takich rzeczy. Nie zrobiłbym czegoś takiego. Wiesz, że mam zasady. Jestem dobrym detektywem. — Kevin rozłożył ręce, niemal oślepiony bolesnym pulsowaniem w głowie. — Daj spokój, Bill. Pracujemy razem od lat.

— Właśnie dlatego rozmawiam z tobą, zamiast wylać cię bez słowa. Ponieważ w ubiegłych kilku miesiącach nie byłeś sobą. Słyszałem plotki...

— Jakie?

— Że pijesz przed przyjściem do pracy.

— To nieprawda.

— Więc jeśli każę ci dmuchnąć w balonik, wynik wyniesie zero promili, prawda?

Kevinowi serce waliło w piersi. Umiał oszukiwać i kłam-

---

* List do Rzymian 12,19.

stwa przychodziły mu bez trudu, musiał jedynie pamiętać o stanowczym tonie.

— Ostatniej nocy siedziałem z kumplem do późna. Sporo wypiliśmy. Może ciągle mam alkohol we krwi, ale nie jestem pijany i nie piłem dziś rano przed przyjściem do pracy. Ani wtedy. Ani żadnego innego dnia przed pracą.

Kapitan wpatrywał się w niego uważnie.

— Powiedz mi, co się dzieje z Erin — polecił.

— Już ci mówiłem. Pomaga przyjaciółce w Manchesterze. Pojechaliśmy na Cape Cod zaledwie kilka tygodni temu.

— Powiedziałeś Coffeyowi, że odwiedziliście wraz z Erin pewną restaurację w Provincetown, tyle że tę restaurację zamknięto sześć miesięcy temu. Nie znaleźliśmy też śladu po waszym rzekomym meldunku w pensjonacie, który wymieniłeś. W dodatku nikt nie widział Erin od miesięcy ani nie miał o niej żadnej informacji.

Tierney poczuł, że krew napływa mu do głowy, pogarszając łomotanie w skroni.

— Sprawdziłeś mnie?!

— Pijesz w pracy i okłamujesz mnie...

— Wcale nie...

— Przestań kłamać! — Bill zaczął nagle krzyczeć. — Czuję twój oddech aż tutaj! — Jego oczy zapłonęły gniewem. — I od tej chwili jesteś zawieszony w obowiązkach. Zanim spotkasz się z ludźmi z wydziału spraw wewnętrznych, powinieneś zadzwonić do przedstawiciela związku. Zostaw broń i odznakę na moim biurku, a potem jedź do domu.

— Na jak długo? — zdołał wychrypieć Kevin.

— W tej chwili zawieszenie jest najmniejszym z twoich zmartwień.

292

— Ale przecież wiesz, że nic nie powiedziałem tej kobiecie.

— Są tacy, którzy to słyszeli! — wrzasnął Bill. — Twój partner, lekarz sądowy, technicy, chłopak matki. — Przerwał, usiłując odzyskać spokój. — Wszyscy słyszeli — dodał stanowczo, a Kevin nieoczekiwanie poczuł, jak gdyby tracił nad wszystkim panowanie, i doskonale wiedział, że dzieje się tak z winy Erin.

29

Rozpoczął się sierpień i chociaż Alex i Katie lubili gorące, leniwe letnie dni, które spędzali razem, dzieci powoli zaczynały się nudzić kanikułą. Alex, chcąc, aby zrobili coś niezwykłego, zabrał Katie i dzieci do Wilmington na małpie rodeo. Mimo niedowierzania Katie odkryła, że wszystko jest zgodne z nazwą: naprawdę miała przed sobą ubrane w kowbojskie stroje małpy, które dosiadały psów i przez prawie godzinę zaganiały barany. Później był pokaz fajerwerków dorównujący popisom z Dnia Niepodległości. W drodze powrotnej Katie odwróciła się do Alexa z uśmiechem.

— To było chyba najbardziej zwariowane widowisko, jakie kiedykolwiek widziałam — wyznała, kręcąc głową.

— A prawdopodobnie sądziłaś, że tu, na Południu, brakuje nam kultury.

Roześmiała się.

— Skąd ludzie biorą takie pomysły?

— Nie mam pojęcia. Ale dobrze, że o tym usłyszałem. Rodeo jest pokazywane w mieście tylko przez kilka dni.

Penetrował wzrokiem parking, wypatrując samochodu.

— Tak, nie potrafię sobie nawet wyobrazić, jak niepełne

byłoby moje życie, gdybym nie obejrzała małp jeżdżących na psach.

— Dzieci je uwielbiają! — zaprotestował Alex.

— Dzieci tak — zgodziła się Katie. — Nie wiem jednak, czy małpy to lubią. Nie wyglądały na przesadnie szczęśliwe.

Mężczyzna popatrzył na nią spod zmrużonych powiek.

— Nie jestem pewny, czy potrafię ocenić radość małp lub jej brak.

— Nie sposób mi się z tobą nie zgodzić — przyznała.

— Słuchaj, to nie moja wina, że został jeszcze miesiąc do rozpoczęcia szkoły i kończą mi się pomysły na nowe zajęcia dla dzieci.

— Dzieci nie potrzebują codziennie specjalnych atrakcji.

— Wiem. I nie mają ich. Ale nie chcę również, aby przez cały czas tylko oglądały telewizję.

— Twoje dzieci rzadko oglądają telewizję.

— Właśnie dlatego, że zabieram je na takie pokazy jak małpie rodeo.

— A w przyszłym tygodniu?

— To łatwe. Będzie wesołe miasteczko. Jedno z tych objazdowych.

Katie się uśmiechnęła.

— Różne karuzele, na których zwykle dostaję mdłości.

— Cóż, dzieci naprawdę je kochają. Ale coś mi się przypomniało. Pracujesz w przyszłą sobotę?

— Nie pamiętam. Dlaczego pytasz?

— Ponieważ mam nadzieję, że pójdziesz z nami do wesołego miasteczka.

— Chcesz, żebym miała mdłości?

— Nie musisz wsiadać, jeśli nie masz ochoty. Chciałbym cię jednak prosić o przysługę.

— To znaczy?

— Miałem nadzieję, że później wieczorem popilnujesz dzieci. Córka Joyce przyleci do Raleigh i Joyce pytała, czy mogę ją zawieźć na lotnisko. Nie lubi jeździć po nocy.

— Chętnie się nimi zajmę.

— Przypuszczam, że wrócę o rozsądnej godzinie, czyli zanim dzieci położą się do łóżek.

Popatrzyła na niego.

— Mam ich pilnować u ciebie? Nigdy nie przesiadywałam w twoim domu...

— Tak, ale...

Chyba nie wiedział, co powiedzieć, toteż Katie szybko się uśmiechnęła.

— Nie ma problemu — zapewniła go. — Powinno być zabawnie. Może obejrzymy razem jakiś film i zjemy trochę popcornu.

Alex przeszedł w milczeniu kilka kroków, zanim spytał:

— Chciałabyś kiedyś mieć dzieci?

Katie się zawahała.

— Sama nie wiem... — odparła w końcu. — Tak naprawdę nie myślałam o tym.

— Nigdy?

Pokręciła głową.

— W Atlantic City byłam zbyt młoda, z Kevinem nie mogłam sobie tego wyobrazić, a w ostatnich miesiącach myślałam o czymś zupełnie innym.

— A gdybyś zastanowiła się nad moim pytaniem teraz? — naciskał.

— Naprawdę nie wiem. Myślę, że to zależy od wielu rzeczy.

— Na przykład jakich?

— Na przykład faktu, czy jestem mężatką. A jak wiesz, nie mogę wyjść za mąż.

— Erin nie może wyjść za mąż — zgodził się z nią. — Ale Katie prawdopodobnie tak. Katie ma prawo jazdy, przypominasz sobie?

Tym razem Katie przeszła w milczeniu kilka kroków.

— Może mogłaby, ale nie zrobi tego, póki nie spotka właściwego faceta.

Alex roześmiał się i otoczył ją ramieniem.

— Wiem, że praca w restauracji U Ivana była świetnym wyjściem i w chwili gdy przyjmowałaś tę posadę, rzeczywiście potrzebowałaś dokładnie takiej, ale czy rozważałaś kiedyś jakieś inne zajęcie dla siebie?

— Na przykład jakie?

— Nie wiem. Może chciałabyś wrócić do college'u, zdobyć wykształcenie i znaleźć pracę, którą naprawdę pokochasz.

— Dlaczego sądzisz, że nie lubię obsługiwać ludzi w restauracji?

— Niczego takiego nie twierdzę. — Wzruszył ramionami. — Byłem po prostu ciekaw, jakie masz zainteresowania.

Zadumała się nad jego pytaniem.

— Gdy dorastałam, tak jak wszystkie inne znajome dziewczynki kochałam zwierzęta i uważałam, że zostanę weterynarzem. Ale ani mi się śni wracać obecnie do szkoły! Zdobycie wykształcenia zajęłoby mi w tej chwili zbyt dużo czasu.

— Istnieją inne zawody, gdy ktoś chce pracować ze zwierzętami. Mogłabyś na przykład trenować małpy na rodeo.

— Nie sądzę. Ciągle przecież nie zdecydowałam, czy małpy lubią uczestnictwo w takich widowiskach.

— Masz słabość do tych małp, prawda?

— Kto by nie miał? Do diabła, naprawdę chciałabym wiedzieć, kto wpadł na ten durny pomysł!

— Popraw mnie, jeśli się mylę, ale wydawało mi się, że słyszałem podczas występu twój śmiech.

— Nie chciałam, żebyście krzywo na mnie patrzyli.

Roześmiał się ponownie i przyciągnął Katie do siebie jeszcze bliżej. Idący przed nimi Josh i Kristen stali już przy jeepie i wyglądali na wyczerpanych. Katie wiedziała, że dzieci prawdopodobnie zasną podczas jazdy powrotnej do Southport.

— Nie odpowiedziałaś mi na pytanie — nalegał Alex. — O to, co zamierzasz zrobić ze swoim życiem.

— Może moje marzenia nie są tak skomplikowane, jak sądzisz. Może uważam, że praca to tylko praca.

— Co chcesz przez to powiedzieć?

— Może nie chcę, aby mnie określano poprzez pracę, którą wykonuję. Może wolę być tym, kim jestem.

Zastanowił się nad jej słowami.

— No dobrze. Kim w takim razie pragniesz być?

— Naprawdę chcesz wiedzieć?

— Nie pytałbym, gdyby było inaczej.

Stanęła i spojrzała mu w oczy.

— Chciałabym być żoną i matką — odrzekła wreszcie.

Alex zmarszczył brwi.

— Ale zdawało mi się... Podobno nie jesteś pewna, czy chcesz mieć dzieci.

Przekrzywiła głowę. Wyglądała pięknie.

— A co ma jedno do drugiego? — odparowała.

*

Dzieci usnęły, jeszcze zanim Alex i Katie dotarli do autostrady. Podróż nie była długa, trwała może pół godziny, ale dorośli nie rozmawiali, nie chcąc ryzykować, że ich głosy obudzą Josha lub Kristen.

Wracali więc do Southport w ciszy i oboje byli z niej zadowoleni.

Kiedy Alex zatrzymał się przed domem Katie, dostrzegła

Jo siedzącą na schodach własnej werandy. Jak gdyby na nią czekała. Z powodu ciemności Katie nie miała pewności, czy Alex rozpoznał Jo, lecz ponieważ w tym momencie Kristen poruszyła się na siedzeniu, odwrócił się, sprawdzając, czy córeczka przypadkiem się nie przebudziła. Katie pochyliła się ku Alexowi i pocałowała go na pożegnanie.

— Powinnam prawdopodobnie z nią porozmawiać — wyszeptała.

— Z kim? Z Kristen?

— Nie, z moją sąsiadką. — Uśmiechnęła się, wskazując przez ramię dom Jo. — Albo raczej ona prawdopodobnie chce pomówić ze mną.

— Ach tak. — Kiwnął głową. — W porządku. — Spojrzał na werandę domu Jo, potem znów na Katie. — Świetnie się bawiłem dziś wieczorem.

— Ja także.

Pocałował ją. Katie otworzyła drzwiczki i wysiadła, a gdy Alex odjechał, ruszyła ku domowi Jo. Przyjaciółka uśmiechnęła się do niej i pomachała, toteż Katie trochę się odprężyła. Nie rozmawiały od tamtej nocy w barze, lecz kiedy Katie się zbliżyła, Jo wstała i podeszła do balustrady.

— Przede wszystkim pragnę cię przeprosić za mój ton z naszej poprzedniej rozmowy — oznajmiła bez wstępów. — Zachowałam się nieodpowiednio. Pomyliłam się co do ciebie. To się nigdy nie powtórzy.

Katie weszła po schodach na werandę i usiadła na górnym stopniu, po czym dała znak, aby Jo zajęła miejsce obok niej.

— Nic nie szkodzi — zapewniła sąsiadkę. — Nie byłam na ciebie zła.

— A jednak czuję się z tego powodu strasznie — ciągnęła Jo. Widać było, że ma wyrzuty sumienia. — Nie wiem, co we mnie wstąpiło.

— Ja wiem — odparła Katie. — To jest oczywiste. Martwisz się o tę trójkę. I chcesz ich strzec.

— Tak czy owak, nie powinnam mówić do ciebie w taki sposób. Dlatego ostatnio nie wchodziłam ci w drogę. Czułam się zakłopotana i wiedziałam, że nigdy nie wybaczysz mi mojego wścibstwa.

Katie dotknęła jej ramienia.

— Doceniam przeprosiny, ale wierz mi, nie są potrzebne. Dzięki naszej rozmowie i twojemu ostremu tonowi uświadomiłam sobie pewne ważne rzeczy na własny temat.

— Naprawdę?

Katie pokiwała głową.

— I widzisz, teraz wiem, że zamierzam zostać w Southport przez jakiś czas.

— Widziałam któregoś dnia, że jeździsz samochodem.

— Trudno dać wiarę, prawda? Wciąż nie czuję się swobodnie za kierownicą.

— Poczujesz się — zapewniła ją Jo. — No i auto jest lepsze niż rower.

— A jednak nadal codziennie jeżdżę na rowerze — odparła Katie. — Nie stać mnie na auto.

— Powiedziałabym, że możesz jeździć czasem moim, ale znów jest, niestety, w warsztacie. Stale się psuje. Chyba wolałabym zamienić je na rower.

— Uważaj, czego sobie życzysz, bo marzenie może się spełnić.

— Znowu mówisz tak jak ja. — Jo skinęła głową ku drodze. — Cieszę się, że układa ci się z Alexem. I dzieci są zadowolone. Jesteś dla nich dobra.

— Skąd taka pewność?

— Ponieważ widzę, jak Alex na ciebie patrzy. I widzę, jak ty patrzysz na całą trójkę.

— Spędzamy razem dużo czasu — odpowiedziała wymijająco Katie.

Jo pokręciła głową.

— To coś więcej. Oboje z Alexem wyglądacie na zakochanych. — Zobaczyła, że Katie się rumieni, i trochę się speszyła. — Ojej, no dobrze, przyznam ci się. Nawet jeśli mnie nie dostrzegłaś, widziałam, jak całowaliście się na pożegnanie.

— Szpiegujesz nas?

Katie udawała oburzoną.

— Oczywiście. — Przyjaciółka prychnęła. — Czym innym mam się zajmować? Nic równie interesującego nigdy tu się nie zdarza. — Zrobiła pauzę, potem spytała: — Kochasz go, prawda?

Katie kiwnęła głowa.

— Kocham też dzieci.

— Bardzo się cieszę.

Jo złożyła ręce jak do modlitwy.

Katie się zawahała.

— Znałaś jego żonę?

— Tak — odparła sąsiadka.

Katie nie odrywała spojrzenia od drogi.

— Jaka była? To znaczy... Alex trochę mi o niej mówił, więc mam jako taki obraz...

Jo nie pozwoliła jej dokończyć.

— Z tego, co wiem, bardzo przypominała ciebie. Chodzi mi o zalety. Żona Alexa również bardzo go kochała. Jego i dzieci. Rodzina była dla niej najważniejsza. I to jest wszystko, co tak naprawdę musisz o niej wiedzieć.

— Sądzisz, że polubiłaby mnie?

— O tak — odrzekła Jo z przekonaniem. — Jestem pewna, że wprost by cię uwielbiała.

30

Był sierpień. W Bostonie zrobiło się gorąco i wilgotno. Kevin jak przez mgłę pamiętał, że zauważył kiedyś karetkę przed domem Feldmanów, ale nie zastanawiał się zbytnio nad tym zdarzeniem, ponieważ uważał Feldmanów za kiepskich sąsiadów, którzy nic go nie obchodzili. Dziś jednak uprzytomnił sobie, że Gladys Feldman najwyraźniej umarła i po obu stronach ulicy zaparkowano sporo samochodów. Był zawieszony w obowiązkach policjanta już od dwóch tygodni i nie podobało mu się, że przed jego domem stoi tyle aut, ale ich właściciele przyjechali tutaj na pogrzeb i zabrakło mu energii, żeby pójść i poprosić ich, aby odjechali.

Odkąd nie pracował, nieczęsto brał prysznic, za to sporo czasu spędzał na werandzie. Dziś też siedział, pił wódkę wprost z butelki i obserwował ludzi wchodzących do domu Feldmanów i go opuszczających. Słyszał, że Gladys zostanie pochowana tego dnia po południu, a teraz żałobnicy przebywali w domu, przygotowując się na pogrzeb, na który pojadą wszyscy razem. Wiedział, że na pogrzebach ludzie zawsze gromadzą się niczym stada gęsi.

Nie rozmawiał ani z Billem, ani z Coffeyem czy Ramirezem, ani z Toddem czy Amber, ani nawet z rodzicami. Obecnie na podłodze w salonie jego domu nie było pudełek po pizzy, a w lodówce nie czekały pojemniki po chińszczyźnie na wynos, ponieważ Kevin w ogóle nie bywał głodny. Wystarczała mu wódka, którą pił tak długo, aż budynek Feldmanów zaczynał mu się rozmazywać przed oczami. Po drugiej stronie ulicy zobaczył jakąś kobietę, która wyszła z ich domu, zamierzając zapalić papierosa. Miała na sobie czarną sukienkę i Kevin zastanowił się, czy ktoś jej powiedział, że Feldmanowie krzyczeli na okoliczne dzieciaki.

Przyglądał się kobiecie, ponieważ nie miał ochoty oglądać już w telewizji kanału o domu i ogrodzie. Erin oglądała kiedyś ten kanał, ale uciekła do Filadelfii i zmieniła imię na Erica, potem zaś zupełnie zniknęła Kevinowi z oczu, a jego samego zawieszono w obowiązkach, chociaż wcześniej był dobrym detektywem.

Kobieta w czerni dopaliła papierosa, rzuciła go na trawę i zdeptała. Rozejrzała się badawczo po ulicy i zauważyła Kevina siedzącego na werandzie. Zawahała się, po czym przeszła ulicę i ruszyła ku niemu. Nie znał jej; nigdy przedtem jej nie widział.

Nie wiedział, czego kobieta chce, niemniej jednak odstawił butelkę i zszedł po schodach werandy. Nieznajoma zatrzymała się na chodniku przed jego domem.

— Pan jest Kevin Tierney? — spytała.

— Tak — przyznał.

Własny głos zabrzmiał dla niego dziwnie, ponieważ Kevin od kilku dni do nikogo się nie odzywał.

— Jestem Karen Feldman — kontynuowała. — Moi rodzice mieszkają naprzeciwko pańskiego domu. Larry i Gladys Feldmanowie. — Umilkła, lecz Kevin nie reagował, więc ciągnęła: — Zastanawiałam się tylko, czy Erin zamierza wziąć udział w pogrzebie.

Zagapił się na kobietę ze zdumieniem.

— Erin? — wydukał w końcu.

— Tak. Moja mama i tato ogromnie lubili, gdy ich odwiedzała. Piekła dla nich placki i czasami pomagała im sprzątać, szczególnie odkąd mama zaczęła chorować. Rak płuc. Okropna choroba. — Pokręciła głową. — Jest Erin? Miałam nadzieję, że ją poznam. Pogrzeb zaczyna się o czternastej.

— Niestety, nie ma jej. Zajmuje się chorą przyjaciółką w Manchesterze — odrzekł.

— Och... No cóż, szkoda. Żałuję. I przepraszam, że panu przeszkodziłam.

Kevin zaczął natychmiast trzeźwieć. Jego umysł pracował szybko. Zobaczył, że kobieta zamierza odejść.

— Współczuję pani z powodu śmierci matki — rzucił. — Przekazałem Erin tę smutną nowinę i było jej bardzo przykro, że nie zdąży dojechać. Otrzymała pani kwiaty?

— Och, prawdopodobnie tak. Nie sprawdzałam. Dom pogrzebowy jest pełen kwiatów.

— No tak. Erin jest naprawdę przykro, że nie może tu być.

— Mnie również. Zawsze chciałam ją poznać. Mama mówiła mi, że Erin przypomina jej Katie.

— Katie?

— Moją młodszą siostrę. Umarła sześć lat temu.

— Przykro mi.

— Mnie też. Wszyscy za nią tęsknimy... Szczególnie mama za nią tęskniła. Zapewne właśnie dlatego tak dobrze dogadywała się z pańską żoną. Mama opowiadała, że były nawet podobne z wyglądu, Erin i Katie. Niemal rówieśniczki i tak dalej. — Jeśli Karen zauważyła zaskoczenie na twarzy Kevina, nic nie dała po sobie poznać. — Moja mama często pokazywała Erin album z wycinkami o Katie, który stworzyła... Pana żona miała zawsze tak wiele cierpliwości dla mojej mamy. Erin to przemiła kobieta. Jest pan szczęściarzem. Kevin zmusił się do uśmiechu.

— Tak, wiem.

*

Kevin był doskonałym śledczym, wiedział jednak, że czasem w rozwiązaniu sprawy detektywowi musi dopomóc szczęście. Nagle wypływa nowy dowód, pojawia się nieznany dotąd świadek lub ktoś odkrywa, że uliczna kamera nagrała numer rejestracyjny ważnego dla sprawy pojazdu. W tym „dochodzeniu" tropu dostarczyła ubrana w czarną sukienkę kobieta, która nazywała się Karen Feldman. Przekroczyła ulicę rano, gdy Kevin pił, i opowiedziała mu o zmarłej siostrze.

Chociaż wciąż bolała go głowa, wylał wódkę do zlewu i zadumał się nad związkiem Erin z Feldmanami. Jego żona najwyraźniej dobrze ich znała i chodziła do nich w odwiedziny, mimo iż nigdy mu nie wspomniała, że się do nich wybiera. Dzwonił do niej i niespodziewanie wpadał do domu, a Erin zawsze tam była, toteż nie dowiedział się o ich znajomości. Żona nigdy mu o tym nie powiedziała ani nie zaprzeczyła, gdy żalił jej się, że Feldmanowie są złymi sąsiadami.

Erin miała zatem sekret.

Pierwszy raz od długiego czasu Kevin myślał naprawdę jasno. Wszedł pod prysznic, umył się i włożył czarny garnitur. Zrobił sobie kanapkę z szynką, indykiem i musztardą diżońską, pochłonął ją, a później zrobił kolejną i ją także zjadł. Ulicę nadal wypełniały samochody, więc obserwował kręcących się żałobników. Karen wyszła na zewnątrz i zapaliła następnego papierosa. Czekając, aż odjadą, Kevin wsunął sobie do kieszeni notesik i długopis.

Po południu ludzie zaczęli wsiadać do pojazdów. Kevin

słyszał odgłosy uruchamianych silników, a potem samochody zaczęły odjeżdżać jeden po drugim. Było po trzynastej i jechali na pogrzeb. Zanim wszyscy goście odjechali, minęło piętnaście minut i dopiero wtedy Kevin zobaczył, jak Karen prowadzi Larry'ego Feldmana do auta. Kobieta usiadła za kierownicą i ruszyła. Teraz ani na ulicy, ani na podjeździe nie pozostał wreszcie żaden samochód.

Kevin poczekał jeszcze dziesięć minut, upewniając się, że wszyscy udali się na pogrzeb, po czym wyszedł frontowymi drzwiami. Przeszedł trawnik przed swoim domem, potem przeciął ulicę i skierował się do Feldmanów. Kroczył nieśpiesznie i nie próbował się ukrywać. Zauważył, że wielu sąsiadów wybrało się na pogrzeb, a ci, którzy zostali w domach, najprawdopodobniej po prostu zapamiętają go jako kolejnego żałobnika w czarnym garniturze. Dotarł do frontowych drzwi, które okazały się zamknięte na klucz, ale ponieważ wcześniej było w domu wiele osób, zaryzykował i poszedł na tyły. Tam znalazł inne drzwi, które ustąpiły, gdy nacisnął klamkę. Wszedł do budynku.

W środku panowała cisza. Zatrzymał się na moment, nasłuchując ludzkich głosów lub kroków, niczego jednak nie usłyszał. Na blatach stały plastikowe kubki, a na stole talerze z jedzeniem. Przeszedł dom. Miał trochę czasu, lecz nie wiedział ile, więc postanowił zacząć od salonu. Otworzył drzwiczki serwantki i zamknął je, pozostawiając wszystko w takim stanie, w jakim było wcześniej. Przeszukał salon, kuchnię i sypialnię, aż wreszcie trafił do gabinetu. Dostrzegł książki na półkach, duży fotel i telewizor, a w narożniku pomieszczenia małą szafę na dokumenty.

Podszedł do niej i otworzył. Szybko przejrzał zakładki. Znalazł teczkę z napisem KATIE, wyjął, otworzył i zbadał zawartość. Znalazł tam artykuł z gazety i odkrył, że dziewczyna utonęła, gdy wpadła do miejscowego stawu po załamaniu się lodu. W środku były także zdjęcia, które wykonano jej w szkole. Na fotografii z uroczystości wręczenia świadectw ukończenia szkoły średniej Katie rzeczywiście niesamowicie przypominała Erin. Na dnie teczki Kevin zobaczył kopertę. Otworzył ją i znalazł w niej stary spis ocen. Na kopercie natomiast widniał numer ubezpieczenia społecznego. Kevin wyjął z kieszeni notesik i długopis, a następnie starannie zapisał numer. Nie dostrzegł wprawdzie karty ubezpieczenia zdrowotnego, lecz miał numer. Metryka w kopercie była kopią, chociaż była pognieciona i naddarta, jakby ktoś ją zmiął, a później usiłował ponownie rozprostować.

Kevin miał już to, czego potrzebował, więc opuścił dom. Natychmiast gdy wrócił do siebie, zadzwonił do funkcjonariusza z innego posterunku, policjanta, który sypiał z opiekunką do dzieci. Funkcjonariusz oddzwonił nazajutrz z informacją, że Katie Feldman otrzymała niedawno prawo jazdy i mieszka w Southport, w Karolinie Północnej.

Kevin odłożył słuchawkę bez słowa. Wiedział, że ją znalazł. Znalazł Erin!

31

Jedna z ostatnich tropikalnych burz przetoczyła się przez Southport; deszcz padał przez większą część popołudnia i cały wieczór. Katie pracowała na zmianę obiadową, ale z powodu brzydkiej pogody restauracja była jedynie w połowie zapełniona gośćmi i Ivan pozwolił jej wyjść wcześniej. Katie pożyczyła jeepa, podjechała do biblioteki, gdzie spędziła godzinę, po czym odstawiła auto pod sklep. Kiedy Alex odwiózł ją do domu, zaprosiła go do siebie z dziećmi na kolację.

Przez resztę popołudnia była zdenerwowana. Chciała wierzyć, że odczuwane przez nią napięcie spowodowane jest niemiłą aurą, lecz gdy stanęła przy kuchennym oknie i obserwowała, jak gałęzie uginają się na wietrze i w ulewnym deszczu, wiedziała, że nastrój ma raczej coś wspólnego z nieprzyjemnym uczuciem, iż wszystko w jej własnym życiu wydawało jej się obecnie aż nazbyt doskonałe. Jej cudowny związek z Alexem i popołudnia spędzane z dziećmi wypełniały pustkę, o której istnieniu do tej pory nie wiedziała, tyle że Katie już dawno temu odkryła, iż nic, co wspaniałe, nie trwa wiecznie. Radość jest równie ulotna jak spadająca gwiazda, która w jednej sekundzie przecina wieczorne niebo, a w następnej nie pozostaje po niej nawet ślad.

Wcześniej Katie przejrzała na bibliotecznym komputerze ostatnie wydanie bostońskiego „Globe'a" i natknęła się na nekrolog Gladys Feldman. Wiedziała, że Gladys choruje na raka; tak, starsza pani jeszcze przed jej ucieczką poznała okrutną diagnozę. Chociaż Katie regularnie sprawdzała bostońskie nekrologi, krótki opis życia kobiety i imiona członków jej rodziny niespodziewanie mocno ją poruszyły.

Nie chciała kraść dokumentów z szafki Feldmanów, nawet nie brała pod uwagę takiej możliwości — do czasu, aż Gladys wyjęła teczkę i pokazała jej zdjęcie Katie z dnia ukończenia szkoły. Wtedy obok fotografii zobaczyła świadectwo urodzenia dziewczyny i kartę ubezpieczenia zdrowotnego, natychmiast uprzytomniła sobie, że ma niepowtarzalną okazję. Następnym razem, gdy odwiedziła sąsiadów, przeprosiła, że musi pójść do łazienki, po czym udała się do gabinetu. Potem, kiedy jadła borówkowy placek z Feldmanami w kuchni, miała wrażenie, że dokumenty płoną w jej kieszeniach. Tydzień później, po skopiowaniu metryki w bibliotece oraz kilkukrotnym złożeniu i wygnieceniu nowej kopii tak, aby wyglądała na używaną, odłożyła dokumenty do teczki. Postąpiłaby tak samo z kartą ubezpieczenia, nie zdołała jednak sporządzić dostatecznie dobrej odbitki. Miała nadzieję, że jeśli starsi państwo zauważą zniknięcie karty, złożą jej brak na karb kłopotów z pamięcią — pomyślą, że gdzieś ją zgubili lub włożyli w inne miejsce.

Katie musiała sobie przypomnieć, że Kevin na pewno nigdy nie dowie się o jej kradzieży. Nie lubił Feldmanów, a uczucie to było wzajemne. Od początku podejrzewała, że wiedzieli, jak strasznie ją traktował. Widziała to w ich oczach, kiedy obserwowali, jak przebiegała drogę, chcąc ich odwiedzić, a także gdy udawali, że nie zauważają siniaków na jej ramionach, chociaż ilekroć wspomniała o mężu, smutnieli. Wolała sądzić, że nie mają do niej pretensji o to, co zrobiła, że może nawet pragnęli, aby zabrała dowód tożsamości ich córki, ponieważ wiedzieli, że potrzebowała tych dokumentów do ucieczki. A przecież na pewno chcieli, aby uciekła.

Byli jedynymi osobami z Dorchester, za którymi tęskniła, i teraz zadała sobie pytanie, jak radzi sobie Larry. Feldmanowie byli jej przyjaciółmi w czasie, gdy nie miała nikogo innego, toteż pragnęła powiedzieć Larry'emu, jak bardzo jej przykro, że stracił żonę. Chciała płakać wraz z nim, rozmawiać o Gladys i zapewnić go, że dzięki nim obojgu jej życie obecnie znacznie się polepszyło. Miała ochotę powiedzieć mu, że spotkała mężczyznę, który ją pokochał, i że po raz pierwszy od lat jest szczęśliwa.

Ale wiedziała, że nie zrobi żadnej z tych rzeczy. Zamiast tego po prostu wyszła na werandę i pełnymi łez oczami patrzyła, jak burza zdziera liście z drzew.

*

— Byłaś milcząca dziś wieczorem — zauważył Alex. — Dobrze się czujesz?

Na kolację przygotowała zapiekankę z tuńczykiem, a teraz Alex pomagał jej myć naczynia. Josh i Kristen siedzieli w salonie, oboje grali w kieszonkowe gry komputerowe, toteż Katie poza dźwiękiem płynącej wody słyszała także charakterystyczne odgłosy.

— Umarła pewna moja przyjaciółka — wyznała, po czym wręczyła Alexowi talerz do wytarcia. — Wiedziałam, że to nadejdzie, ale i tak jest mi przykro.

— Śmierć zawsze jest przykra — zgodził się. — Współczuję ci.

Wiedział dość, żeby nie pytać o szczegóły. Wolał poczekać na moment, kiedy Katie zechce mu powiedzieć coś więcej, ona jednak tylko umyła kolejną szklankę i zmieniła temat.

— Jak długo twoim zdaniem potrwa ta burza? — odezwała się.

— Niezbyt długo. Dlaczego pytasz?

— Po prostu zastanawiałam się, czy nie zamkną jutro z tego powodu wesołego miasteczka. Albo czy nie odwołają lotu.

Alex zerknął przez okno.

— Niedługo powinno się przejaśnić. Burza już przechodzi. Na pewno zaraz będzie całkiem ładnie.

— Najwyższy czas — zauważyła Katie.

— Oczywiście. Żywioły nie ośmielą się kolidować z planami organizatorów. Albo z planami Joyce.

Uśmiechnęła się.

— Ile czasu zajmie ci odebranie i przywiezienie córki Joyce?

— Prawdopodobnie cztery lub pięć godzin. Raleigh nie jest najdogodniej położonym lotniskiem.

— Dlaczego więc nie poleciała do Wilmington? Albo po prostu nie wynajęła samochodu?

— Nie wiem. Nie pytałem, ale gdybym miał zgadywać, powiedziałbym, że chciała zaoszczędzić trochę pieniędzy.

— Spełniasz dobry uczynek, pomagając Joyce.

Nonszalancko wzruszył ramionami, sugerując, że nie zrobił nic wielkiego.

— Jutro będziesz się dobrze bawiła.

— W wesołym miasteczku czy w domu z dziećmi?

— I tam, i tam. A jeśli ładnie mnie poprosisz, zafunduję ci smażone lody.

— Smażone lody?! Brzmi obrzydliwie.

— Tak naprawdę są bardzo smaczne.

— Tu, na Południu, wszystko smażycie?

— Jeśli coś można usmażyć, wierz mi, ktoś na pewno znajdzie sposób, by to zrobić. W ubiegłym roku podawano masło smażone w głębokim tłuszczu.

Katie o mało nie zakrztusiła się ze śmiechu.

— Żartujesz.

— Nie. Brzmi okropnie, ale ludzie stali po nie w kolejce. Równie dobrze mogli stanąć w kolejce po atak serca.

Umyła i wypłukała ostatni kubek, a potem podała go Alexowi do wytarcia.

— Myślisz, że dzieciom smakowała kolacja, którą zrobiłam? Kristen nie zjadła zbyt dużo.

— Kristen nigdy dużo nie je. Najważniejsze, że mnie smakowało. Uważam, że zapiekanka była wyborna.

Pokręciła głową.

— Kto by się troszczył o opinię dzieci, prawda? Skoro ty jesteś szczęśliwy?

— Wybacz. W głębi duszy jestem odpychającym narcyzem.

Katie przesunęła spienioną od płynu gąbką po talerzu, a następnie spłukała go pod bieżącą wodą.

— Cieszę się, że spędzę trochę czasu w twoim domu.

— Dlaczego?

— Ponieważ zawsze spotykamy się tutaj, nie tam. Nie zrozum mnie źle... Wiem, że był to właściwy wybór ze względu na dzieci. — Pomyślała, że również z powodu Carly, lecz nie powiedziała tego głośno. — Dzięki temu jednak zyskam szansę zobaczenia, jak mieszkasz.

Alex wziął od niej talerz.

— Byłaś tam przedtem.

— Tak, lecz nie dłużej niż przez kilka minut, a i wówczas jedynie w kuchni lub w salonie. Nie miałam żadnych szans na obejrzenie twojej sypialni lub zerknięcie do apteczki...

— Nie zrobiłabyś tego.

Alex udał obrażonego.

— Może gdybym miała okazję, to kto wie.

Mężczyzna wytarł talerz i wstawił go do szafki kuchennej.

— Nie krępuj się, możesz spędzić w mojej sypialni tyle czasu, ile zechcesz.

Roześmiała się.

— Jesteś niezwykle gościnny.

— Mówię tylko, że nie mam nic przeciwko temu. Możesz również przejrzeć zawartość apteczki. Nie mam tajemnic.

— Skoro tak twierdzisz — drażniła się z nim. — Pamiętaj, że mówisz do osoby, która ma wyłącznie tajemnice.

— Nie przede mną.

— Nie — zgodziła się, poważniejąc. — Nie przed tobą.

Umyła jeszcze dwa talerze i wręczyła mu je, z zadowoleniem obserwując, jak Alex wyciera je, a później chowa.

Odchrząknął.

— Mogę cię o coś spytać? — odezwał się. — Nie chcę, żebyś mnie źle zrozumiała, ale jestem ciekawy.

— Pytaj.

Wytarł z ramion ręcznikiem krople wody, zyskując czas.

— Zastanawiałem się, czy przemyślałaś sobie dokładniej moje słowa z ubiegłego weekendu. Gdy doszliśmy na parking po obejrzeniu małpiego rodeo, pamiętasz?

— Powiedziałeś wtedy wiele rzeczy — odparła.

— Naprawdę nie pamiętasz tej rozmowy? Stwierdziłaś wówczas, że Erin nie może wyjść za mąż, a ja powiedziałem, że Katie prawdopodobnie by mogła.

313

Katie poczuła natychmiast napięcie w mięśniach, nie tyle na wspomnienie tej wymiany zdań, ile z powodu poważnego tonu, jakim Alex wtedy mówił. Wiedziała dokładnie, do czego teraz zmierza.

— Pamiętam — odparła, siląc się na lekki ton. — Ale powiedziałam też chyba wówczas, że muszę najpierw spotkać odpowiedniego faceta.

Po jej oświadczeniu mężczyzna zacisnął wargi. Najwyraźniej zastanawiał się, czy mówić dalej.

— Chciałem jedynie wiedzieć, czy rozważałaś moją propozycję. To znaczy... żebyśmy się kiedyś pobrali.

Woda była ciągle gorąca i Katie zaczęła myć sztućce.

— Musiałbyś mi się najpierw oświadczyć.

— A gdybym to zrobił?

Wzięła widelec i zaczęła go szorować.

— Przypuszczam, że powiedziałabym, iż cię kocham.

— Odpowiedziałabyś: „Tak"?

Zawahała się.

— Nie chcę ponownie wychodzić za mąż.

— Nie chcesz czy sądzisz, że nie możesz?

— Jaka to różnica? — Jej mina pozostała zacięta, twarz nieodgadniona. — Wiesz, że ciągle jestem mężatką. Bigamia jest nielegalna.

— Nie jesteś już Erin. Jesteś Katie. Jak wspomniałaś, twoją tożsamość potwierdza nowe prawo jazdy.

— Nie jestem również Katie! — odwarknęła, po czym odwróciła się ku niemu. — Nie rozumiesz tego? Ukradłam to nazwisko ludziom, których ogromnie lubiłam! I którzy mi zaufali. — Wpatrywała się w Alexa i na nowo ogarnęło ją napięcie, które czuła wcześniej tego dnia. Ze świeżą intensywnością przypomniała sobie życzliwość Gladys i jej współczucie, a także własną ucieczkę i poprzedzające ją koszmarne lata z Kevinem. — Czemu nie możesz po prostu cieszyć się sytuacją taką, jaka jest? Dlaczego tak bardzo na mnie naciskasz i próbujesz zmienić mnie w kogoś innego, niż jestem?

Aż się cofnął, słysząc te zarzuty.

— Kocham cię taką, jaka jesteś!

— Lecz stawiasz mi warunki!

— Wcale nie!

— Ależ tak! — upierała się. Wiedziała, że podnosi głos, ale nie potrafiła się powstrzymać. — Świetnie wiesz, czego chcesz od życia, i usiłujesz mnie wpasować w ten schemat!

— To nieprawda — zaprotestował Alex. — Zadałem ci jedynie pytanie.

— Ale pragnąłeś konkretnej odpowiedzi! A raczej właściwej odpowiedzi! A ponieważ jej nie otrzymałeś, postanowiłeś spróbować przekonać mnie w inny sposób. Do tego, że powinnam zrobić to, czego chcesz! Że powinnam robić wszystko, czego chcesz!

Po raz pierwszy od początku ich znajomości Alex spojrzał na nią zmrużonymi oczami.

— Nie rób tego — powiedział.

— Czego mam nie robić? Mam nie mówić prawdy? Nie mówić ci, jak się czuję? Czemu? Co zamierzasz zrobić? Uderzysz mnie? Proszę bardzo!

Teraz mężczyzna jawnie się wzdrygnął, jak gdyby Katie go spoliczkowała. Wiedziała, że jej słowa osiągnęły cel, jednak zamiast się rozgniewać, Alex odłożył ścierkę do naczyń na szafkę i odsunął się od niej o krok.

— Nie wiem, co się dzieje, ale przepraszam, że w ogóle poruszyłem ten temat. Nie chciałem cię postawić w niezręcznej sytuacji ani nie starałem się do niczego cię przekonywać.

Próbowałem tylko porozmawiać. — Przerwał, czekając, aż kobieta coś powie, lecz ona uparcie milczała. Kręcąc głową, ruszył do wyjścia, zatrzymał się jednak w progu kuchni. — Dziękuję za kolację — szepnął.

Katie usłyszała, że Alex tłumaczy siedzącym w salonie dzieciom, jak późno się zrobiło. Później drzwi frontowe otworzyły się ze skrzypnięciem, mężczyzna zamknął je za sobą łagodnie i nagle w budynku zapadła cisza, a Katie została sama ze swoimi myślami.

32

Kevin miał problem z utrzymaniem samochodu na pasie autostrady. Pragnął zachować trzeźwy umysł, lecz w głowie mu tętniło, a ponieważ było mu również niedobrze, zatrzymał się przy sklepie monopolowym i kupił butelkę wódki. Alkohol stępił ból i teraz, gdy Tierney sączył wódkę przez słomkę, potrafił jedynie myśleć o Erin i zapytywać siebie, jak mogła zmienić imię na Katie.

Autostrada międzystanowa rozmazywała mu się przed oczami. Reflektory, dwa białe punkciki, stawały się coraz jaskrawsze, gdy przybliżały się z przeciwnego kierunku, a potem przesuwały się obok Kevina i znikały za nim. Mijały go pojazdy, jeden za drugim. Tysiące. Ludzie jechali w różne miejsca i wykonywali różne czynności. A on kierował się na południe, do Karoliny Północnej, gdzie odszuka żonę. Opuścił Massachusetts, przejechał Rhode Island i Connecticut, stan Nowy Jork i New Jersey. Wzeszedł księżyc, pomarańczowy i płonący, po czym jego poświata pojaśniała i tak sunął po czarnym niebie nad Kevinem. Zapłonęły gwiazdy.

Przez otwarte okno auta wpadł gorący wiatr, toteż Tierney chwycił kierownicę mocniej. Jego myśli przypominały roz-

317

sypaną układankę niedopasowanych kawałków. Ta suka go porzuciła! Zapomniała o małżeństwie z nim i zostawiła go, aby zgnił. Na dodatek uwierzyła, że jest bystrzejsza od niego. Lecz Kevin ją odnalazł. Karen Feldman przeszła ulicę i od niej dowiedział się o sekrecie Erin. Erin miała sekret, lecz już go nie ma. Kevin wie, gdzie żona zamieszkała, wie, gdzie się przed nim ukryła. Jej adres miał nabazgrany na kartce, która leżała obok niego na siedzeniu przyciśnięta glockiem. Na tylnym siedzeniu tkwił z kolei worek marynarski wypełniony ubraniami; były w nim także kajdanki i szeroka srebrna taśma klejąca. W drodze z miasta Kevin zatrzymał się przy bankomacie i wypłacił kilkaset dolarów. Chciał rzucić się na Erin z pięściami. Gdy tylko ją znajdzie, natychmiast rozkwasi jej twarz, zmieniając ją w brzydką, krwawą miazgę. Ale równocześnie pragnął pocałować żonę, chwycić w ramiona i błagać, aby wróciła wraz z nim do domu. Zatankował w pobliżu Filadelfii i przypomniał sobie, jak wytropił tam Erin.

Zrobiła z niego głupca, prowadziła bowiem potajemnie drugie życie, o którym kompletnie nic nie wiedział. Odwiedzała Feldmanów, gotowała dla nich i sprzątała, a równocześnie knuła intrygę, spiskowała i oszukiwała. Zastanowił się, jakimi jeszcze kłamstwami go karmiła. Czy był w jej życiu jakiś mężczyzna? Może wtedy go nie było, jednak do tej pory na pewno jakiś się pojawił. Całował ją. Pieścił. Zdejmował z niej ubranie. Śmiał się z męża rogacza. Prawdopodobnie leżą teraz razem w łóżku. Ona i ten mężczyzna. Śmieją się z niego za plecami.

„Pokazałam mu, co? — mówi zapewne ona i śmieje się. — Kevin w ogóle niczego nie podejrzewał".

Na myśl o tym ogarniało go szaleństwo. I wściekłość. Był w drodze już od kilku godzin, ale wciąż jechał. Sączył wódkę i mrugał szybko, aby dokładniej widzieć. Nie przyspieszał, bo nie chciał zostać zatrzymany przez policję. Zwłaszcza z bronią, którą położył obok na siedzeniu. Erin bała się broni i zawsze go prosiła, aby chował pistolet po powrocie ze służby. Czyż tak nie robił?

Ale jej to nie wystarczało. Kupił jej dom, meble i ładne ubrania, zabierał ją do biblioteki i do salonu fryzjerskiego, lecz jej ciągle było mało. Kto by potrafił zrozumieć tę kobietę? Czy tak trudno posprzątać dom i przygotować kolację? Nigdy nie chciał jej bić i traktował ją brutalnie tylko wtedy, gdy nie miał wyboru. Kiedy Erin zachowała się głupio, nieostrożnie lub samolubnie. Sama ściągała na siebie nieszczęście.

Silnik warkotał, drażniąc jego uszy. Erin posiadała teraz prawo jazdy i pracowała jako kelnerka w restauracji o nazwie U Ivana. Przed wyjazdem z miasta Kevin spędził trochę czasu w Internecie i odbył kilka rozmów telefonicznych. Nie było trudno wyśledzić Katie Feldman, ponieważ zamieszkała w małym miasteczku. Kevinowi wystarczyło niecałe dwadzieścia minut i odkrył, gdzie żona pracuje. Teraz musiał tylko wystukać numer i spytać, czy zastał Katie. Przy czwartym razie ktoś rzeczywiście potwierdził, a wtedy bez słowa odłożył słuchawkę. Erin myślała, że potrafi ukrywać się przed nim bez końca, ale był dobrym detektywem i szybko ją znalazł.

Nadchodzę — powiedział do niej w myślach. Wiem, gdzie mieszkasz, i wiem, gdzie pracujesz, więc ponownie mi nie uciekniesz.

Mijał billboardy i zjazdy. W Delaware zaczął padać deszcz. Kevin zamknął okno i poczuł, że wiatr zaczyna spychać samochód na bok. Ciężarówka przed wozem Kevina gwałtownie skręciła; koła przyczepy przekroczyły linię ciągłą. Tierney włączył wycieraczki i oczyścił przednią szybę. Niestety, deszcz padał coraz mocniej, więc Kevin pochylił się nad kierownicą, mrużąc oczy i wpatrując się w niewyraźne kręgi zbliżających się reflektorów. Jego oddech zaczął mglić szybę i Kevin włączył odmrażacz. Postanowił, że będzie jechał przez całą noc i jutro znajdzie Erin. Przywiezie ją do domu i zaczną wszystko od początku, jeszcze raz. Mąż i żona, którzy będą mieszkać razem, tak jak powinni. I będą szczęśliwi.

Kiedyś byli. Dużo czasu spędzali wtedy na przyjemnościach. Pamiętał, jak na początku małżeństwa w weekendy oglądali budynki mieszkalne. Erin z entuzjazmem podchodziła do nabycia domu, a Kevin przysłuchiwał się, jak rozmawiała z pośrednikami handlu nieruchomościami; jej głos brzmiał w pustych pomieszczeniach jak muzyka. Erin lubiła przemierzać powoli pokoje, a gdy się w nich zatrzymywała, myślał, że żona wyobraża sobie, gdzie postawi meble. Kiedy znaleźli dom w Dorchester, Kevin widział w jej błyszczących oczach, że Erin pragnie go kupić. Tej nocy, leżąc w łóżku, przesuwała palcami po jego piersiach, robiąc małe kręgi wokół sutków, i błagała go, aby złożył ofertę. Pamiętał, jaka myśl przemknęła mu wtedy przez głowę — że zrobi dla Erin wszystko, że zrobi wszystko, czego ona chce, ponieważ ją kocha.

Z wyjątkiem dzieci. Powiedziała mu, że pragnie mieć dzieci, że chce mieć rodzinę. Podczas pierwszego roku małżeństwa rozmawiali o tym przez cały czas. Kevin próbował ignorować Erin, nie miał ochoty tłumaczyć, że nie chce grubej, obrzmiałej żony, że ciężarne kobiety są brzydkie, że nie zamierza wysłuchiwać jej jęków, jak bardzo jest zmęczona albo że stopy jej puchną. Nie chciał po powrocie do domu z pracy słyszeć płaczącego lub grymaszącego niemowlęcia, nie chciał widzieć wszędzie porozrzucanych zabawek. Nie chciał, żeby Erin wyglądała jak czupiradło, żeby jej skóra stała się obwisła, nie chciał słyszeć jej pytań, czy jego zdaniem ma gruby tyłek. Ożenił się z nią, gdyż pragnął żony, nie matki. Ona jednak wciąż powracała do tego tematu, ciągle go tym nudziła, dzień po dniu, aż w końcu spoliczkował ją mocno i kazał się zamknąć. Później nigdy już nie poruszyła tej kwestii, ale teraz zastanawiał się, czy nie powinien wówczas dać jej tego, czego pragnęła. Nie uciekłaby, gdyby miała dziecko — przede wszystkim w ogóle nie byłaby w stanie wówczas uciec. Teraz jej więc pozwoli i może Erin już nigdy go nie zostawi.

Tak, postanowił, że postarają się o dziecko i we troje będą mieszkali w Dorchester, a on będzie dalej pracował w policji jako detektyw. Wieczorami będzie wracał do domu, do swojej pięknej żony, a ilekroć ludzie zobaczą ich w sklepie spożywczym, zachwycą się nimi i powiedzą: „Och, jaka ładna, prawdziwie amerykańska rodzina".

Zastanawiał się, czy Erin znów jest blondynką. Miał nadzieję, że jej włosy są długie i jasne i że będzie mógł przeczesywać je palcami. Lubiła, gdy to robił, i zawsze wtedy czule do niego szeptała, wymawiając słowa, które lubił i które go podniecały. Ale teraz wiedział, że w jej zachowaniu nie było szczerości, skoro zamierzała go opuścić i skoro do tej pory nie wróciła. Okłamywała go, kłamała przez cały czas! Od tygodni, a nawet od miesięcy. Okradła Feldmanów, kupiła telefon komórkowy, podbierała mu pieniądze z portfela. Knuła i spiskowała, a on nie miał o niczym pojęcia; a teraz w dodatku inny mężczyzna dzieli jej łoże. Teraz inny mężczyzna przeczesuje palcami jej włosy, słucha jej jęków i czuje na ciele dotyk jej rąk.

Kevin zagryzł wargę i poczuł krew. Nienawidził żony, chciał ją skopać, stłuc pięścią i zrzucić ze schodów. Wypił kolejny łyk z butelki, przepłukując usta z metalicznego smaku.

Erin go omamiła, bo była piękna. Wszystko w niej było takie ładne. Piersi, usta, nawet tyłeczek. W kasynie w Atlantic City, kiedy po raz pierwszy ją zobaczył, pomyślał, że to najładniejsza kobieta, jaką kiedykolwiek widział, a później, przez cztery lata ich małżeństwa, nic się nie zmieniło. Erin wiedziała, że jej zapragnął, i wykorzystała go do swoich celów. Ubierała się seksownie. Czesała się u fryzjera. Nosiła koronkową bieliznę. W ten sposób osłabiła jego czujność i myślał, że go pokochała.

Wcale go nie kochała! Nic jej nie obchodził. Nie obchodziły jej rozbite donice ani potłuczona porcelana, w nosie miała, że męża zawieszono w obowiązkach służbowych i nie pracował, nie dbała o to, że od miesięcy zasypiał z płaczem. Nie dbała o to, że jego życie się rozpada. Liczyło się dla niej jedynie to, czego sama chciała, bo zawsze była egoistką. A teraz śmiała się z niego. Śmiała się z niego od miesięcy i myślała wyłącznie o sobie. Kochał ją i nienawidził. I nie mógł jej zrozumieć. Poczuł teraz, że łzy znowu stają mu w oczach, i zamrugał.

Delaware. Maryland. Obrzeża Waszyngtonu. Wirginia. Mijały kolejne godziny niekończącej się nocy. Początkowo deszcz padał mocno, potem stopniowo przeszedł w mżawkę. O świcie Tierney zatrzymał się niedaleko Richmond i zjadł śniadanie. Dwa jajka, cztery plastry bekonu, tost pszenny. Trzy kubki kawy. Znów zatankował samochód i wrócił na autostradę międzystanową. Wjechał do Karoliny Północnej i znalazł się pod błękitnym niebem. Owady kleiły się do przedniej szyby, Kevina zaczęły boleć plecy. Musiał założyć okulary przeciwsłoneczne, żeby przestać mrużyć oczy. Swędział go nieogolony podbródek.

Jadę po ciebie, Erin, pomyślał. Wkrótce u ciebie będę.

33

Katie obudziła się wyczerpana. W nocy rzucała się na łóżku i przewracała przez kilka godzin, rozpamiętując okropieństwa, które powiedziała Alexowi. Nie wiedziała, co ją napadło. Tak, wytrąciła ją z równowagi śmierć Gladys Feldman, ale nawet gdyby od tego miało zależeć jej życie, nie potrafiła sobie przypomnieć, jak w ogóle zaczęła się ich kłótnia. A raczej coś pamiętała, lecz to, co pamiętała, nie było wcale ważne. Wiedziała przecież, że w rzeczywistości Alex na nią nie naciska ani nie próbuje jej zmusić do niczego, na co nie była gotowa. Wiedziała, że ten mężczyzna w niczym nie jest podobny do Kevina, a jednak powiedziała mu takie straszne rzeczy!

„Co zamierzasz zrobić? Uderzysz mnie? Proszę bardzo!".

Czemu coś takiego mówiła?!

Przysnęła w końcu mniej więcej po drugiej w nocy, kiedy wiatr i deszcz zaczynały słabnąć. Do świtu niebo się przejaśniło i do Katie docierały z drzew ptasie trele. Stojąc na werandzie, zauważyła efekty burzy: połamane gałęzie na podjeździe, dywan z sosnowych szyszek zalegający podwórze. Powietrze było ciężkie od wilgoci, toteż czuła, że dzień będzie jeszcze skwarniejszy niż poprzednie; tak, zapowiadał się być może najgorętszy dzień tego lata. Postanowiła sobie, że przypomni Alexowi, aby nie pozwalał dzieciom przebywać zbyt długo na słońcu, po czym zdała sobie sprawę, że może Alex nie zechce teraz zostawić z nią Josha i Kristen. Że może nadal jest na nią zły.

Nie może, lecz na pewno nie zechce — poprawiła się. Bez wątpienia jest na nią zły. I prawdopodobnie także zraniony. Wczoraj wieczorem nie pozwolił nawet pożegnać się z nią dzieciom.

Zajęła miejsce na schodach i odwróciła się ku domowi Jo, zastanawiając się, czy sąsiadka już wstała. Było wcześnie, zapewne zbyt wcześnie, aby zapukać do jej drzwi. Katie nie wiedziała zresztą, co powiedziałaby Jo i jakiej właściwie odpowiedzi od niej oczekiwała. Przecież nie wyznałaby słów, którymi obrzuciła Alexa — to wspomnienie raczej wolałaby na zawsze i w całości wymazać z pamięci — ale może przyjaciółka pomogłaby jej lepiej zrozumieć odczuwany niepokój. Nawet po wyjściu Alexa zauważyła, że ma bardzo napięte mięśnie ramion, a ubiegłej nocy, po raz pierwszy od wielu tygodni, pozostawiła zapalone światło.

Intuicja mówiła jej, że nie wszystko jest w porządku, ale Katie trudno było określić, co dokładnie jest nie tak; tyle że myślami ciągle wracała do Feldmanów. Do Gladys. Do nieuchronnych zmian w ich domu. Co się stanie, gdy ktoś zauważy, że dokumenty Katie Feldman zniknęły? Gdy Katie wyobrażała sobie potencjalne konsekwencje własnego czynu, aż robiło jej się słabo.

— Będzie dobrze — usłyszała nagle.

Obróciła się i zobaczyła Jo, która stała obok niej w butach do biegania. Sąsiadka miała zarumienione policzki, a na jej koszulce Katie dostrzegła plamy potu.

— Skąd się tu wzięłaś?

— Byłam pobiegać — wyjaśniła Jo. — Próbowałam jakoś wytrzymać w tym upale, ale chyba mi się nie udało. Jest tak duszno, że ledwo mogłam oddychać, i miałam wrażenie, że zaraz dostanę udaru, a potem umrę. Mimo to wydaje mi się, że czuję się lepiej niż ty. Jesteś posępna niczym burza gradowa.

Jo wskazała na schody i Katie przesunęła się, a sąsiadka zajęła miejsce obok niej.

— Strasznie się pokłóciliśmy z Alexem wczoraj wieczorem.

— No i?

— Powiedziałam mu coś okropnego.

— Przeprosiłaś?

— Nie — odrzekła. — Wyszedł, zanim zdążyłam. Powinnam, ale nie przeprosiłam. A teraz...

— Co? Sądzisz, że jest już za późno? — Ścisnęła kolano Katie. — Nigdy nie jest za późno, aby postąpić właściwie. Jedź do sklepu i porozmawiaj z nim.

Katie się zawahała. Bała się.

— A jeśli mi nie wybaczy?

— W takim razie nie będzie tym, za kogo go uważałaś. — Katie podciągnęła kolana i oparła na nich podbródek. Jo przez chwilę odklejała spoconą koszulkę od skóry i próbowała się nią wachlować. — Alex ci wybaczy — dodała w końcu. — Wiesz o tym, prawda? Może gniewał się, może nawet zraniłaś jego uczucia, ale to dobry człowiek. — Uśmiechnęła się. — Zresztą każda para musi pokłócić się od czasu do czasu. Choćby dla sprawdzenia, czy związek jest tak silny, że przetrwa kryzys.

— Mówisz jak typowa psychoterapeutka.

— Może, lecz to szczera prawda. W długoletnich związkach... poważnych związkach... ludzie stale napotykają trudności. A przecież zaplanowałaś swój związek z Alexem na lata, prawda?

— Tak, zaplanowałam. — Katie pokiwała głową. — Masz rację. Dzięki.

Jo poklepała ją po nodze i mrugnęła, po czym wstała ze stopnia i wyprostowała się.

— Od czego są przyjaciele, czyż nie?

Katie popatrzyła w górę, mrużąc oczy.

— Chcesz kawę? Zamierzałam właśnie zaparzyć dzbanek.

— Nie dziś rano. Jest zbyt gorąco. Wolałabym raczej szklankę wody z lodem i chłodny prysznic. Mam uczucie, że zaraz się roztopię.

— Jedziesz dziś do wesołego miasteczka?

— Może pojadę. Nie zdecydowałam jeszcze. Ale jeśli tam będę, postaram się was odnaleźć — obiecała. — A teraz ruszaj do jego sklepu, zanim zmienisz zamiar.

*

Katie przesiedziała na stopniach kolejne parę minut, po czym wróciła do domu. Wzięła prysznic i zaparzyła filiżankę kawy, ale od razu odkryła, że Jo miała rację — było zbyt gorąco na ciepły płyn. Zamiast pić, przebrała się więc w szorty i sandały, a następnie wyszła za dom i wsiadła na rower.

Mimo niedawnej ulewy żwirowa droga już prawie wyschła, toteż Katie jechała bez szczególnego wysiłku. I dobrze. Nie miała pojęcia, jak Jo była w stanie biegać w tym upale, nawet wcześnie rano. Wszystkie stworzenia najwyraźniej pouciekały przed gorącem. Normalnie Katie spotykała po drodze wiewiórki lub ptaki, dziś jednak nie dostrzegała wokół siebie żadnego ruchu.

Na głównej drodze również nie było wiele samochodów. Katie minęło zaledwie kilka, pozostawiając po sobie śmierdzące opary. Dzielnie pedałowała, aż skręciła i natychmiast zauważyła sklep. Przed wejściem parkowało już kilka aut. Stali klienci, którzy przyjechali na śniadanie. Rozmowa z Jo pomogła, pomyślała. No, przynajmniej trochę.

Nadal była niespokojna, lecz odczuwane napięcie miało teraz mniej wspólnego z Feldmanami czy innymi niemiłymi wspomnieniami, a więcej z tym, co zamierzała powiedzieć Alexowi. Albo raczej obawiała się odpowiedzi, którą od niego usłyszy. Zatrzymała się przed frontowymi drzwiami. Na ławce siedziało dwóch starszych mężczyzn i wachlowało się. Minęła ich, idąc ku drzwiom. Joyce tkwiła za kasą, podliczając zakupy jakiegoś klienta. Na jej widok się uśmiechnęła.

— Dzień dobry, Katie — powiedziała.

Katie szybko rozejrzała się po sklepie.

— Jest Alex?

— Na górze z dziećmi. Znasz drogę, prawda? Schody na tyłach.

Opuściła więc sklep i obeszła go, kierując się ku tyłowi budynku. Na nabrzeżu szereg łodzi czekał w kolejce do tankowania.

Przy drzwiach wejściowych zawahała się, lecz ostatecznie zastukała. Wewnątrz usłyszała zbliżające się kroki. W końcu drzwi się otworzyły i przed Katie stanął Alex.

Posłała mu nieśmiały uśmiech.

— Cześć — przywitała się.

Skinął głową. Minę miał nieodgadnioną.

Katie odchrząknęła.

— Chciałam ci powiedzieć, że przepraszam za swoje wczorajsze słowa. Myliłam się.

Wyraz jego twarzy pozostał neutralny.

— W porządku — odparł. — Przeprosiny przyjęte.

Przez moment żadne z nich się nie odzywało i Katie nagle pożałowała, że przyjechała.

— Chyba już pójdę — bąknęła. — Muszę tylko wiedzieć, czy ciągle mnie potrzebujesz wieczorem, żebym popilnowała dzieci.

Alex znów nie odpowiedział. Katie pokręciła głową. Kiedy odwróciła się, zamierzając odejść, usłyszała, że mężczyzna robi w jej stronę krok.

— Katie... Poczekaj — poprosił.

Zerknął za siebie na dzieci, po czym wyszedł i zamknął za sobą drzwi.

— To, co powiedziałaś wczoraj wieczorem... — zaczął. Umilkł.

— Nie mówiłam poważnie — wtrąciła cicho. — Nie wiem, co we mnie wstąpiło. Byłam zdenerwowana z innego powodu i najwidoczniej wyładowałam się na tobie.

— Przyznaję... Poruszyło mnie to. Nawet nie twoje słowa, lecz sam fakt, że w ogóle uważasz mnie za zdolnego do... czegoś takiego.

— Wcale nie — broniła się Katie. — Nigdy bym o tobie w ten sposób nie pomyślała.

Chyba jej uwierzył, wiedziała jednak, że mężczyzna ma jej do powiedzenia znacznie więcej.

— Chcę, żebyś wiedziała, jak ogromnie cenię sobie nasz obecny układ i że bardziej niż czegokolwiek na świecie pragnę, abyś czuła się ze mną dobrze. Cokolwiek to oznacza. Przykro mi, że postawiłem cię w niezręcznej sytuacji. Wierz mi, że nie zamierzałem na ciebie naciskać.

— O tak, zamierzałeś. — Obrzuciła go chytrym uśmieszkiem. — W każdym razie troszeczkę. Ale nic nie szkodzi. To znaczy... kto wie, co przyniesie nam przyszłość, prawda? Na przykład dzisiejszy wieczór.

— Tak? A co się zdarzy dziś wieczorem?

Oparła się o framugę drzwi.

— No cóż, kiedy dzieci zasną, a ty wrócisz zbyt późno, abym chciała jechać z powrotem do domu... Może po prostu znajdziesz mnie w swoim łóżku...

Kiedy zdał sobie sprawę, że kobieta wcale nie żartuje, przyłożył dłoń do podbródka i udawał, że rozważa jej sugestię.

— No to będę miał dylemat.

— Z drugiej strony na drodze może być słaby ruch i wrócisz na tyle wcześnie, że będziesz mógł mnie odwieźć do domu.

— Zazwyczaj jeżdżę bardzo bezpiecznie — odparł. — Z reguły nie lubię się spieszyć.

Przylgnęła do niego i sapnęła mu w ucho:

— I przestrzegasz przepisów.

— Staram się, jak mogę — odrzekł szeptem, a później ją pocałował. Kiedy się odsuwał, spostrzegł, że kilka osób na łodziach obserwuje ich z uwagą. Nie przeszkadzało mu to. — Ile czasu przygotowywałaś tę przemowę? — spytał.

— Wcale nie przygotowywałam. Po prostu... Jakoś ten pomysł przyszedł mi do głowy.

Wciąż delektował się smakiem jej ust.

— Jadłaś już śniadanie? — wyszeptał.

— Nie.

— Masz ochotę zjeść ze mną i z dziećmi płatki śniadaniowe? Zanim pojedziemy do wesołego miasteczka?

— Płatki śniadaniowe to wspaniała propozycja.

34

Karolina Północna wydała się Kevinowi brzydka, gdy jechał drogą zbudowaną pomiędzy jednostajnymi rzędami sosen i falistymi wzgórzami. Wzdłuż autostrady stały liczne przyczepy mieszkalne, wiejskie domy i niszczejące, zarośnięte chwastami stodoły. Tierney opuścił jedną autostradę i wjechał na kolejną, kierując się ku Wilmington. Po drodze pił alkohol, ot tak, z nudów.

Jadąc przez niemal w ogóle niezmieniający się krajobraz, myślał o Erin. Snuł plany, co zrobi, gdy ją odszuka. Miał nadzieję, że kiedy dotrze, żona będzie w domu, lecz nawet jeśli byłaby akurat w pracy, w końcu przecież wróci do domu; to była tylko kwestia czasu.

Autostrada międzystanowa wiła się obok nieciekawych miast o niewartych zapamiętania nazwach. Do Wilmington Kevin dotarł około godziny dziesiątej. Przejechał miasto i skręcił w wąską wiejską szosę. Pędził na południe, a słońce grzało; promienie wpadały przez okno od strony kierowcy. Położył sobie broń na kolanach, a potem ponownie odłożył ją na siedzenie. Wciąż jechał.

Aż wreszcie zjawił się w mieście, w którym mieszkała Erin — w Southport.

*

Przejechał je powoli, mijając wesołe miasteczko. Co jakiś czas zerkał na kartkę ze wskazówkami, które wydrukował z komputera przed wyjazdem. Wyjął z marynarskiego worka koszulkę i przykrył nią pistolet.

Southport było niewielkie i zabudowane ładnymi domami, które stały na starannie utrzymanych parcelach. Niektóre budynki wydawały się charakterystyczne dla Południa — szerokie werandy, magnolie, a na masztach powiewały amerykańskie flagi — inne przypominały Kevinowi domy w Nowej Anglii. Na nabrzeżu znajdowały się rezydencje. Woda mieniła się tu od słońca i było piekielnie gorąco. Jak w łaźni parowej.

Kilka minut później Kevin znalazł drogę, przy której mieszkała Erin. Po lewej stronie dostrzegł sklep wielobranżowy, więc podjechał po benzynę i puszkę red bulla. Stanął za mężczyzną kupującym węgiel drzewny i ciekłe paliwo. Przy kasie zapłacił starszej kobiecie. Uśmiechnęła się, podziękowała mu za przybycie i we wścibski, typowy dla starych bab sposób skomentowała fakt, że nie widziała go tutaj przedtem. Odparł jej, że przyjechał do wesołego miasteczka.

Gdy wrócił na drogę, serce zaczęło mu bić szybciej na myśl, że jest już tak blisko. Skręcił za róg i zwolnił. W oddali dostrzegł żwirową dróżkę. Dzięki wskazówkom wiedział, że powinien w nią wjechać, ruszył jednak dalej. Jeśli Erin jest w domu, natychmiast rozpozna jego auto, a tego nie chciał. Nie, póki wszystkiego nie przygotuje.

Przez chwilę szukał miejsca do zaparkowania, gdzieś, gdzie samochód nie rzucałby się w oczy. Nie było wiele takich miejsc. Parking przed sklepem? Wolałby, żeby nikt nie widział, że się tam zatrzymuje. Ponownie minął sklep, penetrując wzrokiem okolicę. Rosnące po obu stronach drogi drzewa mogły dostarczyć schronienia... lub nie. Kevin wolał nie ryzykować, że ktoś zacznie się interesować porzuconym w lesie autem.

Od kofeiny był trochę rozdygotany, więc wrócił do wódki, która działała uspokajająco na jego nerwy. Za diabła nie mógł znaleźć odpowiedniego miejsca, gdzie mógłby ukryć samochód. Do cholery, co to za dziwaczne miasto?! Jeździł w kółko i jego gniew rósł. Czemu wszystko było takie trudne? Trzeba było wynająć jakiś pojazd, ale nie wpadł na to wcześniej, a teraz nie mógł znaleźć kryjówki dla samochodu wystarczająco blisko domu Erin, lecz tam, gdzie żona go nie dostrzeże.

Jedynym rozwiązaniem wydawał się parking przed sklepem, toteż Kevin wrócił tam i zostawił samochód obok ściany budynku. Do domu Erin były stąd ze trzy kilometry, ale nie wiedział, jak inaczej rozwiązać ten problem. Przez chwilę rozmyślał, po czym wyłączył silnik. Kiedy otworzył drzwiczki, spowiło go gorące powietrze. Opróżnił worek marynarski, wyrzucając ubrania na tylne siedzenie, po czym włożył do niego broń, sznury, kajdanki, taśmę klejącą... i zapasową butelkę wódki. Zarzucił sobie worek na ramię i rozejrzał się. Nikt mu się nie przyglądał. Oszacował, że jego auto może tu stać godzinę czy dwie, zanim wzbudzi czyjeś podejrzenia.

Opuścił parking, a kiedy szedł poboczem drogi, poczuł, że znów dopada go migrena. Upał był wręcz absurdalny. Jak coś żywego. Kevin szedł drogą, zerkając na kierowców mijających go samochodów. Nie zauważył Erin, nawet ciemnowłosej.

Dotarł do żwirowej drogi i skręcił w nią. Była zakurzona, pełna wybojów i wydawało się, że prowadzi donikąd, w końcu jednak kilometr przed sobą Kevin dostrzegł dwa niewielkie budynki. Poczuł, że serce bije mu jeszcze szybciej. W jednym z tych domów mieszkała Erin. Wszedł głębiej na pobocze, między drzewa, chciał bowiem pozostać jak najmniej widoczny. Miał nadzieję na cień, ale słońce stało wysoko, a temperatura ani trochę nie spadała. Jego koszula była już przemoczona od potu, który spływał mu także po policzkach i lepił włosy do czaszki. W skroni mu łomotało, więc przystanął i napił się wódki prosto z butelki.

Z oddali budynki nie wyglądały na zamieszkane. Cholera, na pierwszy rzut oka żaden nie nadawał się w ogóle do zamieszkania! Zupełnie nie przypominały ich domu w Dorchester, z kroksztynami, okiennicami i czerwonymi drzwiami frontowymi. Na ścianach budynku bliżej Kevina farba odchodziła płatami, a rogi desek gniły. Idąc, wpatrywał się w okna, szukając oznak ruchu. Nie dostrzegł żadnych.

Nie wiedział, w którym domu mieszka Erin. Zatrzymał się i studiował je uważnie. Oba były w kiepskim stanie, lecz jeden wyglądał praktycznie na opuszczony, toteż ruszył ku temu drugiemu, trzymając się z dala od okien.

Szedł tutaj ze sklepu trzydzieści minut. Wiedział, że kiedy zaskoczy Erin, żona będzie próbowała mu uciec. Nie zechce z nim jechać. Będzie się starała wymknąć, może nawet zacznie walczyć, więc zamierzał ją związać i zakleić jej usta taśmą, a dopiero później pójść po samochód. Gdy wróci autem, załaduje żonę do bagażnika i wyruszy w drogę powrotną — będzie jechał bez przerwy, aż znajdą się daleko od tego miasta.

Dotarł do bocznej ściany domu i przylgnął do niej, aby nie zobaczono go z okna. Wsłuchiwał się przez moment, czekając na odgłos ruchu, dźwięk otwieranych drzwi, płynącej wody bądź też stukotu naczyń, nie usłyszał jednak nic.

Głowa wciąż go bolała i czuł pragnienie. Żar lał się z nieba, a koszulkę miał kompletnie mokrą. Kevin oddychał zbyt szybko, ale znajdował się teraz tak blisko Erin. Ponownie przypomniał sobie, że go zostawiła i nie obchodził jej jego płacz. Śmiała się za jego plecami. Ona i jej facet, kimkolwiek był. Kevin wiedział, że Erin na pewno ma faceta. Nie zdołałaby osiągnąć tego wszystkiego sama. Obszedł tyły domu, lecz niczego ciekawego nie znalazł. Szedł powoli i bacznie obserwował. Przed sobą dostrzegł niewielkie okno, wykorzystał okazję i zerknął do środka. Nie paliły się światła, lecz wnętrze wyglądało czysto i schludnie. Na kuchennym zlewie wisiała ściereczka do naczyń; dokładnie tak, jak zwykle wieszała ją Erin. Po cichu zbliżył się do drzwi i przekręcił gałkę. Nie były zamknięte na klucz.

Wstrzymawszy oddech, otworzył je i wszedł do domu. W progu znów się zatrzymał i wsłuchał. Tym razem też nic nie usłyszał. Przemierzył kuchnię i wkroczył do salonu, potem poszedł do sypialni i łazienki. Zaklął głośno, widząc, że żony nie ma w domu.

Zakładając, że jest we właściwym budynku, ma się rozumieć. W sypialni wypatrzył komodę i wyjął górną szufladę. Znalazł stos kobiecych majtek, zanurzył weń rękę, pocierając je kciukiem i palcem wskazującym, ale minęło już tak dużo czasu, że nie był pewny, czy pamięta, jaką bieliznę nosiła w domu. Innych ubrań również nie rozpoznawał, lecz bez wątpienia były w jej rozmiarze.

Poznał natomiast szampon i odżywkę do włosów, a także markę pasty do zębów. W kuchni przejrzał szuflady, otwierając je, aż znalazł rachunek za prąd. Został wystawiony na nazwisko Katie Feldman, więc oparł się o szafkę i zagapił w nazwisko. Wiedział, że dotarł do celu.

Jedyny problem polegał na tym, że Erin tu nie było, a on nie wiedział, kiedy żona wróci. Miał świadomość, że nie może zostawić samochodu pod sklepem na zbyt długi czas, nagle jednak poczuł straszliwe zmęczenie. Chciał się przespać, naprawdę potrzebował snu. Jechał całą noc i strasznie bolała go głowa. Instynktownie wrócił do sypialni Erin. Posłała łóżko, a kiedy odrzucił narzutę, poczuł zapach żony na pościeli. Wpełzł do łóżka i oddychał głęboko, wdychając aromat. Poczuł łzy cisnące mu się do oczu, gdyż uprzytomnił sobie, jak bardzo za nią tęskni i jak bardzo ją kocha. I że mogliby być naprawdę szczęśliwi, gdyby Erin nie była taka samolubna.

Był strasznie śpiący i powiedział sobie, że pośpi tylko kilka minut. Niezbyt długo. Po prostu odpocznie, żeby wieczorem, gdy tu wróci, miał jaśniejszy umysł i nie popełnił jakichś błędów. A potem on i Erin będą znowu mężem i żoną.

35

Alex, Katie i dzieci pojechali do wesołego miasteczka na rowerach, ponieważ zaparkowanie samochodu w centrum było prawie niemożliwe, a powrót do domu, wraz ze wszystkimi innymi kierowcami, byłby zapewne jeszcze gorszy.

Po obu stronach ulicy stały stragany z wytworami rękodzieła artystycznego, a powietrze wypełniały zapachy hot dogów i hamburgerów, popcornu i waty cukrowej. Na głównej scenie miejscowy zespół grał *Little Deuce Coupe* Beach Boysów. Rozgrywano biegi w workach i jakiś plakat obiecywał po południu konkurs jedzenia arbuza. Można było zagrać w różne gry — trafiać lotkami w balony, rzucać obręcze na butelki, celować trzykrotnie do kosza piłką do koszykówki, by zdobyć pluszowego zwierzaka. Na drugim końcu parku stał diabelski młyn, górując nad całym wesołym miasteczkiem i przyciągając rodziny z dziećmi niczym latarnia lotniskowa samoloty.

Alex stanął w kolejce po bilety, Katie tymczasem podążyła za dziećmi, które kierowały się ku samochodzikom. Przy wszystkich atrakcjach stały długie kolejki. Matki i ojcowie trzymali dzieci kurczowo za ręce, a nastolatki zbierały się w grupki. Powietrze rozbrzmiewało rykiem generatorów i mechanicznymi odgłosami urządzeń.

Największego na świecie konia można było obejrzeć za dolara. Kolejny dolar pozwalał na wstęp do sąsiedniego namiotu, gdzie czekał najmniejszy koń świata. Przywiązane do kręgu kucyki chodziły w kółko. Zgrzane i zmęczone, zwiesiły łby.

Dzieci były podenerwowane i chciały „jeździć" na wszystkim, toteż Alex wydał na bilety małą fortunę. Plik biletów topniał szybko, ponieważ niektóre przejażdżki dzieci chciały powtórzyć trzy lub cztery razy. Łączny koszt był straszliwy, więc Alex próbował jakoś zaoszczędzić, namawiając Josha i Kristen, aby sprawdzili też inne karuzele.

Obserwowali mężczyznę żonglującego kręglami i kibicowali psu, który przechodził po linie. Na lunch zjedli pizzę w jednej z lokalnych restauracji — chcąc uciec przez upałem, postanowili zostać w lokalu. Słuchali też zespołu grającego piosenki country. Później obejrzeli ludzi ścigających się na skuterach wodnych na rzece Cape Fear, po czym wrócili do atrakcji wesołego miasteczka. Kristen chciała watę cukrową, a Josh dostał samoprzylepny tatuaż.

I tak — w gorącu i hałasie — czas mijał im na małomiasteczkowych przyjemnościach.

*

Kevin obudził się po dwóch godzinach. Ciało miał śliskie od potu, żołądkiem szarpały skurcze. Jego spowodowane upałem sny były żywe i barwne, toteż przez chwilę nie mógł sobie przypomnieć, gdzie jest. Odnosił wrażenie, że zaraz pęknie mu głowa. Wytoczył się z sypialni chwiejnym krokiem i wszedł do kuchni, zaspokajając pragnienie wodą z kranu. Był oszołomiony, słaby i bardziej zmęczony niż wtedy, gdy się kładł.

Ale nie mógł tu zostać dłużej; w ogóle nie powinien był zasypiać. Poszedł do sypialni i starannie posłał łóżko, aby Erin nie dowiedziała się o jego wizycie. Już miał wyjść, gdy przypomniał sobie zapiekankę z tuńczyka, którą wyszpiegował wcześniej w lodówce, kiedy przeszukiwał kuchnię. Był głodny jak wilk i przyszło mu do głowy, że przecież Erin od miesięcy nie ugotowała mu kolacji.

W tym dusznym domku było chyba ze czterdzieści stopni Celsjusza, więc po otwarciu lodówki Kevin przez długą minutę z rozkoszą stał w jej chłodnym powietrzu. Potem pospiesznie chwycił zapiekankę i przeszukał szuflady, aż znalazł widelec. Zerwał plastikową osłonkę z dania, wziął jeden kęs, potem drugi. Jedzenie nie zmniejszało bólu głowy, ale nieźle działało na żołądek i skurcze zaczęły ustępować. Najchętniej zjadłby wszystko, zapanował jednakże nad sobą i po kolejnym kęsie odstawił zapiekankę z powrotem do lodówki. Erin nie może się dowiedzieć, że mąż tu był.

Opłukał widelec, wytarł go i odłożył do szuflady. Poprawił ręcznik i ponownie zerknął na łóżko, sprawdzając, czy wygląda tak jak przed jego przyjściem.

Usatysfakcjonowany, opuścił dom i skierował się żwirową drogą w kierunku sklepu.

Dach samochodu parzył, a kiedy Kevin otworzył drzwiczki, okazało się, że w środku jest gorąco jak w piecu. Na parkingu nie było nikogo. Zbyt upalnie, aby pozostać na zewnątrz. Parno, niebo bez jednej chmurki, zero wiatru. Kto, w imię Boga, chciałby mieszkać w takim miejscu?!

W sklepie Tierney złapał mineralną i wypił ją, nie oddalając się od chłodziarki, po czym zapłacił za pustą butelkę, którą starsza kobieta wyrzuciła do kosza. Spytała go, czy podobało mu się w wesołym miasteczku, a on odpowiedział wścibskiej starej babie, że tak.

Gdy znalazł się z powrotem w samochodzie, wypił więcej wódki, mimo że miała teraz temperaturę niedawno zaparzonej kawy. Nie przeszkadzało mu to, póki alkohol zmniejszał jego ból. Było zbyt gorąco, aby myśleć, niemniej jednak przemknęło mu przez głowę, że gdyby Erin była w domu, teraz prawdopodobnie oboje jechaliby już z powrotem do Dorchester. Może gdy przywiezie żonę do domu i Bill zobaczy, jak bardzo są ze sobą szczęśliwi, przywróci go na dawne stanowisko. Kevin był przecież dobrym detektywem i kapitan na pewno go potrzebował.

Popijał, aż pulsowanie w skroniach zaczęło ustępować, ale za to wszystko widział teraz podwójnie, chociaż zdawał sobie sprawę, że to tylko złudzenie. Musiał pozostać przytomny, jednak migrena i upał przyprawiały go o mdłości i nie wiedział, jak sobie z tym poradzić.

Uruchomił silnik i wyjechał na główną drogę, kierując się z powrotem do centrum Southport. Wiele ulic zamknięto i stale musiał je objeżdżać, zanim ostatecznie znalazł miejsce do zaparkowania. Na przestrzeni wielu kilometrów nigdzie nie było nawet metra cienia — wszędzie tylko słońce i niekończące się duszne gorąco. Naprawdę miał ochotę zwymiotować.

Pomyślał o Erin i zastanowił się, gdzie może być. W tej knajpie U Ivana? Gdzieś w wesołym miasteczku? Trzeba było zadzwonić i spytać, czy żona pracuje dzisiaj, a wczorajszą noc spędzić w hotelu. Okazało się, że niepotrzebnie się spieszył, ponieważ i tak nie zastał Erin w domu, lecz przecież nie wiedział tego wtedy, a teraz rozgniewała go myśl, że żona prawdopodobnie śmieje się z niego. Śmieje się i śmieje z biednego Kevina Tierneya, zdradzając go z kolejnymi facetami.

Zmienił koszulkę i wsunął broń za pasek dżinsów, po czym ruszył ku nadbrzeżu. Wiedział, gdzie mieści się lokal U Ivana, ponieważ odszukał lokalizację w komputerze. Nie miał wątpliwości, że podejmuje ryzyko, idąc tam, i dwukrotnie zawracał, ale musiał znaleźć Erin, upewnić się, że żona wciąż istnieje. Był oczywiście w jej domu i wdychał jej zapach, lecz te dowody bynajmniej mu nie wystarczały.

Wszędzie były tłumy ludzi. Ulice przypominały Kevinowi wiejski jarmark, tyle że nie było tu świń, koni ani krów. Kupił hot doga i próbował zjeść, lecz jego żołądek odmówił mu posłuszeństwa, więc Kevin większą część zwymiotował. Przechodził wśród mężczyzn i kobiet, aż dostrzegł w oddali nadbrzeże, a tam mieściła się restauracja U Ivana. Ze względu na tłok przemieszczał się nieznośnie powoli. Zanim dotarł do drzwi lokalu, w ustach miał sucho.

W restauracji również było tłumnie, wiele osób czekało na stoliki nawet na zewnątrz. Pomyślał, że powinien był wziąć czapkę z daszkiem i okulary przeciwsłoneczne, ale nie wpadł wcześniej na ten pomysł. Wiedział, że Erin rozpozna go natychmiast, niemniej jednak i tak podszedł do drzwi i wkroczył do środka.

Dostrzegł jakąś kelnerkę, lecz nie była to Erin. Zobaczył kolejną, ale i w niej nie rozpoznał żony. Hostessa okazała się młoda i strasznie zajęta; właśnie usiłowała wymyślić, gdzie posadzić następną grupę klientów. Panował hałas — Kevin słyszał rozmowy, brzęk widelców o talerze, odgłos nalewania płynów do szklanek. Hałas, dezorientacja i ten cholerny łomot w głowie, który nie mijał. Na dodatek miał wrażenie, że jego żołądek płonie.

— Czy Erin dziś pracuje?! — zawołał do hostessy, starając się przekrzyczeć hałas.

Dziewczyna zamrugała zmieszana.

— Kto?

— Katie — poprawił się. — Miałem na myśli Katie Feldman.

— Nie! — odkrzyknęła hostessa. — Dziś ma wolne. Ale pracuje jutro. — Kiwnęła głową ku oknu. — Jest prawdopodobnie gdzieś tam, razem ze wszystkimi innymi. Chyba widziałam, jak przechodziła. Odwrócił się i wyszedł, natychmiast wpadając na grupkę ludzi. Zignorował ich. Na dworze zatrzymał się obok ulicznego sprzedawcy. Kupił czapeczkę bejsbolową oraz parę tanich okularów przeciwsłonecznych. I ruszył dalej.

*

Diabelski młyn kręcił się i kręcił. Alex i Josh zajmowali jedno siedzenie, a Kristen i Katie inne. Gorący wiatr wiał im w twarze. Katie otaczała ramiona dziewczynki, wiedząc, że mała — mimo uśmiechu — denerwuje się z powodu wysokości. Kiedy krzesełko obracało się w najwyższym punkcie i ich oczom ukazywała się panorama miasta, Katie uświadomiła sobie, że jej również nie zachwyca wysokość, chociaż bardziej martwił ją sam diabelski młyn. To wielkie obracające się koło wyglądało na coś połączonego ogromnymi spinkami do włosów i gęstą siatką ogrodzeniową — innymi słowy, nie sprawiało wrażenia, że jest bezpieczne, nawet jeśli rzekomo zostało rano poddane drobiazgowej inspekcji.

W tym momencie zastanowiła się, czy Alex mówił prawdę na temat przeglądu technicznego i czy w ogóle słyszał jej głośne pytanie o stopień ryzyka związanego z jazdą na diabelskim młynie. Cóż, teraz było już za późno na niepokój, więc zamiast się przejmować, skupiła się na rzeszach kręcących się poniżej ludzi. W miarę jak mijało popołudnie, w wesołym miasteczku robiło się jeszcze tłoczniej, ale Southport oferowało niewiele więcej poza wodniactwem. Była to senna miejscowość i Katie wywnioskowała, że taki dzień jak dziś nie powtarzał się prawdopodobnie częściej niż raz do roku.

Diabelski młyn zwolnił i zatrzymał się. Całą czwórką czekali, aż wysiądą pasażerowie przed nimi. Koło obracało się jeszcze nieznacznie, a Katie w tym czasie dokładniej przypatrywała się ludziom. Kristen wyglądała na spokojniejszą, więc i ona postanowiła się odprężyć.

Rozpoznała parę osób jedzących sorbetowe rożki jako stałych gości lokalu U Ivana i zadała sobie pytanie, jak wielu jej klientów tu jest. Popatrywała od jednej grupki do kolejnej i nagle przypomniała sobie, że tak samo rozglądała się w pierwszym okresie pracy jako kelnerka. Tyle że wtedy szukała wzrokiem Kevina.

*

Tierney przeszedł obok straganów, które stały po obu stronach ulicy. Po prostu kręcił się po okolicy i próbował myśleć jak Erin. Powinien był spytać hostessę, czy widziała jego żonę z jakimś mężczyzną, gdyż wiedział, że Erin nie będzie sama w wesołym miasteczku. Stale musiał sobie przypominać, że żona może mieć krótkie brązowe włosy, ponieważ swoje ścięła i pofarbowała. Powinien polecić pedofilowi z innego posterunku zdobycie kopii zdjęcia z jej prawa jazdy, ale wtedy o tym nie pomyślał, a teraz nie miało to już znaczenia, bo wiedział, gdzie żona mieszka, i zamierzał tam wrócić.

Czuł ciężar broni za paskiem i jej nacisk na podbrzusze. Pistolet nieprzyjemnie wbijał mu się w ciało, a pod bejsbolówką Kevinowi było gorąco w głowę, szczególnie że nasunął czapkę nisko i zwarcie przylegała do jego czoła. Miał obawy, że za chwilę eksploduje mu mózg.

Chodził wśród grupek ludzi i przeciskał się przez kolejki, które tworzyli. Czegoż tu nie było: wytwory rękodzieła artystycznego, ozdobne szyszki sosnowe, witraże w ramkach, dzwonki wiatrowe, staroświeckie zabawki wyrzeźbione z drewna. Ciekawscy przepychali się wokół atrakcji; większość osób coś jadła — precle, lody, nachos, bułki z cynamonem. Kevin widział niemowlęta w spacerówkach i przypomniał sobie po raz kolejny, że Erin pragnęła mieć dziecko. Ponownie postanowił, że tym razem się zgodzi. Dziewczynkę lub chłopczyka, bez różnicy... Chociaż wolałby chłopca, bo dziewczynki są egoistkami i nie docenią życia, jakie im zapewni. Dziewczyny już takie są.

Wszędzie wokół niego ludzie rozmawiali głośno lub szeptem i zdawało mu się, że niektórzy z nich gapią się na niego, tak jak zawsze robili to Coffey i Ramirez. Ignorował ich, skupiony na poszukiwaniach. Rodziny. Objęte nastolatki. Facet w sombrero. Obok latarni ulicznej palili papierosy dwaj pracownicy wesołego miasteczka. Byli szczupli, wytatuowani i mieli zepsute zęby. Prawdopodobnie ćpuny, notowane, z grubymi kartotekami kryminalnymi. Nie zrobili na nim najlepszego wrażenia. Kevin był dobrym detektywem, znał się na ludziach i nie ufał im. A jednak gdy przeciskał się obok nich, nie zareagowali w żaden sposób.

Skręcał to w lewo, to w prawo, bez przerwy przebijając się przez tłum i nieprzerwanie studiując twarze mijanych osób. Zatrzymał się na moment, gdyż mijała go para tłuściochów — dreptali obok niego, jedząc parówki w cieście; oboje mieli plamiste, czerwone twarze. Nienawidził grubych ludzi, ponieważ byli słabi i brakowało im dyscypliny — skarżyli się na wysokie ciśnienie krwi, cukrzycę, problemy z sercem, jęczeli z powodu kosztów leków, a równocześnie brakowało im silnej woli, aby zacząć się odchudzać. Erin zawsze była szczupła, ale miała duży biust, a teraz była tu z kolejnym mężczyzną, który obmacywał jej piersi w nocy... Na tę myśl w Kevinie aż się zagotowało. Nienawidził jej! Ale również jej pragnął. Kochał ją. Ogólnie rzecz biorąc, nie myślał zbyt jasno. Wypił za dużo, a było tak cholernie gorąco. Dlaczego żona przeprowadziła się w takie piekielne miejsce?! Chodził wśród atrakcji wesołego miasteczka, aż zauważył nad głową diabelski młyn. Podszedł bliżej, wpadając przy okazji na jakiegoś mężczyznę w podkoszulku, lekceważąc wymamrotane pod nosem przekleństwo sugerujące oburzenie. Kevin sprawdził siedzenia na diabelskim młynie, przesuwając wzrokiem po każdej twarzy. Nie dostrzegł Erin ani tam, ani w kolejce.

Szedł dalej w upale i szukał wśród tłuściochów swojej szczupłej żony i mężczyzny, który nocami obmacywał jej biust. Idąc, myślał o glocku za paskiem.

*

Wielkim przebojem okazały się karuzele obracające się zgodnie z ruchem wskazówek zegara. Dzieci jeździły na każdej dwukrotnie, a i po diabelskim młynie błagały o powtórkę. Alexowi zostało jeszcze kilka biletów, więc wyraził zgodę, powiedział jednak, że po tej ostatniej przejażdżce wracają do domu. Zanim będzie musiał jechać do Raleigh, chciał mieć czas na prysznic, zjedzenie kolacji i może krótki odpoczynek.

Pomimo wielkich starań nie mógł przestać myśleć o wcześniejszej niedwuznacznej sugestii Katie. A ona najwyraźniej wyczuwała, o czym myślał, ponieważ przyłapał ją szereg razy, jak przyglądała mu się z uwagą. W kąciku jej ust igrał wówczas prowokujący uśmieszek.

Teraz stała obok niego i uśmiechała się do dzieci. Podszedł bliżej, otoczył ją ramieniem i poczuł, że Katie lgnie do niego. Nie powiedział nic, ponieważ słowa nie były potrzebne, a i ona się nie odezwała. Zamiast tego przechyliła głowę i położyła ją na jego ramieniu, a jego uderzyła myśl, że niczego więcej od życia nie potrzebują.

*

Erin nie było przy samochodzikach, budynku z labiryntem luster ani w pałacu strachów. Kevin obserwował bacznie kolejki po bilety, usiłując równocześnie wmieszać się w tłum, gdyż chciał ją zobaczyć, zanim ona dostrzeże jego. Miał przewagę, ponieważ żona nie wiedziała o jego przybyciu, ale czasami ludzie mają szczęście i zawsze może się zdarzyć coś nieoczekiwanego. W tym momencie przypomniał sobie Karen Feldman i dzień, w którym nieświadomie wyjawiła mu sekret Erin. Żałował, że zostawił wódkę w samochodzie. Nigdzie wokół siebie nie widział sklepu, w którym mógłby kupić butelkę, nigdzie też w polu widzenia nie było baru. Nie dostrzegł nawet budki z piwem. Wprawdzie nie lubił piwa, lecz skoro nie miał wyboru, kupiłby puszkę. Zapach jedzenia przyprawił go o mdłości, a jednocześnie poczuł głód; pot przyklejał mu koszulę do pleców i pach.

Minął stoiska, w których kanciarze oferowali różne gry hazardowe. Wiedział, że próba wygrania tutaj równała się wyrzuceniu pieniędzy, gdyż wszystkie gry były ustawione, lecz wokół każdej i tak gromadzili się kretyni. Przypatrywał się twarzom ludzi. Nie dostrzegł Erin.

Ruszył ku kolejnym atrakcjom. Widział dzieci w samochodzikach i wiele osób wiercących się w kolejce. Zostały jeszcze karuzele, więc ruszył w tamtym kierunku. Podszedł do grupy ludzi i wyciągnął szyję, by lepiej widzieć.

*

Krzesełka karuzeli zaczęły zwalniać, ale Kristen i Josh nadal się śmiali, niezwykle podnieceni przejażdżką. Alex miał rację, że powinni już wracać; upał zmęczył Katie straszliwie i bez wątpienia potrzebowała chłodu i wytchnienia. Jej mały domek miał sporo wad, a jedną z nich był, niestety, brak klimatyzacji. Katie od dawna pozostawiała na noc otwarte okna, niewiele to jednak pomagało. Karuzela wreszcie się zatrzymała. Josh odpiął łańcuch i zeskoczył. Kristen potrzebowała trochę więcej czasu na uwolnienie się, lecz już chwilę później oboje gramolili się ku Katie i ojcu.

*

Kevin zobaczył, że karuzela staje, a później widział, jak grupka dzieci zeskakuje z krzesełek, ale nie one przyciągnęły jego uwagę. Skoncentrował się raczej na dorosłych, którzy tłoczyli się wokół zejścia.

Ciągle szedł, przyglądając się kolejnym kobietom. Blondynka czy brunetka, kolor włosów nie miał dla niego znaczenia. Szukał znajomej szczupłej sylwetki Erin. Ze swego miejsca nie widział twarzy osób stojących bezpośrednio przed nim, idąc, zmieniał więc kierunek. Za kilka sekund, gdy dzieciaki dotrą do wyjścia, wszyscy się rozejdą.

Szedł szybko. Jakaś rodzina stanęła przed nim, z biletami w rękach dyskutowali, dokąd teraz iść. Idioci, którzy bezsensownie się spierali! Kevin okrążył ich, wytężając wzrok, chciał bowiem zobaczyć oblicza wszystkich osób wokół karuzeli.

Nie dostrzegł żadnej szczupłej kobiety... poza jedną. Brunetka o krótkich włosach stała obok siwowłosego mężczyzny, który otaczał ją ramieniem w talii.

Kevin nie mógł się mylić. Te same długie nogi, ta sama twarz, te same szczupłe ręce.

Erin!

36

Alex i Katie trzymali się za ręce, gdy szli wraz z dziećmi w stronę restauracji U Ivana. Zostawili rowery obok tylnych drzwi lokalu, w tym samym miejscu, gdzie zwykle parkowała Katie. Po drodze do wyjścia Alex kupił wodę dla Josha i Kristen, po czym skierowali się ku domowi.

— Miły dzień? — spytał mężczyzna dzieci, równocześnie pochylając się, aby odczepić rowery.

— Świetny dzień, tato — odparła córeczka.

Twarz dziewczynki była zaczerwieniona od upału.

Synek przetarł usta dłonią.

— Wrócimy jutro?

— Może — odrzekł niejednoznacznie Alex.

— Proszę, tato. Chcę znowu pojeździć na karuzeli.

Gdy Alex uwolnił wszystkie rowery, przewiesił sobie łańcuchy przez ramię.

— Zobaczymy — odpowiedział.

Okap na tyłach restauracji dostarczał nieco cienia, lecz i tu było bardzo gorąco. Gdy przechodzili obok okien i Katie zobaczyła, jaki tłok panuje w lokalu, ucieszyła się, że ma dziś dzień wolny, nawet jeśli z tego powodu będzie musiała wziąć podwójną zmianę jutro i w poniedziałek. Wycieczka była tego warta. Katie już spędziła przyjemny dzień, a teraz będzie mogła odpocząć i obejrzeć jakiś film z maluchami, czekając na powrót Alexa. A po jego powrocie...

— Co takiego? — spytał Alex.

— Nic.

— Patrzysz na mnie takim wzrokiem, jakbyś zamierzała mnie zjeść.

— Zamyśliłam się na moment — odparła i mrugnęła. — Ten upał wyssał ze mnie chyba wszystkie siły.

— Ach tak. — Skinął głową. — Gdybym nie wiedział...

— Chciałabym ci przypomnieć, że pewne młode osoby wytężają uszy — przerwała mu pospiesznie — więc lepiej uważaj na to, co mówisz.

Pocałowała go, a następnie poklepała lekko po piersi.

Żadne z nich nie zauważyło mężczyzny w czapce bejsbolówce i przeciwsłonecznych okularach, który przyglądał im się z tarasu sąsiedniej restauracji.

*

Kevinowi aż zakręciło się w głowie, gdy patrzył, jak Erin i siwowłosy mężczyzna się całują. Jego żona flirtowała z obcym facetem! Widział, jak pochyliła się nad dziewczynką i uśmiechnęła do niej. I jak zmierzwiła włosy chłopczykowi. Zauważył też, że siwowłosy poklepał Erin po tyłku, wykorzystując fakt, że dzieci patrzą gdzie indziej. Erin — żona Kevina — zgadzała się na to! Lubiła to! Wręcz zachęcała mężczyznę do takich gestów. Zdradzała męża ze swoją nową rodziną, jak gdyby jej małżeństwo nigdy nie istniało.

Cała czwórka wsiadła na rowery i zaczęła pedałować. Objechali budynek, oddalając się od Kevina. Erin jechała obok siwowłosego. Miała na sobie szorty i sandały. Pokazywała sporo ciała! Wyglądała seksownie dla kogoś innego. Tierney podążył za nimi. Oczami wyobraźni zobaczył jej włosy... długie, blond i falujące. Lecz zamrugał i Erin znów miała włosy krótkie i brązowe. Udawała, że przestała być jego żoną, jechała na rowerze w towarzystwie nowej rodziny, całowała obcego mężczyznę i stale się uśmiechała, wolna od wszelkich trosk.

To nie jest rzeczywiste, powiedział sobie Kevin. To tylko sen. Koszmar senny.

Ruszyli wzdłuż nabrzeża. Na wodzie kiwały się łódki. Kevin skręcił za róg. Oni jechali, a on szedł, lecz poruszali się powoli, aby za resztą mogła nadążyć dziewczynka. Kevin utrzymywał odpowiedni dystans, równocześnie jednak trzymał się na tyle blisko, że słyszał śmiech Erin. Wydawała się szczęśliwa. Sięgnął po glocka, wyjął go zza paska, a potem wsunął sobie pod koszulę i przycisnął do brzucha. Zdjął bejsbolówkę i przykrył nią broń przed ewentualnymi gapiami.

Jego myśli skakały jak kulki w automacie. Erin kłamała, zdradzała go, knuła intrygi i spiskowała. Uciekła i znalazła sobie kochanka. Rozmawiała i śmiała się za plecami męża. Szeptała do siwowłosego, mówiła mu świństewka. Ręce tego mężczyzny błądziły po jej piersiach, a ona dyszała. Udawała, że nie jest mężatką, zapominała o wszystkim, co Kevin dla niej zrobił, nie dbała o ofiary, które dla niej poniósł, ani o to, że musiał zeskrobywać krew z butów, że Coffey i Ramirez stale o nim plotkowali, że muchy brzęczały nad hamburgerami. Erin to nie interesowało, ponieważ uciekła, Kevin zaś musiał iść na grilla sam. Erin z nim tam nie było, toteż nie mogła wyjaśnić kapitanowi Billowi, jaki popełnia błąd.

A teraz żona jechała przed Kevinem na rowerze, bez trudu pedałując. Włosy miała krótkie i pofarbowane, lecz była tak ładna jak zawsze, tyle że w ogóle nie myślała o nim, swoim mężu. W ogóle jej nie obchodził. Zapomniała o nim i o małżeństwie, dzięki czemu wiodła wesołe życie z siwowłosym mężczyzną, klepała go po piersi i całowała z rozmarzoną miną. Była szczęśliwa, spokojna i niczym się nie przejmowała. Chodziła do wesołego miasteczka, jeździła na rowerze. Prawdopodobnie podśpiewywała sobie pod prysznicem, podczas gdy Kevin płakał i wspominał zapach perfum, które kupił jej na Gwiazdkę. Nic z tego nie miało dla niej znaczenia, ponieważ była samolubna i sądziła, że może odrzucić małżeństwo jak puste pudełko po pizzy.

Automatycznie przyspieszył kroku. Tłumy ludzi spowalniały jazdę rodziny i Kevin wiedział, że mógłby podnieść broń i zastrzelić Erin. Jego palec dotknął spustu i odbezpieczył broń, ponieważ Biblia mówi: *We czci niech będzie małżeństwo pod każdym względem i łoże nieskalane, gdyż rozpustników i cudzołożników osądzi Bóg**, ale zdał sobie sprawę, że zgodnie z tym cytatem będzie musiał również zabić siwowłosego mężczyznę. Może zabije najpierw jego, a potem Erin? Musiał tylko pociągnąć za spust, lecz uznał, że z tej odległości trudno mu będzie trafić z glocka w ruchomy cel, a wszędzie wokół byli ludzie. Ktoś zobaczy pistolet, zacznie krzyczeć i zupełnie uniemożliwi mu strzał... Więc zdjął palec ze spustu.

— Przestań zajeżdżać drogę siostrze! — nakazał siwowłosy.

Kevin ledwie usłyszał jego głos, lecz słowa rzeczywiście padły i teraz Kevin wyobraził sobie nieprzyzwoitości, które tym głosem mężczyzna szeptał Erin. Rósł w nim gniew. Nagle dzieci skręciły za róg, a po nich także Erin i siwowłosy.

---

* List do Hebrajczyków 13,4.

Tierney się zatrzymał. Sapał i czuł się chory. Kiedy Erin znikała za rogiem, jej profil błysnął w świetle, toteż Kevin znów pomyślał, jaka jego żona jest piękna. Zawsze przypominała mu delikatny kwiat, śliczny i wytworny, a teraz Kevinowi przemknęło przez głowę wspomnienie, jak uratował ją przed gwałtem ze strony zbirów, kiedy wyszła z kasyna, a później często mówiła mu, że czuje się przy nim bezpieczna, tyle że fakt ten nie powstrzymał jej przed opuszczeniem go. Stopniowo zaczął słyszeć głosy ludzi, którzy przechodzili obok niego z lewej i z prawej strony. Paplali o niczym, szli bez celu, niemniej jednak ich ruch wyrwał go z zadumy. Kevin zaczął biec, starając się dotrzeć do miejsca, w którym zniknęli mu z oczu. Wraz z każdym kolejnym krokiem pod płonącym słońcem miał większą ochotę zwymiotować. Dłoń, którą trzymał na broni, stała się śliska i spocona. Dobiegł do narożnika i spojrzał na ulicę.

Nie dostrzegł nikogo, widział jednak, że dwie przecznice dalej ulica jest zastawiona straganami i nieprzejezdna, więc śledzona przez niego rodzina musiała skręcić wcześniej. Innej drogi nie było. Kevin uznał, że wszyscy czworo prawdopodobnie skręcili w prawo, chcieli pewnie opuścić centrum.

Miał dwa wyjścia. Mógł gonić ich na piechotę, ryzykując, że zostanie przyuważony, albo wrócić pędem po samochód i spróbować ich później wytropić. Usiłował myśleć tak jak Erin i wyobraził sobie, że skierowali się do domu siwowłosego. Jej dom był zbyt mały dla całej czwórki i panowało w nim straszliwe gorąco, zresztą Erin na pewno woli pojechać do ładnego budynku zastawionego kosztownymi meblami, ponieważ uznała najwyraźniej, że zasłużyła na takie życie, chociaż nie uszanowała tego, które prowadziła wcześniej.

Co wybrać? Iść czy jechać? Stał, mrugając i starając się podjąć decyzję, lecz panował upał, Kevin był zdezorienwany, głowę wypełniał mu łomot i potrafił jedynie myśleć, że jego żona sypia z siwowłosym mężczyzną. I świadomość tego faktu przyprawiała go o mdłości.

Erin prawdopodobnie wkładała koronkową bieliznę, tańczyła dla siwowłosego i szeptała mu słowa, które go rozpalały. Błagała go, aby pozwolił sobie dogadzać, i dzięki temu mogła mieszkać w jego domu wyposażonym w eleganckie przedmioty. Została prostytutką, która sprzedawała duszę za luksusy! Sprzedawała ciało za perły i kawior! Prawdopodobnie sypiała teraz w jakiejś pięknej rezydencji, po świetnych kolacjach, na które siwowłosy zabierał ją do eleganckich restauracji.

Kiedy Tierney sobie to wszystko wyobrażał, zrobiło mu się naprawdę niedobrze. Poczuł się zraniony i zdradzony. Wściekłość otrzeźwiła go i uprzytomnił sobie, że stoi w miejscu, podczas gdy oni oddalają się coraz bardziej. Jego samochód znajdował się wiele przecznic stąd, więc w końcu Kevin odwrócił się na pięcie i ruszył pędem w tamtą stronę. Przebiegł wesołe miasteczko, dziko przeciskając się wśród ludzi i ignorując ich krzyki i protesty.

— Z drogi, z drogi! — wołał i niektórzy sami mu ustępowali, a innych był zmuszony odpychać.

Minął tłum, lecz oddychał ciężko i musiał się zatrzymać, po czym zwymiotował w pobliżu hydrantu. Dwóch nastoletnich chłopaków zaśmiało się z niego, toteż miał ochotę od razu ich zastrzelić, ale wytarłszy usta, spokojnie wyjął broń i jedynie wycelował w nich, a wtedy natychmiast się zamknęli.

Chwiejnie ruszył naprzód, czując, jak urojony szpikulec do lodu wbija mu się w głowę. Ukłucie i ból, ukłucie i ból. Każdy cholerny krok był jak ukłucie i ból, a Erin prawdopodobnie właśnie opowiadała siwowłosemu, jakie wspaniałe rzeczy będą robili w łóżku. Mówiła mu o mężu i śmiała się, szepcząc: „Kevin nigdy nie potrafił mnie zadowolić tak jak ty", chociaż nie było w tym ani grama prawdy. Dotarcie do samochodu zajęło mu wieczność. Kiedy stanął przy aucie, popatrzył na niebo. Słońce wyglądało na gorące jak świeżo upieczony bochenek chleba. Żar lał się z nieba, kierownica parzyła. To było piekło! Erin wybrała życie w piekle. Tierney uruchomił silnik i otworzył okna, a później zakręcił autem i wrócił do wesołego miasteczka. Jechał, trąbiąc na ludzi na ulicy.

Znowu objazdy. Blokady. Miał ochotę przejechać przez nie, rozbić je na kawałki, ale nie mógł, bo wokół byli gliniarze i jeden z nich na pewno by go aresztował. Głupi gliniarze, tłuści i leniwi. Jak Barney Fife z durnego serialu. Idioci! Żaden z nich nie jest dobrym detektywem, chociaż noszą broń i odznaki. Kevin wjeżdżał w boczne uliczki, próbując odkryć, dokąd skierowała się Erin. Erin i jej kochanek. Oboje byli cudzołożnikami, zresztą Biblia mówi: *Każdy, kto pożądliwie patrzy na kobietę, już się w swoim sercu dopuścił z nią cudzołóstwa**.

Wszędzie byli ludzie. Przechodzili ulice na chybił trafił. Zmuszali go, aby się zatrzymał. Kevin pochylił się nad kierownicą i wytężył wzrok, wypatrując przez przednią szybę, aż wreszcie dostrzegł czteroosobową grupkę na rowerach. Widział w oddali ich niewielkie sylwetki. Ominęli właśnie kolejną blokadę i kierowali się ku drodze, która prowadziła do domu Erin. Na rogu stał gliniarz, kolejny Barney Fife.

Kevin ruszył gwałtownie do przodu, lecz musiał się zatrzymać, gdyż jakiś mężczyzna nagle pojawił się tuż przed maską auta i uderzył w nią pięścią. Wsiok z Południa, wytatuowany, z przydługimi włosami i w koszuli w czaszki! Miał grubą żonę i utuczone dzieci. Ofiary losu, wszyscy oni.

---

* Ewangelia wg św. Mateusza 5,28.

— Patrz, gdzie jedziesz! — warknął wsiok.

Kevin w myślach strzelał do nich z pistoletu, pif-paf, pif-paf, powstrzymał się jednak przed rzeczywistą reakcją, ponieważ stojący na rogu gliniarz lustrował go wzrokiem.

Pif-paf, pomyślał ponownie.

Skręcił, przyspieszył, jechał. Skręcił w lewo i znowu przyspieszył. Znów skręcił w lewo. Przed sobą dostrzegł następne blokady. Zawrócił, skręcił w prawo, potem w lewo. Znowu blokady. Znalazł się w prawdziwym labiryncie, niczym szczur poddawany eksperymentowi. Miasto zmówiło się przeciwko niemu, a Erin tymczasem uciekła. Wrzucił wsteczny bieg i wycofał auto. Znalazł drogę, skręcił i popędził prosto do następnego skrzyżowania. Uznał, że jest już na pewno blisko celu, i ponownie skręcił w lewo, a wtedy zobaczył przed sobą pojazdy zmierzające w pożądanym przez niego kierunku. Znów skręcił, wciskając się pomiędzy dwie ciężarówki.

Chciał jechać szybciej, lecz nie mógł. Samochody osobowe i ciężarówki sunęły powoli przed nim, niektóre miały nalepki z konfederackimi flagami, inne na dachach stojaki na broń. Wsioki. Ludzie na drodze uniemożliwiali przejazd samochodom, chodzili w taki sposób, jakby nie byli świadomi istnienia pojazdów. Niespiesznie przechodzili obok auta Kevina i poruszali się szybciej od niego. Grubi ludzie, którzy wciąż jedzą! Prawdopodobnie jedzą przez cały dzień i spowalniają ruch samochodowy... A Erin tymczasem oddalała się coraz bardziej.

Tierney przejechał jakieś dwa metry i ponownie musiał się zatrzymać. Znów kilka metrów i znów stanął. I tak raz za razem. Miał ochotę krzyczeć i walić w kierownicę, ale ze wszystkich stron otaczali go gapie. Jeśli teraz nie zachowa ostrożności, ktoś coś powie i jakiś Barney Fife podejdzie sprawdzić, co się dzieje, zobaczy numery spoza stanu i prawdopodobnie od razu aresztuje Kevina tylko dlatego, że nie jest tutejszy.

Do przodu i stop, do przodu i stop. Posuwał się niemal po kilka centymetrów, w końcu jednak dotarł do rogu. Ruch uliczny był chyba teraz mniejszy, jednak Kevinowi na nic się to nie zdało, gdyż nigdzie przed sobą nie dostrzegł Erin i siwowłosego mężczyzny. Po prostu zniknęli. Widział jedynie długi rząd samochodów osobowych i ciężarówek na drodze, która z jego perspektywy prowadziła po prostu donikąd.

37

Przed sklepem było zaparkowanych kilkanaście aut. Katie wchodziła za dziećmi po schodach do domu. Przez większą część jazdy powrotnej Josh i Kristen narzekali, że bolą ich nogi, lecz Alex lekceważył jęki, przypominając tylko co jakiś czas, że dom jest coraz bliżej. Gdy odkrył, że to stwierdzenie nie działa, po prostu skomentował, że on również czuje coraz większe zmęczenie i nie chce więcej słuchać ich skarg.

Narzekania ustały, kiedy cała czwórka dotarła do sklepu. Zanim weszli po schodach, Alex pozwolił dzieciom wziąć lody i gatorade. Kiedy otworzyli drzwi domu, uderzyło ich niesamowicie orzeźwiające chłodne powietrze. Alex zaprowadził Katie do kuchni. Kobieta obserwowała go, gdy skrapiał twarz i szyję nad zlewem. Dzieci udały się do salonu i natychmiast włączyły telewizor, po czym usadowiły się na kanapie.

— Wybacz — jęknął Alex. — Jakieś dziesięć minut temu obawiałem się, że naprawdę umrę w tym upale.

— Nic nie mówiłeś.

— To dlatego, że jestem twardym facetem — odparował, udając, że wydyma pierś. Wyjął z szafki dwie szklanki, wrzucił do nich kostki lodu, a następnie nalał wody z dzbanka, który trzymał w lodówce. — Podziwiam twoją wytrzymałość — dodał, wręczając jej szklankę. — Na dworze jest dosłownie jak w saunie.

— Niewiarygodne, ile osób przyszło dziś do wesołego miasteczka — zauważyła Katie i wypiła łyk.

— Zawsze zastanawiałem się, dlaczego lunapark nie przyjeżdża w maju albo w październiku, jednak tłumom najwyraźniej pogoda wcale nie przeszkadza.

Katie zerknęła na zegar ścienny.

— O której musisz wyjechać?

— Mniej więcej za godzinę. Powinienem jednak być z powrotem do dwudziestej trzeciej.

Pięć godzin, pomyślała.

— Chcesz, żebym przygotowała dzieciom na kolację coś specjalnego?

— Oboje lubią makaron, Kristen z masłem, a Josh z sosem marinara, którego butelka stoi w lodówce. Ale wiesz, przez cały dzień coś podjadali, więc pewnie nie zjedzą dużo.

— O której godzinie zwykle kładziesz je spać?

— Różnie bywa. Nie później niż o dwudziestej drugiej, ale czasami śpią już o ósmej. Będziesz musiała sama ocenić.

Katie przyłożyła szklankę z chłodną wodą do policzka i rozejrzała się po kuchni. Nie spędziła wcześniej zbyt dużo czasu w tym domu, a teraz, gdy tu była, dostrzegła drobiazgi świadczące o tym, że mieszkała tu kiedyś kobieta: czerwony szew na firankach, porcelana ustawiona w szafce w widocznym miejscu, wersety z Biblii wymalowane na ceramicznych kafelkach w pobliżu kuchenki. Dom przepełniały dowody, że Alex był kiedyś związany z inną kobietą, ale Katie — ku swemu zaskoczeniu — odkryła, że wcale jej to nie martwi.

— Zamierzam wskoczyć pod prysznic — powiedział mężczyzna. — Poradzisz sobie przez kilka minut?

— Oczywiście — odparła. — Mogę pomyszkować w twojej kuchni i pomyśleć o kolacji?

— Makaron jest w tamtej szafce — odrzekł, wskazując. — Ale słuchaj, jeśli chcesz się wykąpać u siebie i przebrać, mogę cię po prysznicu odwieźć do domu. Albo możesz skorzystać z łazienki tutaj. Jak wolisz.

Katie przybrała zmysłową pozę.

— Czy to zaproszenie? — spytała. Oczy Alexa rozszerzyły się, po czym mężczyzna zerknął ku dzieciom w salonie. — Żartowałam — dodała szybko i roześmiała się. — Wezmę prysznic po twoim wyjściu.

— Chcesz pojechać najpierw po ubranie? Jeśli nie, mogę ci pożyczyć spodnie od dresu i podkoszulek... Spodnie będą wprawdzie za duże, ale możesz ściągnąć tasiemkę w pasie.

Katie uznała pomysł włożenia jego rzeczy za niesamowicie pociągający.

— W porządku — zapewniła go. — Nie jestem wybredna. Będę tutaj przecież tylko oglądała film z dziećmi, pamiętasz?

Alex wypił wodę i wstawił szklankę do zlewu. Pochylił się i pocałował Katie, a potem skierował się do sypialni.

Po jego wyjściu stanęła przed oknem kuchennym. Obserwowała drogę przed domem i czuła, jak ogarnia ją dziwny, nieokreślony niepokój. Identycznie czuła się rano, lecz wówczas pomyślała, że nastrój ów stanowi następstwo kłótni z Alexem, teraz jednak odkryła, że znów myśli o Feldmanach. I o Kevinie!

Jego imię przemknęło jej przez głowę już na diabelskim młynie. Przyglądała się wtedy ludziom w tłumie i właściwie wiedziała, że wcale nie szuka wśród nich znajomych z restauracji. Wcale nie. W rzeczywistości wypatrywała Kevina. Z niewytłumaczalnego powodu wierzyła, że może być gdzieś w tłumie. Miała niemal pewność, że mąż tam jest!

Uznała jednak, że to tylko paranoja. Niemożliwe, żeby Kevin wiedział, gdzie jej szukać, niemożliwe, żeby domyślił się jej nowego nazwiska. Niemożliwe, przypomniała sobie twardo. Nigdy by nie połączył jej osoby z córką Feldmanów, przecież ani razu z nimi nie rozmawiał. Dlaczego zatem przez cały dzień doświadczała uczucia, że ktoś ją śledzi, nawet kiedy opuścili wesołe miasteczko...?

Katie nie była medium, zresztą w ogóle nie bardzo wierzyła w zdolności parapsychologiczne, chociaż znała siłę podświadomości i brała pod uwagę możliwość, że podświadomie człowiek dostrzega detale, które świadomie przeoczy. Gdy tak jednak stała w kuchni Alexa, nie potrafiła wskazać ani jednego szczegółu, który powinien wzbudzić jej podejrzenia, toteż po przyjrzeniu się kilkunastu przejeżdżającym drogę samochodom w końcu odwróciła się od okna. Uznała, że prawdopodobnie po prostu dopadły ją dzisiaj paskudne stare lęki.

Pokręciła głową i wyobraziła sobie Alexa pod prysznicem. Na myśl, że mogłaby dołączyć tam do niego, aż się zarumieniła i całe jej ciało ogarnęło gorąco. Tyle że... Coś takiego nie było wcale proste, nawet gdyby dzieci akurat nie znajdowały się w pobliżu. Mimo iż Alex myślał o niej jako o Katie, Erin nadal pozostawała żoną Kevina. Wolałaby być kimś innym, inną kobietą, która mogłaby po prostu rzucić się w ramiona kochanka. Przecież Kevin złamał wszystkie małżeńskie reguły w chwili, gdy po raz pierwszy podniósł na nią rękę. Gdyby Bóg zajrzał jej w serce, na pewno zgodziłby się z nią, że Katie nie grzeszy obecnie swoim zachowaniem. Prawda?

Westchnęła. Alex... Nie potrafiła myśleć o nikim innym. Marzyła jedynie o tym, co będzie „później". Alex kochał ją i pragnął jej, a ona ze wszystkich sił chciała okazać mu wzajemność. Pragnęła czuć jego ciało przy swoim. Pragnęła być z Alexem, póki on zechce. Na zawsze?

Zapanowała nad sobą i przestała wyobrażać sobie siebie ze swoim mężczyzną, przestała fantazjować, jak będzie im razem. Pokręciła głową, uwalniając się od takich rojeń, i poszła do salonu, gdzie zajęła miejsce na kanapie obok Josha. Dzieci oglądały na kanale Disney Channel serial, którego nie rozpoznała. Po chwili podniosła wzrok, spojrzała na zegar i zauważyła, że minęło dopiero dziesięć minut. A miała wrażenie, że upłynęła godzina.

Po prysznicu Alex przyrządził sobie kanapkę, usiadł obok Katie i zaczął jeść. Pachniał czystością, a mokre włosy wciąż przylegały mu do głowy. Katie zapragnęła scałować tę wilgoć z jego skóry. Dzieci, całkowicie wpatrzone w ekran, ignorowały ich oboje, nawet gdy Alex postawił talerz na niskim stoliku i zaczął powoli przesuwać dłonią w górę i w dół po udzie Katie.

— Wyglądasz pięknie — wyszeptał jej w ucho.

— Wyglądam okropnie — odcięła się, próbując lekceważyć wewnętrzny płomień, który czuła na nodze w muskanych miejscach. — Nie kąpałam się jeszcze.

Nadeszła pora odjazdu i Alex ucałował dzieci w salonie. Katie poszła za nim do drzwi, a kiedy i ją pocałował na do widzenia, jego ręka powędrowała niżej i objął kobietę w talii. Jego pocałunki były bardzo delikatne. Bez wątpienia był w niej zakochany, bez wątpienia pragnął jej i chciał, aby o tym wiedziała. Doprowadzał ją do szaleństwa i najwyraźniej cieszył się z tego.

— Do zobaczenia za jakiś czas — powiedział, odsuwając się.

— Jedź ostrożnie — szepnęła. — Dzieci będą ze mną bezpieczne.

Gdy schodził po schodach, oparła się o drzwi, wsłuchała w jego kroki i zrobiła powolny wydech.

Dobry Boże, pomyślała. Dobry Boże... Przysięga małżeńska czy nie, poczucie winy czy nie... Katie uprzytomniła sobie, jak bardzo jest gotowa na nowy etap ich związku.

Ponownie zerknęła na zegar, pewna, że będzie to najdłuższe pięć godzin w jej życiu.

38

— Cholera! — Kevin stale powtarzał pod nosem. — Cholera!

Przejechał ostatnio wiele godzin. Zatrzymał się po drodze i kupił cztery butelki wódki w sklepie ABC. Jedną z nich wypił już w połowie, toteż jadąc, widział wszystko podwójnie, chyba że przymykał jedno okno. Szukał rowerów. Czterech rowerów, licząc razem z damką wyposażoną w koszyki. Równie dobrze mógłby szukać konkretnego kawałka planktonu w oceanie. Jeździł kolejnymi ulicami, w górę i w dół, podczas gdy popołudnie mijało i z wolna zapadał zmrok. Rozglądał się, patrząc w lewo, w prawo i znów w lewo. Wiedział, gdzie Erin mieszka, więc zdawał sobie sprawę, że w końcu dopadnie ją w domu. Na razie jednak żona była gdzieś z siwowłosym, który śmiał się z Kevina, mówiąc: „Kochanie, jestem o wiele lepszy od twojego męża".

Przez chwilę Tierney wykrzykiwał przekleństwa w samochodzie i równocześnie tłukł pięścią w kierownicę. Odbezpieczał i zabezpieczał broń, wyobrażając sobie, jak żona go całuje, a on otacza jej talię ramieniem. Przypominał sobie jednak, jak szczęśliwa jest teraz, gdy myśli, że go oszukała. A teraz go zdradza. Jęczy z rozkoszy i mruczy różne słowa, a kochanek sapie na jej ciele.

Niewiele już widział i stale musiał mrużyć jedno oko. Jakieś auto jechało za nim przez dłuższy czas ulicami dzielnicy, aż w końcu kierowca błysnął światłami. Kevin zwolnił, a potem zjechał na bok, jednocześnie dotykając palcami glocka. Nienawidził nieuprzejmych ludzi, którym się wydawało, że do nich należy cała droga. Pif-paf.

Mrok zmienił ulice w zacienione labirynty, utrudniając Kevinowi jeszcze bardziej dostrzeżenie rowerów. Kiedy mijał żwirową drogę po raz drugi, powodowany nagłym impulsem postanowił skręcić i odwiedzić ponownie dom Erin, ot tak, na wszelki wypadek. Zatrzymał samochód w miejscu niewidocznym z budynku i wysiadł. Nad jego głową krążył jastrząb, wokół słychać było cykanie cykad, poza tym jednak Kevin nie dostrzegł żadnych innych oznak życia. Ruszył ku domowi, jednak już z oddali widział, że nigdzie przy frontowych drzwiach nie stoi rower. Nie paliły się też żadne światła, ale nie było jeszcze bardzo ciemno, więc Kevin ruszył do tylnych drzwi. Tak samo jak poprzednim razem nie były zamknięte na klucz.

Rozejrzał się po domu. Nie sądził, by Erin zjawiła się od czasu jego ostatniej wizyty. W budynku panowała duchota, a wszystkie okna były szczelnie zamknięte. Gdyby żona przyszła choć na chwilę, na pewno otworzyłaby okna, wypiłaby szklankę wody albo wzięła prysznic. Nie dostrzegł jednak żadnych śladów jej bytności. Wyszedł tylnymi drzwiami i zapatrzył się na sąsiedni budynek mieszkalny. Ruina, prawdopodobnie opuszczona. I dobrze. Ale Erin nie wróciła do domu i fakt ten bez wątpienia oznaczał, że była z siwowłosym, że przebywała obecnie u niego. Zdradzała Kevina, udając, że nie jest mężatką. Nie pamiętała o domu, który on, Kevin, jej kupił.

W głowie czuł pulsowanie, którego tempo pasowało do uderzeń jego serca. Odnosił wrażenie, jakby nóż wchodził mu w skroń i wysuwał się z niej. Ukłucie. Ukłucie. Ukłucie. Tierney nie miał ochoty zamykać za sobą drzwi. Szczerze mówiąc, chłodniej było na zewnątrz niż w środku. Erin mieszkała w łaźni i lubiła się pocić z jakimś siwym facetem. Pocili się teraz gdzieś razem, wijąc się w pościeli. Oczami wyobraźni zobaczył ich splecione ciała. A Coffey i Ramirez śmiali się z tego, klepiąc się po udach. Dobrze bawili się jego kosztem.

„Zastanawiam się, czy ja również mógłbym ją mieć" — mówił zapewne Coffey do Ramireza. „Nie wiesz? — odpowiadał Ramirez. — Miała ją połowa facetów z posterunku, odkąd Kevin u nas pracuje. Wszyscy o tym wiedzą". Bill pomachał im z biura pisemną decyzją o zawieszeniu. „I ja ją miałem, co wtorek przez rok. W łóżku jest jak dzika kotka. I mówi najgorsze nieprzyzwoitości".

Kevin powlókł się z powrotem do samochodu, palec trzymał na spuście glocka. Dranie, wszyscy oni to dranie! Nienawidził ich, wyobrażał sobie, jak wchodzi na posterunek, celuje w nich i pakuje pocisk za pociskiem, opróżniając magazynek. Tak, pokazałby im! Pokazałby im wszystkim, żonie także...

Zatrzymał się nagle, pochylił i zwymiotował na drogę. Żołądek miał skurczony, w trzewiach czuł szarpanie, jakby tkwił w nich uwięziony jakiś gryzoń. Znów zwymiotował, a potem tylko kaszlał sucho, lecz kiedy usiłował się wyprostować, świat przed jego oczami zawirował. Samochód był blisko, więc Tierney ruszył do niego chwiejnym krokiem. Chwycił butelkę z wódką i spróbował myśleć jak Erin, ale potem przypomniał sobie, jak był na grillu i trzymał hamburgera, którego obsiadły muchy, a wszyscy zebrani wskazywali go palcami i śmiali się z niego.

Wreszcie znalazł się ponownie przy aucie. Cóż, ta suka musi gdzieś przecież być! Dziś będzie patrzyła, jak siwowłosy umiera. Będzie oglądała śmierć całej rodziny. Wszyscy będą się smażyli w piekle. Tak, będą się smażyli, wszyscy! Ostrożnie usiadł za kierownicą i uruchomił silnik. Wycofał auto między drzewa, usiłował zakręcić, a później, przeklinając, ruszył po pokrytej żwirem i drobnymi kamieniami drodze. Wkrótce zapadnie noc. Erin pojechała w tym samym kierunku, więc musi być niedaleko. Takie małe dzieci nie są w stanie przejechać zbyt wielu kilometrów. Pięć, siedem, może dziewięć. Kevin skręcał w każdą uliczkę, oglądał każdy dom. Żadnych rowerów. Do tej pory mogli je oczywiście schować w garażu albo zaparkować na jakimś ogrodzonym podwórzu. Postanowił, że poczeka, aż Erin wróci do domu. Dziś wieczorem. Jutro. Jutro w nocy. A wtedy wsunie jej lufę w usta lub wyceluje w pierś.

„Powiedz mi, kim on jest — poleci jej. — Chcę z nim tylko pogadać".

Odszuka siwowłosego i pokaże mu, co przytrafia się frajerom, którzy sypiają z żonami innych facetów.

Czuł się jak człowiek, który nie spał od tygodni i od tygodni nie jadł. Nie mógł zrozumieć, dlaczego jest tak ciemno, i zastanawiał się, kiedy zapadł zmierzch. Nie mógł sobie przypomnieć, kiedy właściwie tu dotarł. Pamiętał, że widział Erin, pamiętał, że starał się ją śledzić, a potem jechał za nią... Teraz jednak nie był nawet pewny, gdzie się znalazł.

Po prawej stronie wyłonił się przed nim jakiś sklep. Wyglądał jak dom, od frontu miał werandę, nad nią zaś znajdował się napis, który głosił: BENZYNA, JEDZENIE. Kevin przypomniał sobie, że był tutaj wcześniej, lecz nie wiedział, jak dawno temu. Odruchowo zwolnił. Potrzebował jedzenia i snu. Musi znaleźć pokój, w którym spędzi noc. Ściskało go w żołądku. Złapał butelkę, podniósł do ust i przechylił, czując, jak płyn pali mu przełyk, a równocześnie przynosi ulgę. Niestety, natychmiast gdy opuścił butelkę, żołądek znów podszedł mu do gardła. Wjechał na parking, starając się nie zwymiotować wypitego alkoholu. Do ust nabiegła mu ślina. Miał coraz mniej czasu. Gwałtownie podjechał pod boczną ścianę sklepu i wyskoczył z auta. Obiegł przód samochodu i zwymiotował w ciemność. Całe jego ciało drżało, nogi się trzęsły, żołądek się kurczył, pobolewała wątroba. Czuł wszystkie wnętrzności. Jakoś wciąż utrzymywał w ręce butelkę. Oddychał ciężko, robił wdechy i wydechy i pił, usiłując przepłukać usta. Przełykał płyn. Skończył kolejną butelkę.

I zupełnie nieoczekiwanie, niczym obraz wynurzający się ze snu, dostrzegł w ciemnościach cztery rowery ustawione jeden obok drugiego.

39

Katie kazała dzieciom wziąć kąpiel, a następnie pomogła im włożyć piżamy. Później wzięła prysznic, stojąc nieco zbyt długo pod wodą i ciesząc się, że po dniu spędzonym na słońcu może zmyć pot z ciała i włosów mydłem i szamponem. Ugotowała dzieciom makaron, po kolacji zaś przejrzeli kolekcję płyt DVD, usiłując znaleźć film, który zechcą obejrzeć zarówno Josh, jak i Kristen, aż w końcu wspólnie wybrali *Gdzie jest Nemo?* Katie usiadła między dziećmi na kanapie i postawiła sobie na kolanach miseczkę z popcornem, do której dzieci wkładały małe rączki niemal automatycznie. Miała na sobie wygodne spodnie od dresu, które Alex wyjął dla niej z szafy, i znoszoną koszulkę z logo drużyny Carolina Panthers. Wsunęła nogi pod pośladki i w tej pozycji oglądała wraz z dziećmi film. Po raz pierwszy tego dnia była całkowicie odprężona.

Za oknem słońce zachodziło, przeobrażając niebo w świat fajerwerków — żywe kolory pulsowały, zmieniały się, a potem bladły do coraz jaśniejszych pasteli, aż w końcu barwy ustąpiły jedynie niebieskawej szarości i odcieniowi indygo. Gwiazdy zaczęły migotać i na dworze zrobiło się nieco chłodniej.

Kristen zaczęła ziewać w trakcie filmu, lecz ilekroć na ekranie pojawiała się rybka Dory, ożywiała się i szczebiotała: „To moja ulubiona, ale nie pamiętam dlaczego!". Siedzący po drugiej stronie Katie Josh bardzo walczył ze sobą, starając się nie zasnąć.

Kiedy film się skończył i Katie pochyliła się do przodu, chcąc go wyłączyć, chłopiec podniósł na chwilę głowę, a później osunął się na kanapę. Był zbyt duży, by mogła zanieść go do łóżka, więc dotknęła jego ramienia i powiedziała, że czas spać. Josh chrząknął, jęknął, po czym usiadł prosto. Ziewnął, wstał i w towarzystwie Katie ruszył chwiejnym krokiem do sypialni. Bez słowa skargi położył się do łóżka, a ona pocałowała go na dobranoc. Niepewna, czy sypiał przy zapalonej nocnej lampce, pozostawiła włączone światło w korytarzu i uchylone drzwi.

Kristen była następna. Poprosiła Katie, aby poleżała obok niej przez kilka minut, a ona wyraziła zgodę. Leżąc przy małej, wpatrywała się w sufit i jej samej również zachciało się spać po tym gorącym dniu. Kristen zasnęła w ciągu paru minut, a Katie zmusiła się do wstania i na paluszkach wyszła z pokoju dziewczynki.

Posprzątała pozostałości po kolacji i opróżniła miseczkę z popcornem. Kiedy rozejrzała się po salonie, wszędzie widziała dowody obecności dzieci: stos puzzli na półce z książkami, kosz zabawek w narożniku, wygodne skórzane kanapy, wspaniale zabezpieczone przed zalaniem. Oglądała rozproszone tu i ówdzie bibeloty: staroświecki zegar, który trzeba było codziennie nakręcać, stojący na półce obok dużego fotela stary zestaw encyklopedii, kryształowy wazon na stoliku obok parapetu okiennego. Na ścianach wisiały oprawione w ramki czarno-białe zdjęcia przedstawiające rozpadające się dziś stodoły, w których niegdyś suszono tytoń. Te sielskie budowle były charakterystyczne dla amerykańskiego Południa i Katie pamiętała, że widziała ich wiele podczas jazdy przez Karolinę Północną.

W domu Alexa dostrzegła też liczne oznaki jego chaotycznego trybu życia: czerwoną plamę na chodniku przed kanapą, żłobienia w podłodze, kurz na listwach przypodłogowych. A jednak zwiedzając pomieszczenia, wielokrotnie nie potrafiła powstrzymać się przed uśmiechem, ponieważ te wszystkie szczegóły pokazywały jej równocześnie, jakim człowiekiem jest Alex. Był owdowiałym ojcem, który ze wszystkich sił starał się podołać samotnemu wychowaniu dwojga dzieci, chciał także utrzymać czysty (chociaż niedoskonały) dom. Ten dom symbolizował Alexa i jego życie, a Katie podobała się panująca tutaj swoboda.

Wyłączyła światła i położyła się na kanapie. Wzięła pilota i przeskakiwała z kanału na kanał, próbując znaleźć jakiś interesujący, lecz niezbyt trudny w odbiorze program. Zauważyła, że zbliża się godzina dwudziesta druga. Miała przed sobą jeszcze co najmniej sześćdziesiąt minut czekania. Wyciągnęła się na kanapie i skupiła uwagę na jakimś programie na Discovery Channel, chyba o wulkanach. Dostrzegła, że w ekranie odbija się światło, więc wyłączyła lampę na niskim stoliku i w pokoju zrobiło się ciemniej. Ułożyła się wygodnie. Tak, teraz było lepiej.

Oglądała dokument przez kilka minut, ledwo świadoma, że za każdym razem, gdy spuszczała powieki, oczy pozostawały zamknięte trochę dłużej. Jej oddech zwolnił i zaczęła przysypiać na poduszkach. Przez głowę przelatywały jej teraz obrazki z dzisiejszego dnia, najpierw bez ładu i składu — wizerunki wesołego miasteczka i jego atrakcji, widoczki z diabelskiego młyna, ludzie stojący w przypadkowych grupkach, młodzi i starzy, nastolatki i pary. Rodziny. I gdzieś w oddali przeciskający się przez tłum mężczyzna w bejsbolówce i okularach przeciwsłonecznych, wyraźnie przemieszczający się w określonym celu... Potem znowu straciła go z oczu, lecz coś rozpoznała: chód, kształt szczęki, sposób, w jaki machał rękami.

Drzemała teraz, zrelaksowana, a jej umysł dryfował, analizując kolejne obrazy, które szybko się rozmywały. Dźwięk z telewizora słabł. W pokoju wydawało się ciemniej i ciszej.

Katie drzemała, ale wciąż bezwiednie wracała we śnie do widoku z diabelskiego młyna i, rzecz jasna, do osobnika, którego widziała, tego, który przechodził wśród ludzi niczym drapieżnik przez gąszcz. Niczym drapieżnik, który szuka zwierzyny.

40

Kevin wgapiał się w okna budynku, tuląc na wpół opróżnioną butelkę wódki, trzecią tej nocy. Nikt go nie widział. Stał na nabrzeżu za domem; przebrał się w czarną koszulę z długim rękawem i w ciemne dżinsy. Widać było tylko jego twarz, ale stał w cieniu cyprysu, ukryty za pniem. Obserwował okna, patrzył, w których palą się światła, szukał Erin. Przez długi czas nic się nie działo. Pił, starając się dokończyć butelkę. Co kilka minut ktoś wchodził do sklepu, często ludzie płacili kartami za benzynę z dystrybutora. Panował ruch, nawet tutaj, pośrodku pustki. Kevin obszedł sklep, stanął przy bocznej ścianie i patrzył w górę. Rozpoznał migotliwy niebieski poblask telewizora. Cała czwórka pewnie oglądała telewizję. Zachowywali się jak normalna, szczęśliwa rodzina! A może dzieci leżały już w łóżkach, zmęczone atrakcjami wesołego miasteczka i jazdą na rowerze? Może Erin i siwowłosy byli sami w salonie, tuląc się do siebie na kanapie, całując się i dotykając, podczas gdy Meg Ryan lub Julia Roberts zakochiwały się na ekranie?

Był zmęczony, wszystko go bolało i żołądek wciąż podjeżdżał mu do gardła. Już dobre parę razy miał okazję wejść

371

po schodach, kopniakiem otworzyć drzwi, wpaść do środka i pozabijać ich wszystkich. Chciał z nimi skończyć, o tak, tyle że po sklepie nadal kręcili się klienci, a na parkingu ciągle stały samochody. Nie włączając silnika, Tierney przepchnął własne auto pod drzewo za sklepem, gdzie było niewidoczne z okien mijających go pojazdów. Pragnął wycelować z glocka i pociągnąć za spust, a później obserwować, jak para cudzołożników umiera, lecz równocześnie chciał także położyć się i zasnąć, ponieważ chyba nigdy w życiu nie czuł się bardziej wyczerpany niż dziś. A po przebudzeniu pragnął znaleźć u swego boku Erin i zapomnieć, że kiedykolwiek go opuściła.

Później dostrzegł profil żony w oknie, a gdy się odwracała, zobaczył jej uśmiech i wiedział, że Erin myśli o siwowłosym mężczyźnie. O nim i o seksie z nim. A przecież Biblia mówi: *[one] oddawszy się rozpuście i pożądaniu cudzego ciała — stanowią przykład przez to, że ponoszą karę wiecznego ognia* *.

Kevin był aniołem Pana. Erin zgrzeszyła, a Biblia mówi: *[ten] będzie katowany ogniem i siarką wobec świętych aniołów* **.

W Biblii zawsze pojawiał się ogień, ponieważ działał oczyszczająco, skazywał i potępiał. I Kevin to rozumiał. Ogień był potężny, stanowił broń aniołów. Tierney dopił wódkę i wkopał butelkę pod krzewy. Jakiś samochód podjechał pod dystrybutor paliwa, kierowca wysiadł, przesunął kartą kredytową przez czytnik i zaczął pobierać benzynę. Znak obok pompy informował klientów, że na tym terenie nie wolno palić, ponieważ benzyna jest łatwopalna. W sklepie sprzeda-

---

* List św. Judy Apostoła 7—8.
** Apokalipsa św. Jana 14,10.

wano płynne paliwo oraz węgiel drzewny. Kevin przypomniał sobie, że gdy stał przy kasie, mężczyzna przed nim kupował kanister benzyny.

Ogień!

*

Alex poruszył się na siedzeniu i mocniej chwycił kierownicę, usiłując znaleźć wygodniejszą pozycję. Joyce i jej córka siedziały za nim i nie przestawały rozmawiać od chwili, gdy wsiadły do samochodu. Zegar na tablicy rozdzielczej pokazywał, że pora robi się późna. Dzieci albo już leżały w łóżkach, albo wkrótce się w nich znajdą. To dobrze. W drodze powrotnej Alex wypił butelkę wody, nadal jednak czuł pragnienie i zastanawiał się, czy powinien znów przystanąć pod jakimś sklepem. Był pewny, że ani Joyce, ani jej córka nie miałyby nic przeciwko krótkiemu opóźnieniu, nie chciał jednak tracić więcej czasu. Pragnął jak najszybciej dotrzeć do domu.

Podczas jazdy bezwiednie rozmyślał. Jego myśli dryfowały ku Joshowi i Kristen, ku Katie, wspominał też Carly. Próbował sobie wyobrazić, co by Carly powiedziała o Katie i czy chciałaby, aby wręczył nowej przyjaciółce list od niej. Pamiętał dzień, kiedy obserwował Katie pomagającą Kristen ubrać lalkę, przypomniał sobie też, jak pięknie kobieta wyglądała tej nocy, gdy po raz pierwszy zaprosiła go do siebie na kolację. Na myśl, że jest teraz w jego domu i czeka na niego, miał ochotę docisnąć pedał gazu do dechy.

Na horyzoncie, na sąsiednim pasie autostrady pojawiły się odległe punkciki światła, które na jego oczach powoli rosły i odsuwały się od siebie, zmieniając się w reflektory nadjeżdżających z przeciwka samochodów. Światła stawały się coraz jaśniejsze, mijając w końcu auto Alexa. Później zaś w lusterku wstecznym pojawiały się czerwone lampki, które oddalały się, a potem znikały.

Na południu rozbłysła błyskawica bez grzmotu, sprawiając, że niebo przez chwilę wyglądało jak na pokazie slajdów. Po prawej stronie przemknął wiejski dom ze światłami włączonymi na parterze. Alex wyprzedził ciężarówkę z numerami z Wirginii i wyprostował się, usiłując zapanować nad zmęczeniem. Minął znak wskazujący liczbę kilometrów, które pozostały do Wilmington. Westchnął. Wciąż miał do przejechania spory kawałek drogi.

*

Katie zamrugała, jej podświadomość ciągle pracowała intensywnie, usiłując połączyć w całość oderwane od siebie widoczki i skojarzenia.

Sen skończył się i kilka minut później kobieta objęła rękami kolana i przekręciła się na drugi bok. O mało się nie obudziła, lecz po chwili jej oddech ponownie wyrównał się i zwolnił.

*

Do godziny dwudziestej drugiej parking prawie całkowicie opustoszał. Zbliżała się pora zamknięcia sklepu, toteż Kevin podszedł do drzwi frontowych i zmrużył oczy z powodu padającego z wnętrza światła. Pchnął drzwi i rozległo się brzęknięcie dzwonka. Przy kasie stał mężczyzna, który wydał się Kevinowi znajomy, lecz nie potrafił skojarzyć, gdzie widział go wcześniej. Mężczyzna nosił biały fartuch, na prawej piersi miał wypisane imię: ROGER.

Tierney minął kasę.

— Zabrakło mi na drodze benzyny — zagaił, starając się wymawiać słowa wyraźnie i nie bełkotać.

— Kanistry stoją pod tamtą ścianą — odparł Roger, nie

podnosząc wzroku. Kiedy w końcu spojrzał na Kevina, bezwiednie zmrużył oczy. — Hej, nic panu nie jest?

— Nie, jestem tylko zmęczony — odparł Tierney, przechodząc przejściem między rzędami i próbując zachowywać się normalnie, aby nie przyciągać uwagi tamtego, wiedział jednak, że mężczyzna mu się przygląda. Kevin miał glocka za paskiem, więc pomyślał, że lepiej by było dla owego Rogera, żeby zajął się własnymi sprawami. Pod wskazaną ścianą zobaczył trzy dwudziestolitrowe plastikowe kanistry i wziął dwa. Zaniósł je do kasy i położył pieniądze na ladę. — Dopłacę, gdy je napełnię — powiedział.

Wyszedł na zewnątrz i nalał benzyny do pierwszego kanistra, sprawdzając cyferki na dystrybutorze, aby nie przelać. Potem napełnił drugi kanister i wrócił do środka. Mężczyzna wpatrywał się w niego, czekając z podliczeniem.

— Dużo benzyny będzie pan wiózł.

— Erin tego potrzebuje.

— Kim jest Erin?

Kevin zamrugał gwałtownie.

— Mogę kupić tę pieprzoną benzynę czy nie?

— Na pewno pan może prowadzić?!

— Jestem trochę chory — wymamrotał Kevin. — Rzygam cały dzień.

Nie miał pewności, czy Roger mu uwierzył, ale po chwili przyjął od niego pieniądze i wydał resztę. Tierney zostawił wcześniej kanistry obok dystrybutora i teraz po nie poszedł. Miał wrażenie, że podnosi wielkie pojemniki wypełnione ołowiem. Napiął mięśnie, żołądek znów miał niemal w gardle, poczuł też pulsujący ból w skroniach. Ruszył przed siebie, oddalając się od oświetlonego frontu sklepu.

Gdy znalazł się w ciemnościach, postawił kanistry w wysokiej trawie tuż przy drodze, następnie wrócił na tyły sklepu.

Poczekał, aż Roger zamknie drzwi i wyłączy wszystkie światła. Czekał też, aż wszyscy na górze usną. Wziął z samochodu kolejną butelkę z wódką i wypił łyk.

*

W Wilmington Alex się ożywił, wiedział bowiem, że jest coraz bliżej Katie. Dojazd do Southport nie powinien zająć mu już dużo czasu, może z pół godziny. Dodatkowe parę minut strawi na odwiezienie Joyce i jej córki do domu, a potem ruszy do siebie.

Zastanowił się, czy Katie będzie czekała na niego w salonie, czy też, jak zażartowała, znajdzie ją we własnym łóżku. Podobnie droczyła się z nim niegdyś Carly. Rozmawiali na przykład o interesach albo zadawali sobie pytanie, czy jej rodzice cieszą się z pobytu na Florydzie, gdy żona ni z tego, ni z owego oznajmiała, że jest znudzona, i pytała Alexa, czy chciałby pójść z nią do sypialni i się zabawić.

Alex wpatrywał się w tarczę zegarka. Kwadrans po dwudziestej drugiej, a Katie czeka. Na poboczu drogi zobaczył na trawie kilkanaście zmartwiałych ze strachu jeleni. W ich oczach odbijały się reflektory, jarząc się jak coś nadnaturalnego. Straszne!

*

Tierney patrzył na gasnące światła fluorescencyjne nad dystrybutorami paliwa. Po chwili również w sklepie zapadła ciemność. Kryjówka Kevina była dogodnym punktem obserwacyjnym, z którego widział, jak Roger zamyka drzwi na klucz. Mężczyzna szarpnął je, upewniając się, czy zrobił to dokładnie, po czym odwrócił się na pięcie i odszedł do brązowego pick-upu zaparkowanego na drugim końcu żwirowego parkingu. Wsiadł. Uruchomiony silnik zajęczał i zaskrzypiał.

Luźny pasek klinowy, pomyślał Kevin.

Roger zwiększył obroty silnika, włączył reflektory, wrzucił bieg. Wyjechał, skręcił na główną drogę i skierował się do centrum Southport.

Tierney postał jeszcze pięć minut, czekając, czy Roger po coś nie wróci. Na drodze przed sklepem panowała teraz cisza, ani auta osobowe, ani ciężarówki nie nadjeżdżały z żadnej ze stron. Kevin podbiegł do krzewów, w których ukrył kanistry. Ponownie popatrzył na drogę, a potem zaniósł jeden z nich na tyły sklepu. To samo zrobił z drugim, stawiając je obok paru metalowych pojemników na śmieci, zapewne wypełnionych gnijącym jedzeniem. Tak czy owak, bił od nich okropny smród.

W jednym z okien na górze wciąż błyskało niebieskie światło telewizora. Inne okna były ciemne, więc Kevin miał pewność, że Erin i siwy przebywają w salonie. Nadzy! Czuł, jak wzbiera w nim straszliwa wściekłość.

Teraz, pomyślał. Nadszedł czas.

Kiedy sięgnął po kanister z benzyną, zobaczył ich cztery. Przymknął oko i znów widział jedynie dwa. Zatoczył się, gdy zrobił krok i wykonał nagły ruch do przodu, stracił równowagę i aby nie upaść, próbował złapać się ściany. Niestety, chybił i wylądował ciężko przed sobą, uderzając głową w żwir. Zobaczył przed oczami gwiazdy i poczuł rozdzierający ból. Miał trudności z oddychaniem. Usiłował wstać, ale mu się nie udało i znowu padł. Przewrócił się na plecy i przez chwilę leżał, wpatrując się w rozgwieżdżone niebo.

Nie był pijany, bo nigdy się nie upijał, czuł jednak, że coś jest z nim nie w porządku. Migoczące światła wirowały mu przed oczami w coraz szybszym cyklonie. Zacisnął powieki, ale wirowanie tylko się pogorszyło. Przetoczył się na bok i zwymiotował na żwir. Chyba ktoś wsypał mu do wódki jakiś narkotyk, ponieważ przez cały dzień nie wziął do ust niemal niczego poza alkoholem, a nigdy nie był taki chory. Wyciągnął rękę i po omacku szukał śmietnika. Złapał w końcu za pokrywę i starał się wykorzystać pojemnik dla odzyskania równowagi, na swoje nieszczęście jednak pociągnął pokrywę zbyt mocno, pojemnik przekrzywił się, a worek ze śmieciami wysypał. W dodatku rozległ się potworny łoskot.

*

Katie, leżąca na górze, w salonie, wzdrygnęła się, słysząc ten hałas. Wciąż drzemała, więc minęła dobra chwila, zanim zatrzepotała powiekami i otworzyła oczy. Półprzytomna wsłuchiwała się w ciszę i nie była pewna, czy ten dźwięk przypadkiem jej się nie przyśnił. Teraz nie słyszała nic. Ułożyła się wygodniej i znów zaczęła zapadać w drzemkę, oddając się sennym marzeniom. Dziwnym trafem sen zaczął się od miejsca, w którym się urwał. Katie znowu przebywała w wesołym miasteczku i siedziała na krzesełku diabelskiego młyna, tyle że tym razem nie towarzyszyła jej Kristen, lecz Jo.

*

Kevin zdołał w końcu wstać, a nawet ustać prosto. Nie potrafił zrozumieć, co się z nim dzieje, dlaczego nie jest w stanie utrzymać równowagi. Skoncentrował się na oddychaniu, na wdechu, wydechu, wdechu, wydechu. Dostrzegł kanistry z benzyną i zrobił krok ku nim, lecz o mało znowu się nie przewrócił.

Na szczęście udało mu się nie upaść. Podniósł kanister i wraz z nim chwiejnie ruszył w stronę schodów na tyłach budynku. Sięgnął ku poręczy i chybił, lecz spróbował znów. Złapał ją. Wtaszczył kanister z benzyną po stopniach, ku drzwiom, obładowany jak Szerpa w Himalajach. Wreszcie dotarł na podest schodów, straszliwie dysząc, i pochylił się, chcąc postawić kanister. Krew uderzyła mu do głowy i o mało nie zemdlał, wytrzymał jednak, gdyż wsparł się na kanistrze. Dobrą minutę walczył z jego zakrętką, ponieważ wciąż wyślizgiwała mu się z palców.

Podniósł otwarty w końcu kanister i ochlapał podłogę podestu, a część benzyny wylał na drzwi. Z każdym ruchem Kevina kanister stawał się lżejszy, płyn docierał do ściany i spływał po niej. Zadanie stawało się coraz łatwiejsze. Tierney pryskał na lewo i prawo, usiłując pokryć równo ściany po obu stronach budynku. Zaczął schodzić po schodach, wciąż potrząsając kanistrem to w lewo, to w prawo. Opary benzyny przyprawiały go o mdłości, jednak nie przestawał polewać domu.

Kiedy dotarł na dół, kanister był już prawie opróżniony. Przez jakiś czas odpoczywał przed budynkiem. Oddychał ciężko, aż od oparów znowu zrobiło mu się niedobrze, nie zamierzał jednak rezygnować. Miał cel i był zdeterminowany. Odrzucił na bok pusty kanister i podniósł drugi, pełny. Nie mógł sięgnąć tak wysoko, jak by pragnął, ale starał się oblać budynek jak najwyżej. Wylewał paliwo na tylną ścianę, a potem obszedł dom i oblał boczną. W oknie nad nim nadal mrugało światło z telewizora, panowała tam wszakże kompletna cisza.

Zanim Kevin dotarł do ściany frontowej, skończyła mu się benzyna; wszystko zużył na tył i bok budynku. Przez minutę stał i patrzył z uwagą na drogę, lecz z żadnego kierunku nie nadjechał żaden pojazd. Na górze Erin i siwowłosy na pewno leżeli nadzy i śmiali się z niego. Erin uciekła i niemal odszukał ją w Filadelfii, ale znów udało jej się wymknąć. W Filadelfii kazała się nazywać Erica, nie Erin, a teraz udawała, że ma na imię Katie.

Tkwił przed sklepem i myślał o oknach. Może w domu włączono alarm, a może nie. Nie dbał o to. Potrzebował więcej benzyny, oleju silnikowego, terpentyny czy innego łatwopalnego płynu. Wiedział jednak, że kiedy wybije okno, nie będzie miał dużo czasu.

Roztrzaskał szybę łokciem, lecz nie usłyszał alarmu. Gdy wyjmował z ramy kawałki szkła, niemal nie poczuł, że pociął palce i z ran zaczęła płynąć krew. Wyjął fragmenty szkła i zrobił szczelinę, którą zaczął powiększać. Uznał w końcu, że otwór jest wystarczająco duży i że bez trudu przeciśnie się do środka, lecz prawie natychmiast zaczepił ramieniem o wyszczerbioną skorupę. Szarpnął i szkło wbiło mu się w ciało. Uważał jednak, że nie może się zatrzymać, nie teraz. Krew płynęła mu z ramienia, ściekając po rękawie i zalewając przecięcia na palcach.

Chłodziarki stojące pod tylną ścianą pozostały oświetlone i Kevin przechodził przejściami między rzędami, zastanawiając się leniwie, jak palą się płatki Cheerios lub batoniki Twinkies. Albo płyty DVD. Dostrzegł węgiel drzewny i płynne paliwo. Były tylko dwa kanistry. Za mało! Zmrużył oczy i rozejrzał się za czymś innym. Na tyłach sklepu zauważył grill.

Gaz ziemny. Propan.

Podszedł do części jadalnej, podniósł barierkę i stanął przed grillem. Włączył palnik. Gdzieś tu na pewno był zawór, ale nie wiedział, gdzie go szukać, i nie miał na to czasu, gdyż w każdej chwili ktoś mógł nadejść... A jeszcze Coffey i Ramirez gadali o nim, śmiali się i pytali, czy jadł kotleciki krabowe w Provincetown.

Na wieszaku wisiał fartuch Rogera i Kevin rzucił go na płomienie. Otworzył kanister z benzyną i polał ścianki grilla. Kanister był śliski od krwi i Tierney zastanowił się, skąd ta krew pochodzi. Wspiął się na ladę i z tego miejsca chlusnął benzyną na sufit, po czym ponownie zeskoczył na podłogę. Idąc, przechylił kanister i lał strużkę paliwa wzdłuż frontu sklepu, zauważając kątem oka, że fartuch zaczyna palić się na dobre. Opróżnił kanister i odrzucił go na bok. Otworzył drugi i chlusnął z niego na sufit. Płomienie z fartucha skakały teraz ku ścianom i sufitowi. Poszedł do kasy, poszukał zapalniczki i znalazł ich kilkanaście w plastikowym pojemniku obok papierosów. Oblał benzyną kasę i mały stolik za nią. Drugi kanister również był już pusty, więc Kevin powlókł się do okna, które wcześniej wybił. Wyszedł przez nie i nastąpił na rozbite szkło, słysząc, jak pęka i trzeszczy pod jego nogami. Stojąc przy bocznej ścianie domu, zapalił zapalniczkę i przyłożył ją do oblanej benzyną ściany. Obserwował płonące drewno. Na tyłach budynku podpalił schody i płomienie podniosły się szybko, strzelając ku drzwiom i wspinając się na dach. Potem Kevin poszedł ku ścianie z oknem.

Ogień płonął już wszędzie, powietrze marszczyło się od gorąca. Erin jest grzesznicą, jej kochanek — grzesznikiem, a Biblia mówi: *Jako karę poniosą oni wieczną zagładę**.

Tierney cofnął się i patrzył, jak ogień zaczyna trawić budynek. Wytarł twarz, pozostawiając na niej ślady krwi. W ciepłym pomarańczowym świetle wyglądał jak potwór nie z tego świata.

*

W jej śnie siedząca obok na krzesełku diabelskiego młyna Jo nie uśmiechała się. Chyba szukała kogoś w tłumie poniżej, ściągając brwi w skupieniu.

— Tam — mówiła, wskazując. — O tam. Widzisz go?

---

* Drugi List do Tesaloniczan 1,9.

— Co tu robisz? Gdzie jest Kristen?

— Kristen śpi. Ale teraz musisz sobie przypomnieć.

Katie lustrowała wzrokiem zebranych ludzi, ale było ich tam tak wielu i stale się poruszali...

— Gdzie? — spytała. — Nikogo nie widzę.

— On jest tutaj — wyjaśniła Jo.

— Kto?

— Wiesz kto.

We śnie Katie diabelski młyn gwałtownie się zatrzymał. Rozległo się głośne brzęknięcie, jakby ktoś roztrzaskał coś szklanego. Katie pomyślała, że ten dźwięk sugeruje jakąś zmianę. Kolory wesołego miasteczka zaczęły stopniowo blednąć i cały teren powoli rozmywał się w zwałach chmur, których przed minutą jeszcze tam nie było. Jak gdyby świat zacierał się powoli, a potem wszystko nagle okryło się mgłą. Katie otoczyła teraz nieprzenikniona ciemność, przełamana jedynie dziwnym migotaniem, które widziała kątem oka. Usłyszała też czyjś głos.

— Czujesz to? — spytała Jo, prawie szeptem.

Katie pociągnęła nosem, wciąż lekko otumaniona. Zamrugała i uniosła powieki. Czuła pod nimi bolesne ukłucia, a mimo to starała się szerzej otworzyć oczy. Telewizor nadal był włączony i Katie uprzytomniła sobie, że najwyraźniej zasnęła. Sen już odpływał, lecz ona ciągle w głowie wyraźnie słyszała słowa Jo.

„Czujesz to?" — powtórzyła sąsiadka.

Katie zrobiła głęboki wdech, usiadła i natychmiast zaczęła kaszleć. Wystarczył moment i już wiedziała, że pokój wypełniony jest dymem. Zerwała się z kanapy.

Dym oznaczał ogień... Zresztą teraz widziała za oknem pomarańczowe płomienie, wijące się i tańczące. Drzwi stały w ogniu, dym wychodził z kuchni w gęstych kłębach. Katie słyszała wycie, czy może raczej odgłos kojarzący jej się z jadącym pociągiem, a także trzaski, zgrzyty, dźwięki pękania. Atakowały jej umysł wszystkie naraz. O mój Boże, pomyślała. Dzieci!

Wybiegła na korytarz, panikując na widok gęstych obłoków dymu, które buchały z obu pokojów. Sypialnia Josha była najbliżej, więc Katie pędem wbiegła do środka, machając rękami przed sobą i usiłując rozproszyć duszącą czarną mgłę. Wyciągnęła rękę ku łóżku, złapała chłopca za ramię i zaczęła ciągnąć go w górę.

— Josh! Wstawaj! Dom się pali! Musimy uciekać! — Chłopiec właśnie zamierzał się zbuntować, gdy ostro szarpnęła go za ramię. — Chodź! — krzyknęła, uprzedzając jego jęki.

Josh natychmiast zaczął kaszleć, a gdy Katie go wyprowadzała, szedł zgięty wpół. Korytarz wyglądał jak niemożliwa do przebycia ściana dymu, niemniej jednak Katie biegła przed siebie, ciągnąc za sobą malca. Szła na ślepo, aż wymacała futrynę drzwi prowadzących do znajdującego się po przeciwnej stronie korytarza pokoju Kristen.

Dym nie był tu tak gęsty jak w sypialni jej brata, ale za to Katie poczuła za sobą buchające gorąco. Josh wciąż kaszlał i lamentował. Starał się za nią nadążać, lecz wiedziała, że nie może ani na chwilę wypuścić go z uścisku. Popędziła do łóżka Kristen i potrząsnęła dziewczynką, drugą ręką wyciągając ją z łóżka.

Trzaski i syk pożaru były tak głośne, że Katie ledwie słyszała własne słowa. Na wpół niosąc, na wpół ciągnąc dzieci, dotarła z powrotem do korytarza, gdzie w miejscu wyjścia zobaczyła pomarańczową łunę, ledwie widoczną przez dym. Po ścianie pełzał ogień, płomienie były też na suficie i zbliżały się do nich. Katie nie miała czasu na myślenie, mogła jedynie reagować odruchowo. Odwróciła się i wypchnęła dzieci na korytarz, a później wprowadziła je do głównej sypialni, gdzie dym nie był rzadszy.

Wbiegła do pokoju i włączyła światło. Wciąż jeszcze mieli zatem prąd. Łóżko Alexa stało przy jednej ścianie, komoda przy drugiej. Prosto przed sobą Katie miała fotel na biegunach i okna, szczęśliwym trafem nietknięte jeszcze przez ogień. Zatrzasnęła drzwi.

Nękana przez gwałtowne ataki kaszlu sunęła wytrwale przed siebie, ciągnąc za sobą Josha i Kristen. Oboje płakali, a ich szlochy od czasu do czasu przerywały chrypliwe napady kaszlu. Próbowała uwolnić się od nich na moment, aby otworzyć okno, ale dzieci przywarły do niej kurczowo z całych sił.

— Muszę otworzyć okno! — krzyczała, odsuwając je od siebie. — To jest jedyna droga wyjścia! — Przerażone maluchy nie rozumiały jej, lecz ona nie miała czasu na tłumaczenia. Rozpaczliwie szarpała staroświeckie zamknięcie, a potem usiłowała dźwignąć otwierane od dołu ciężkie okno. Niestety, nie ruszyło się ani na centymetr. Przyjrzała się dokładniej i odkryła, że ramę zamalowano, toteż przykleiła się do futryny, prawdopodobnie wiele lat temu. Katie nie wiedziała, co robić, lecz na widok dwójki dzieci wpatrujących się w nią z panicznym lękiem w oczach zaczęła myśleć jaśniej. Rozejrzała się szaleńczo i w końcu postanowiła podnieść bujany fotel.

Był ciężki, ale jakoś zdołała go unieść na wysokość piersi i rzuciła go w okno, wkładając w tę czynność wszystkie siły. Szyba pękła, lecz nie rozbiła się. Katie spróbowała ponownie, łkając cicho z powodu adrenaliny i strachu, i tym razem jej się udało — fotel przeleciał przez roztrzaskaną szybę i spadł na daszek poniżej. Pobiegła pędem do łóżka i zdarła z niego kołdrę. Owinęła nią Josha i Kristen i zaczęła ich pchać ku oknu.

Za sobą usłyszała głośny odgłos pękania i na ścianie pojawił się ogień, a po chwili płomienie zaczęły lizać sufit. Odwróciła się w popłochu i znieruchomiała na chwilę, ale zauważyła wiszący na ścianie portret. Zagapiła się na niego, wiedząc, że musi przedstawiać żonę Alexa, gdyż nie mógł to być nikt inny. A jednak... Zamrugała gwałtownie, sądziła bowiem, że ma złudzenia, że dym i strach zniekształciły odbiór rzeczywistości. Mimo woli zrobiła kroku ku tak niesamowicie dobrze znanej jej twarzy, lecz w tym momencie usłyszała nad sobą ryk ognia i sufit zaczął się załamywać.

Odwróciła się pospiesznie i ruszyła ku oknu. Josha i Kristen otoczyła mocno ramionami, modląc się w duszy, żeby kołdra ochroniła dzieci przed kawałkami szkła. Skoczyli, a ona miała wrażenie, że wisieli w powietrzu całą wieczność. Obróciła się tak, by dzieci wylądowały na niej. Spadając, z łoskotem uderzyła plecami o daszek, który nie znajdował się chyba daleko, może metr czy półtora pod oknem sypialni, jednakże po tym upadku Katie straciła oddech, a jej ciałem szarpnęły fale bólu.

Josh i Kristen dostali ze strachu czkawki, zawodząc i kaszląc na przemian. Ale żyli i byli cali! Zamrugała gwałtownie, starając się nie zemdleć, pewna, że złamała kręgosłup. Na szczęście nie było tak źle; poruszyła jedną nogą, potem drugą. Potrząsnęła głową, aby lepiej widzieć. Dzieci kręciły się na niej, usiłując wydobyć się spod kołdry. Ponad nimi w rozbitym oknie sypialni pojawiły się języki ognia. Płomienie obejmowały teraz cały budynek i Katie wiedziała, że ich trojgu pozostało tylko kilka sekund życia, chyba że znajdzie w sobie dodatkowe siły, ruszy się i zabierze stąd dzieci.

*

W drodze powrotnej z domu Joyce Alex zauważył na niebie pomarańczową łunę. Żarzyła się ponad linią ciemniejących drzew na skraju miasta, lecz nie widział jej wcześniej, kiedy wjechali do Southport i kierowali się ulicami do domu Joyce. Patrzył w tamtym kierunku z marsową miną. Coś mu mówiło, że jego bliskim grozi niebezpieczeństwo, więc zastanawiał się jedynie przez chwilę, po czym nacisnął pedał gazu.

*

Josh i Kristen siedzieli prosto, kiedy Katie przewróciła się na bok. Ziemia znajdowała się jakieś trzy metry pod daszkiem, ale kobieta wiedziała, że muszą zaryzykować. Mieli coraz mniej czasu. Chłopiec wciąż łkał, lecz nie protestował, kiedy szybko wyjaśniała, co teraz zrobią. Chwyciła go za ramiona i starała się tłumaczyć mu wszystko z przekonaniem w głosie.

— Zamierzam opuścić was najniżej, jak zdołam, ale potem będziecie musieli skoczyć.

Josh skinął głową i Katie pomyślała, że chłopiec chyba jest w szoku. Szybko podeszła do krawędzi, ciągnąc go za sobą, a gdy stanął na brzegu, złapała go za rękę. Daszek trząsł się teraz, ogień mknął po dwóch kolumnach nośnych. Josh usiadł i spuścił nogi, a Katie, trzymając go za ręce, przesunęła się na brzuchu ku krawędzi, a później opuściła go... Boże, czuła w ramionach ból nie do zniesienia...!

Metr, nie więcej, powiedziała sobie. Wtedy Josh nie będzie spadał długo i wyląduje na stopach.

Gdy puszczała chłopca, dach zadrżał.

Kristen pełzła ku Katie, dygocząc.

— W porządku, kochanie, teraz twoja kolej — ponagliła małą. — Daj mi rączkę.

Zrobiła z Kristen to samo co z Joshem. Wstrzymała oddech, kiedy opuszczała dziewczynkę. Chwilę później oboje stali i patrzyli w górę, ku Katie. Czekali na nią.

— Biegnijcie! — krzyknęła. — Uciekajcie stąd...!

Musiała przerwać, gdyż jej ciałem targnął kolejny atak

kaszlu. Wiedziała, że trzeba działać. Złapała się brzegu daszka i przełożyła jedną nogę, a potem drugą. Zwisała przez chwilę, lecz ręce miała coraz słabsze.

Zeskoczyła na ziemię i natychmiast poczuła, jak kolana się jej kruszą, zanim przeturlała się przed wejście do sklepu. W nogach czuła rozdzierający ból, miała jednakże świadomość, że musi zapewnić dzieciom bezpieczeństwo. Przeczołgała się do nich, wzięła je za ręce i zaczęła odciągać od zagrożenia. Płomienie tańczyły, skakały i buchały ku niebu. Pobliskie drzewa również zajęły się ogniem, z ich górnych gałęzi iskry strzelały niczym petardy. Rozległ się ostry odgłos, jakby klaśnięcie, na tyle głośne, że Katie aż zabolały od niego uszy. Zaryzykowała i zerknęła przez ramię, akurat w momencie, w którym na jej oczach runął dom, zawalając się do środka. Wtedy usłyszała ogłuszający dźwięk eksplozji i zarówno w nią, jak i w dzieci uderzył prażący podmuch gorącego powietrza.

Do czasu, aż wszyscy troje wstrzymali oddechy, odwrócili się i spojrzeli, sklep zmienił się w gigantyczny słup ognia.

Ale im udało się umknąć! Katie przyciągnęła do siebie Josha i Kristen. Dzieci zakwiliły, gdy objęła je i pocałowała w czubki głów.

— Już dobrze — wymamrotała. — Teraz jesteście bezpieczni.

Niestety, właśnie w tym momencie pojawił się przed nią jakiś cień i Katie uprzytomniła sobie, jak bardzo się pomyliła.

To był on. Wyłaniał się nad nimi. Z bronią u boku.

Kevin!

*

Jadący jeepem Alex trzymał stopę na pedale gazu. Z każdą mijającą sekundą martwił się coraz bardziej. Chociaż ogień był ciągle zbyt daleko, aby mógł określić z maksymalną

387

dokładnością, gdzie się pali, niemniej jednak z nerwów zaczął
go boleć żołądek. W tamtej części miasta nie było zbyt wielu
budowli, zaledwie kilka samotnych wiejskich domów. No
i oczywiście jego sklep. Pochylił się nad kierownicą, jak gdyby zamierzał usilnie
nakłaniać samochód do efektywniejszej jazdy. Do szybszej
jazdy!

*

Katie przez chwilę nie potrafiła uwierzyć w to, co widzi.

— Gdzie on jest?! — wychrypiał Kevin.

Wypowiedział te słowa bełkotliwym ciągiem, lecz rozpoznała jego głos, mimo iż oblicze mężczyzny pozostawało
częściowo skryte w cieniu. Morze ognia płonęło za jego
plecami i widoczną część twarzy miał pokrytą sadzą i krwią.
Na jego koszuli dostrzegła plamy, które również uznała za
krew. Glock w jego ręce lśnił, jakby został zanurzony w beczce
z olejem.

„On jest tutaj" — powiedziała Jo we śnie Katie.

„Kto?".

„Wiesz kto".

Kevin podniósł broń, celując w żonę.

— Chcę tylko z nim porozmawiać, Erin.

Katie wstała. Kristen i Josh przylgnęli do niej. Rysy twarzy
obojga były wykrzywione ze strachu. W oczach Kevina z kolei
dostrzegła dzikość, a w jego ruchach — nerwowość. Mężczyzna zrobił krok ku nim, niemal tracąc równowagę. Wy-
machiwał bronią w tył i w przód. Niepewnie.

Katie zdała sobie sprawę, że jest gotów zabić ich wszystkich. Już przecież próbował ich podpalić. Był pijany, bardzo
pijany, w gorszym stanie, niż widziała go kiedykolwiek przedtem. Nie panował nad sobą, szalał.

Musiała przegonić stąd dzieci, musiała dać im szansę ucieczki.

— Witaj, Kevinie — zagaiła łagodnym tonem. Zmusiła się do uśmiechu. — Dlaczego trzymasz w ręce pistolet? Przyjechałeś po mnie? Nic ci nie jest, mój drogi? — Jej mąż zmrużył oczy. Przemawiała do niego głosem łagodnym i zmysłowym, słodkim. Lubił, gdy mówiła w ten sposób, i pomyślał, że to sen. Ale nie śnił, Erin naprawdę stała przed nim. Uśmiechnęła się i zrobiła krok do przodu. — Kocham cię, Kevinie. Zawsze wiedziałam, że po mnie przyjdziesz. Wpatrywał się w nią bez słowa. Przez chwilę widział ją podwójnie, a potem odzyskał ostrość widzenia. Powiedział ludziom, że pojechała do New Hampshire opiekować się chorą przyjaciółką, ale nie dostrzegł żadnych śladów butów na śniegu. Telefony były przekierowywane, zastrzelono jakiegoś chłopca, który miał sos do pizzy na czole, a teraz Erin jest tutaj i mówi, że go kocha...

Jeszcze metr, pomyślała Katie. Prawie do niego doszłam. Zrobiła kolejny krok do przodu, jednocześnie odpychając stojące za nią dzieci.

— Możesz mnie odwieźć do domu?

Kevin pomyślał, że Erin go błaga, że błaga go jak zwykle, ale włosy miała teraz krótkie i brązowe. Podchodziła do niego, a on się zastanawiał, dlaczego nie jest przerażona, i chciał pociągnąć za spust, lecz przecież ją kochał. Gdyby tylko potrafił przerwać łomot, który czuł w głowie...

Nagle Katie zrobiła gwałtowny ruch do przodu i odepchnęła w bok rękę Kevina z glockiem. Broń wypaliła, odgłos zabrzmiał jak złośliwy klaps, ale Katie wciąż przesuwała się ku mężowi, aż przywarła kurczowo do jego nadgarstka i nie puszczała go.

W tym momencie Kristen zaczęła krzyczeć.

— Biegnijcie! — krzyknęła Katie przez ramię. — Josh, zabierz siostrę i uciekajcie! On ma broń! Uciekajcie najdalej, jak możecie. I ukryjcie się!

Panika w jej głosie chyba pobudziła chłopca do działania, toteż Josh chwycił mocno za rękę Kristen i wraz z nią ruszył do biegu. Skierowali się ku drodze prowadzącej do domu Katie. Uciekali, ratując życie.

— Suka! — wrzasnął Kevin, usiłując wyrwać przegub. Katie pochyliła się i ugryzła go najmocniej, jak potrafiła, a on wydał z siebie dziki ryk. Próbował uwolnić ramię, równocześnie jednak zacisnął drugą dłoń w pięść i uderzył żonę w skroń. Katie w tym momencie zobaczyła przed oczami białe błyski. Ugryzła go ponownie, tym razem w kciuk, a mąż znów krzyknął i wypuścił pistolet, który ze stukotem spadł na ziemię. Kevin znowu uderzył ją pięścią, trafiając w kość policzkową. Cios powalił Katie na ziemię.

Kevin kopnął ją w plecy, aż wygięła się z bólu w łuk. Ale wciąż się poruszała, przerażona, popędzana pewnością, że zamierza zabić ją i dzieci. Musiała dać im jak najwięcej czasu na ucieczkę. Podniosła się na czworaki i zaczęła się czołgać. Przemieszczała się szybko, coraz szybciej. W końcu zerwała się na równe nogi i wystrzeliła przed siebie niczym sprinter z bloków.

Biegła najszybciej, jak potrafiła, szarpiąc do przodu, a jednak poczuła, że Kevin wpada na nią z tyłu. Pchnął ją i po chwili ponownie leżała na ziemi bez tchu. Mąż złapał ją za włosy i znów uderzył. Następnie chwycił ją za ramię i zaczął je zginać, próbując wykręcić do tyłu, na szczęście zachwiał się, toteż Katie zdołała mu się wyślizgnąć i przewrócić na plecy. Wyciągnęła ręce w górę, celując w jego oczy, jakby usiłowała je wydrapać.

Walczyła o życie, a dzięki adrenalinie czuła dodatkową moc w rękach i nogach. Naprawdę walczyła, jak nigdy przedtem. Walczyła, aby dać dzieciom czas na ucieczkę i ukrycie się. Wykrzykiwała przekleństwa, bo nienawidziła Kevina i nie zamierzała mu pozwolić na kolejny cios.

Złapał jej palce w swoje, tracąc przy okazji równowagę, a Katie wykorzystała tę sposobność i mu się wywinęła. Poczuła, że mąż łapie ją za obie nogi, lecz jego uścisk nie był wystarczająco mocny, więc szybko uwolniła jedną. Podciągnęła kolano niemal do podbródka, a później kopnęła mężczyznę z całych sił w szczękę, ogłuszając go. Powtórzyła kopniaka i obserwowała, jak Kevin przewraca się na boki, bezradnie wymachując rękami i szukając czegoś w powietrzu, czego mógłby się złapać.

Podniosła się niezdarnie i znów zaczęła biec, tyle że on wstał jednocześnie z nią. Kilka metrów od siebie zobaczyła broń i rzuciła się po nią.

*

Alex jechał teraz na złamanie karku. Modląc się o bezpieczeństwo Kristen, Josha i Katie, szeptał w panice ich imiona.

Minął żwirową drogę i skręcił ku domowi. Serce miał niemal w gardle, ponieważ jego najgorsze przeczucia się sprawdzały. Scena, która rozgrywała się przed przednią szybą jego auta, skojarzyła mu się z piekłem.

Zauważył ruch na poboczu, przed sobą. Dwie małe postaci, ubrane w białe piżamki. Josh i Kristen! Zahamował gwałtownie.

Ledwie jeep się zatrzymał, Alex wyskoczył z niego i popędził ku dzieciom, one zaś ruszyły ku niemu z krzykiem. W końcu wziął syna i córkę w ramiona i podniósł.

— Nic wam nie jest? — szeptał w kółko, trzymając dzieci w mocnym uścisku. — Nic wam nie jest? Nic wam nie jest?

Kristen i Josh szlochali i czkali na przemian, więc najpierw Alex nie rozumiał, co mówią, ponieważ nie wspomnieli o pożarze. Krzyczeli coś o mężczyźnie z bronią i że panna Katie walczy z nim, więc po chwili wreszcie z mrożącą krew w żyłach jasnością pojął, co się zdarzyło.

Wepchnął dzieci do jeepa i zawrócił auto. Jechał teraz pospiesznie ku domowi Katie, a jednocześnie wystukiwał cyfry na klawiaturze telefonu komórkowego. Połączył się z przestraszoną Joyce po drugim dzwonku i powiedział jej, żeby natychmiast kazała zawieźć się córce do domu Katie, dodał, że chodzi o nagły wypadek i że Joyce zaraz powinna zadzwonić na policję. Po tych słowach się rozłączył.

Drobiny żwiru wystrzeliwały na wszystkie strony spod kół, aż Alex zahamował przed domem Katie, nieomal wpadając w poślizg.

Wysadził dzieci i kazał im wbiec do środka, mówiąc, że wróci po nie jak najszybciej. Wiedział, że liczy się każda sekunda, więc szybko zawrócił i dodał gazu, kierując się ku sklepowi i modląc się, żeby nie przybył za późno.

Modlił się, żeby Katie nadal żyła.

*

Kevin zobaczył glocka w tym samym momencie co żona i również rzucił się po niego. Jako pierwszy dopadł broni, podniósł i rozwścieczony wycelował w Katie. Później chwycił żonę za włosy, przyłożył jej pistolet do głowy i zaczął ciągnąć kobietę przez parking.

— Zostawiłaś mnie? Nie możesz mnie tak zostawiać! —

Za sklepem, pod drzewem Katie zobaczyła jego samochód z tablicami rejestracyjnymi z Massachusetts. Gorąco ognia osmaliło jej twarz i nadpaliło włoski na rękach. A Kevin wciąż wściekał się na nią, krzycząc bełkotliwym, lecz zimnym głosem: — Jesteś moją żoną! Do Katie dotarło słabe wycie syren. Wydawało jej się bardzo, bardzo odległe.

Kiedy dotarli do auta Kevina, Katie próbowała znów walczyć, lecz mąż uderzył jej głową o dach tak mocno, że o mało nie straciła przytomności. Otworzył bagażnik i usiłował ją do niego wepchnąć. Resztkami sił odwróciła się i zdołała go kopnąć w krocze. Słyszała, że zaczął gwałtownie łapać powietrze, i poczuła, że jego chwyt poluźnia się na chwilę. Odepchnęła go na oślep, wyrwała się z jego rąk i zaczęła uciekać, chcąc zachować życie. Wiedziała jednak, że grozi jej śmierć.

*

Kevin nie rozumiał, dlaczego żona z nim walczy, a z powodu bólu, który mu sprawiła, prawie nie mógł oddychać. Erin nigdy przedtem nie stawiała oporu, nigdy nie chciała wydrapać mu oczu, nie kopała go ani nie gryzła. Teraz nie zachowywała się jak jego żona, w dodatku włosy miała brązowe. Chociaż jej głos brzmiał jak głos Erin... Ruszył ku niej chwiejnym krokiem, podnosząc broń i celując, tyle że widział przed sobą dwie żony i obie uciekały. Pociągnął za spust.

*

Kiedy Katie usłyszała strzał, wstrzymała oddech i czekała na nagły ból, którego na szczęście nie poczuła. Ciągle więc

393

biegła, aż nagle przyszło jej do głowy, że mąż chybił. Zrobiła zwód w lewo, potem skręciła w prawo, lecz wciąż znajdowała się na parkingu. Desperacko rozglądała się za jakimś schronieniem, ale wokół niej nie było niczego takiego.

*

Szedł za żoną. Zataczał się. Jego wilgotne od krwi ręce ślizgały się na spuście pistoletu. Kevin znów miał ochotę zwymiotować. Erin oddalała się, stale skręcając, toteż nie mógł skupić na niej wzroku. Próbowała uciec, lecz on nie zamierzał jej na to pozwolić, ponieważ była jego żoną. Zabierze ją do domu, bo ją kocha, a potem ją zastrzeli, bo jej nienawidzi.

*

Katie zobaczyła na drodze reflektory jakiegoś samochodu, który pędził jak wyścigówka na torze. Pragnęła dotrzeć do drogi, aby zatrzymać ten pojazd, wiedziała jednak, że nie zdąży. Tymczasem pojazd nieoczekiwanie zaczął zwalniać, co ją zaskoczyło, lecz po chwili rozpoznała jeepa, który wjechał na parking. Za kierownicą siedział Alex.

Auto przemknęło obok niej i pędziło ku Kevinowi.

Syreny się zbliżały. Nadjeżdżali ludzie i Katie poczuła iskierkę nadziei.

*

Kevin zobaczył nadjeżdżającego jeepa i podniósł broń. Zaczął strzelać, lecz pojazd wciąż się do niego zbliżał. Uskoczył w ostatniej chwili, toteż samochód go nie przejechał, niemniej jednak uderzył w jego wyciągniętą dłoń, łamiąc mu w niej wszystkie kosteczki i wytrącając pistolet, który poleciał gdzieś w ciemność.

Tierney krzyknął ze straszliwego bólu i instynktownie przycisnął rękę do ciała, podczas gdy jeep pędził przed siebie — pojazd, minąwszy zgliszcza płonącego sklepu, wpadł w poślizg na żwirze i uderzył prosto w magazyn. W oddali Kevin słyszał syreny. Chciał ścigać Erin, wiedział jednak, że jeśli tu zostanie, aresztują go. Ogarnął go strach i ruszył do swojego samochodu, początkowo kuśtykając, a później biegnąc. Wiedział, że musi się stąd szybko wynieść, i zadawał sobie pytanie, jak to możliwe, że wszystko poszło tak źle.

*

Katie patrzyła, jak mąż wyjeżdża z parkingu na główną drogę wśród rozpryskujących się drobinek żwiru. Odwróciła się i zobaczyła, że samochód Alexa tkwi na wpół zagrzebany w magazynie, a silnik auta wciąż pracuje, toteż popędziła w tamtą stronę. Ogień docierał już do tyłu jeepa i Katie zaczęła się bać o życie swojego mężczyzny. Modliła się, żeby Alex wysiadł.

Podchodziła do auta, gdy nagle mocno uderzyła w coś stopą i potknęła się. Dostrzegłszy broń, podniosła ją i ponownie ruszyła ku jeepowi.

Drzwi samochodu były uchylone, lecz całkowite ich otwarcie uniemożliwiało rumowisko po obu stronach. Ogarnęła ją ulga, że Alex żyje, równocześnie jednak przypomniała sobie o zaginięciu Josha i Kristen.

— Alex! — krzyknęła. Dotarła do tylnej części jeepa i zaczęła tłuc w szybę. — Musisz wysiąść! Dzieci uciekły... Trzeba je znaleźć.

Drzwi były zablokowane, lecz mężczyzna zdołał otworzyć okno. Kiedy wychylił się, zobaczyła, że po czole płynie mu krew.

— Nic im nie jest... — wyjaśnił słabym głosem. — Zawiozłem je do twojego domu.

Ta odpowiedź aż ją zmroziła.

— O mój Boże — jęknęła, myśląc: Nie, nie, nie... — Pospiesz się! — Waliła teraz w tylną szybę auta jeszcze gwałtowniej. — Wysiadaj! Kevin właśnie odjechał! — Usłyszała strach we własnym głosie. — Kierował się w tamtą stronę!

*

Ból, który Tierney czuł w dłoni, był nieporównywalny z żadnym cierpieniem, jakiego doświadczył wcześniej. Kevinowi kręciło się też w głowie, ponieważ stracił dużo krwi. Nie rozumiał, co się dzieje, a jego dłoń była w tym momencie bezużyteczna. Słyszał syreny, niemniej jednak postanowił, że poczeka na Erin w jej domu, ponieważ był pewny, że żona wróci tam dziś wieczorem lub jutro.

Zaparkował za drugim, opuszczonym domem. Co dziwne, w pewnej chwili zobaczył za drzewem Amber, która pytała go, czy postawi jej drinka, potem jednak zniknęła. Przypomniał sobie, że posprzątał dom i skosił trawnik, ale nigdy nie nauczył się prać, a Erin teraz kazała nazywać siebie Katie.

Nie miał nic do picia i był coraz bardziej zmęczony. Zauważył plamy krwi na spodniach i zdał sobie sprawę, że krwawi mu ramię oraz palce, chociaż nie mógł sobie przypomnieć, co się zdarzyło. Strasznie chciało mu się spać. Potrzebował odpoczynku, ponieważ policja będzie go szukać, a gdy funkcjonariusze podejdą do niego, musi mieć świeży umysł.

Świat wokół wydawał mu się coraz bledszy i coraz bardziej mglisty, jak gdyby widziany przez drugi koniec teleskopu. Kevin słyszał szum drzew, które kołysały się w tył i w przód, lecz nie było wiatru, a tylko gorące letnie powietrze. Miał dreszcze i pocił się intensywnie. Tracił okropnie dużo krwi, która spływała mu po ramieniu i dłoni; krwawienie nie ustawało. Potrzebował odpoczynku, już prawie nie był w stanie wytrzymać, oczy zaczęły mu się zamykać...

*

Alex wrzucił wsteczny bieg, zwiększył obroty silnika i przez chwilę słuchał, jak koła się obracają. Jednak jeep tkwił w miejscu. Mężczyzna szaleńczo rozmyślał, co robić i jak pomóc Joshowi i Kristen, którym groziło niebezpieczeństwo. Podniósł stopę z gazu, włączył napęd na cztery koła i spróbował ponownie. Tym razem ruszył w tył. Boczne lusterka ocierały się o kawałki gruzu i wyginały. W końcu samochód wyjechał na drogę. Katie daremnie ciągnęła drzwiczki od strony pasażera, aż Alex obrócił się na siedzeniu i kopnął je, a wtedy się otworzyły. Kobieta natychmiast wskoczyła do środka.

Alex skręcił i od razu przyspieszył, mijając się z nadjeżdżającymi wozami strażackimi. Ani on, ani Katie nie odzywali się. Stale dociskał pedał do podłogi. Nigdy w życiu nie był bardziej przerażony.

W końcu dostrzegli żwirową drogę. Alex skręcił ostro i tyłem samochodu nieco zarzuciło. Gdy zapanował nad kierownicą, znowu przyspieszył. Pędząc, dostrzegł oba budynki; w domu Katie paliły się światła. Nigdzie nie zauważył auta Kevina, więc ciężko wypuścił powietrze z płuc i dopiero wówczas uprzytomnił sobie, że wcześniej wstrzymywał oddech.

*

Kevin ocknął się na odgłos silnika auta jadącego żwirową drogą.

Policja, pomyślał i mechanicznie sięgnął po pistolet chorą ręką. Wrzasnął z bólu, a kiedy odkrył, że broni tam nie ma, był w szoku. Przecież leżała na przednim siedzeniu, obok niego. Ale teraz jej tam nie było. Znowu pomyślał, że dziś nic nie trzyma się kupy.

Wysiadł z samochodu i spojrzał na drogę. Zobaczył zbliżającego się jeepa. Było to auto z parkingu sklepowego, to, które o mało go nie zabiło. Zatrzymało się i wyskoczyła z niego Erin. Najpierw Kevin nie mógł uwierzyć w swoje szczęście, po minucie jednak przypomniał sobie, że żona przecież tutaj mieszka, a on właśnie z tego powodu tu przyjechał.

Kiedy otwierał bagażnik i wyjmował łom, zdrowa ręka trzęsła się mocno. Kevin zobaczył, że Erin i jej kochanek biegną ku werandzie. Zatoczył się i pokuśtykał w stronę domu. Nie zamierzał się ociągać, ponieważ Erin była jego żoną i kochał ją. I wiedział, że siwowłosy musi umrzeć.

*

Alex zatrzymał samochód przed domem i oboje wraz z Katie wyskoczyli równocześnie, a następnie pobiegli do drzwi, wykrzykując imiona dzieci. Katie ciągle trzymała w ręce pistolet. Dotarli do drzwi w tej samej chwili, gdy Josh je otworzył. Alex zobaczył syna i od razu go przytulił. Kristen wyszła zza kanapy i pobiegła ku nim. Alex otworzył ramiona i dziewczynka wpadła w nie, a on ją objął.

Katie stała bez ruchu w wejściu, obserwując dzieci ze łzami ulgi w oczach. Kristen wyciągnęła i do niej ręce, toteż Katie podeszła bliżej i przyjęła uścisk dziewczynki, wręcz oślepiona szczęściem.

Wzruszeni i uszczęśliwieni nie zauważyli, że Kevin stanął właśnie w progu. Wysoko nad głowę uniósł łom, po czym opuścił go z zamachem. Alex runął na podłogę jak długi, a przerażone i zaszokowane maluchy chciały się wycofać, lecz potknęły się i upadły.

*

Kevin usłyszał zadowalający odgłos uderzenia łomem i poczuł, że drży mu ramię. Siwowłosy mężczyzna leżał teraz zgięty wpół na podłodze, a Erin krzyczała.

*

W tej chwili dla Katie liczyli się wyłącznie Alex i dzieci, toteż instynktownie podbiegła do Kevina i wypchnęła go za drzwi. Z werandy schodziło się jedynie po dwóch stopniach, lecz to wystarczyło — Kevin przewrócił się do tyłu i upadł na ziemię.

Zerknęła za siebie przez ramię.

— Zamknijcie drzwi na klucz! — ryknęła i tym razem pierwsza ruszyła się Kristen, jeszcze zanim Katie dokończyła zdanie.

Łom leżał obok Kevina, który próbował przewrócić się na bok i wstać. Katie podniosła pistolet, celując w mężczyznę, gdy się podnosił. Kevin kołysał się, prawie tracąc równowagę. Jego twarz była trupio blada. Chyba nie mógł skupić wzroku i Katie stanęły w oczach łzy.

— Kiedyś cię kochałam — jęknęła. — Wyszłam za ciebie za mąż, ponieważ cię kochałam. — Pomyślał, że to Erin, lecz ta kobieta miała włosy krótkie i ciemne, Erin zaś była blondynką. Zrobił krok i znowu o mało nie upadł. Czemu Erin mówiła mu takie rzeczy? — Dlaczego zacząłeś mnie bić?! — wrzeszczała teraz. — Nigdy nie wiedziałam, dlaczego nie potrafisz przestać, tak jak obiecałeś! — Jej ręka trzęsła się, glock chyba kobiecie ciążył. — Uderzyłeś mnie po raz pierwszy podczas miesiąca miodowego, ponieważ zostawiłam okulary przeciwsłoneczne nad basenem...

Głos naprawdę należał do Erin, toteż Kevin zastanowił się, czy to wszystko mu się śni.

— Kocham cię — wymamrotał. — Zawsze cię kochałem. Nie wiem, czemu mnie opuściłaś.

Katie poczuła, że za chwilę się rozpłacze, szloch aż jej dławił pierś. Następne słowa popłynęły z jej ust potokiem, niepowstrzymanym i nonsensownym. Przez Katie przemawiały lata smutku.

— Nie pozwoliłeś mi prowadzić samochodu ani mieć przyjaciół, chowałeś przede mną pieniądze i kazałeś mi o nie błagać. Chcę wiedzieć, dlaczego uważałeś, że możesz mi to robić! Byłam twoją żoną i kochałam cię.

Kevin ledwie mógł ustać prosto. Krew kapała z jego palców i ramienia na ziemię, a on był coraz bardziej oszołomiony. Wcześniej pragnął odnaleźć Erin i z nią porozmawiać, jednak ta sytuacja nie była rzeczywista. Na pewno spał teraz, żona leżała obok niego w łóżku i znajdowali się w Dorchester.

Nagle wydało mu się, że stoi w obskurnym mieszkaniu, a jakaś kobieta płacze.

— Miał na czole sos do pizzy — wymamrotał Kevin, pochylając się do przodu. — Chłopiec, którego zastrzelono. Matka spadła ze schodów, a my aresztowaliśmy Greka.

Katie nie rozumiała, o czym mąż mówi, nie rozumiała też, czego od niej chciał. Nienawidziła go z furią, która narastała w niej latami.

— Gotowałam dla ciebie i sprzątałam, ale nic z tego nie miało dla ciebie znaczenia! Umiałeś tylko pić i bić mnie!

Kevin chwiał się mocno, jakby lada chwila miał się przewrócić. Mówił bełkotliwie i niewyraźnie, niezrozumiale.

— Nie było żadnych śladów na śniegu. A teraz doniczki są rozbite.

— Trzeba było mnie zostawić w spokoju! Nie powinieneś był za mną jechać! Nie powinieneś tutaj przyjeżdżać! Dlaczego nie mogłeś po prostu pozwolić mi odjechać? Nigdy mnie nie kochałeś!

Tierney ruszył ku żonie, lecz tym razem sięgnął po broń, usiłując ją wyrwać. Był teraz jednak słaby i Erin nie wypuściła pistoletu z ręki. Kevin starał się ją złapać, zaraz jednak krzyknął ze straszliwego bólu, gdyż musnął jej ramię ranną dłonią. Odruchowo szturchnął żonę ramieniem, kierując ją ku bocznej ścianie budynku. Musiał odebrać Erin broń i przycisnąć jej lufę do skroni. Wpatrywał się w ciemnowłosą kobietę szeroko otwartymi, przepełnionymi nienawiścią oczami, przyciągając ją blisko, sięgając po glocka zdrową ręką, a jednocześnie napierając na żonę całym ciałem.

Poczuł, że dotyka lufy opuszkami palców, i mimowolnie poszukał spustu. Starał się odepchnąć broń od siebie, ku Erin, niestety, pistolet wciąż był odwrócony w niewłaściwą stronę, czyli wycelowany w niego.

— Kochałam cię! — łkała Katie, walcząc z Kevinem dzięki resztkom wściekłości i siły, jakie w niej pozostały, on zaś czuł, jak coś w nim się załamuje.

Na chwilę odzyskał jasność myśli.

— W takim razie nigdy nie powinnaś była mnie porzucać — wyszeptał.

Jego oddech śmierdział alkoholem. Tierney pociągnął za spust i broń wystrzeliła. Rozległ się głośny trzask i Kevin wiedział, że to już prawie koniec. Tak, teraz Erin umrze, ponieważ zapowiedział jej, że jeśli kiedykolwiek od niego ucieknie, on odszuka ją i zabije. I zabije każdego mężczyznę, który ją pokocha...

Stało się jednak coś dziwnego, gdyż Erin nie upadła ani nawet się nie wzdrygnęła. Zamiast tego wpatrywała się w niego dzikimi zielonymi oczami, wytrzymując jego spojrzenie bez mrugnięcia.

Wtedy coś poczuł — płomień w brzuchu, prawdziwy ogień. Lewa noga ugięła się pod nim i chociaż próbował ustać prosto, własne ciało jakby przestało do niego należeć. Trzymając się za brzuch, zgiął się wpół i upadł na werandę.

— Wróć ze mną — wyszeptał. — Proszę.

Krew płynęła z rany i przeciekała mu przez palce. Ponad nim była Erin, którą widział wyraźnie, ale po chwili obraz zaczął się rozmazywać. Blond włosy, potem ponownie kasztanowe. Przez chwilę patrzył na żonę taką, jaka była podczas miesiąca miodowego, w bikini... zanim zapomniała okularów przeciwsłonecznych. I była taka piękna, że nie mógł zrozumieć, czemu zgodziła się za niego wyjść.

Piękna. Zawsze była taka piękna, pomyślał, a później ogarnęło go zmęczenie. Oddychał teraz nierówno i nagle zrobiło mu się zimno, więc zaczął dygotać. Zrobił jeszcze raz wydech, któremu towarzyszył odgłos uchodzącego z opony powietrza. Wtedy pierś Kevina znieruchomiała. Oczy miał wybałuszone, nierozumiejące.

Katie stała nad nim, wpatrując się w niego i drżąc.

Nie, pomyślała. Nigdy nigdzie z tobą nie pojadę. Za nic nie chciałabym wrócić do tamtego życia.

Ale Kevin nie wiedział, co Katie myśli, ponieważ już nie żył. A ona teraz pojęła, że nareszcie naprawdę wszystko się skończyło.

41

W szpitalu Katie trzymano na obserwacji przez większą część nocy, aż w końcu mogła wyjść. Pozostała jednak w szpitalnej poczekalni. Nie chciała odchodzić, póki nie dowie się, że życiu Alexa nic nie zagraża.

Cios zadany przez Kevina o mało nie rozłupał mu czaszki, toteż mężczyzna wciąż nie odzyskał przytomności. Poranne światło rozjaśniło wąskie, prostokątne okna poczekalni. Jedni lekarze i pielęgniarki kończyli dyżur, inni zaczynali, a poczekalnia zaczęła się wypełniać ludźmi: najpierw pojawiło się dziecko z gorączką, potem mężczyzna z problemami oddechowymi. Drzwiami wahadłowymi weszła jakaś ciężarna w towarzystwie wystraszonego małżonka. Za każdym razem, gdy Katie usłyszała głos jakiegoś lekarza, podnosiła wzrok, mając nadzieję, że otrzyma zgodę na zobaczenie Alexa.

Siniaki znaczyły jej twarz i ramiona, jedno kolano zaś spuchło tak, że wyglądało na dwukrotnie większe niż wcześniej, lecz po wykonaniu koniecznych prześwietleń i badań lekarz dyżurny dał jej tylko worek z lodem na sińce i tylenol na ból. Ten sam lekarz zajmował się Alexem, niestety, nie potrafił powiedzieć Katie, kiedy jej mężczyzna się obudzi.

Wyjaśnił, że tomografia komputerowa nie przyniosła jedno-
znacznego wyniku.

— Rany głowy bywają groźne — oznajmił. — Mam nadzieję, że dowiemy się więcej w ciągu najbliższych kilku
godzin.

Katie nie była w stanie ani myśleć, ani jeść, nie przestawała
się też martwić. Joyce zabrała dzieci do domu ze szpitala
i Katie modliła się, żeby nie przyśniły im się koszmary. Żywiła
nadzieję, że nigdy ich nie będą miały! I że Alex w pełni
odzyska siły. Szczerze się o to modliła.

Bała się zamknąć oczy, bo przy każdej próbie ponownie
stawał jej przed nimi Kevin. Widziała krwawe smugi na jego
twarzy i koszuli, jego wściekłe oczy. Jakoś ją wyśledził; jakoś
ją odszukał. Przyjechał do Southport zabrać ją do domu lub
zabić. I prawie mu się udało. W jedną noc zniszczył kruchą
iluzję bezpieczeństwa, którą zdołała sobie stworzyć, odkąd
przybyła do tego miasta.

Przerażające wizje z udziałem ciągle powracającego męża
powtarzały się w nieskończoność w różnych wariacjach,
a czasami z zasadniczymi zmianami. Istniały chwile, gdy
Katie widziała siebie krwawiącą i umierającą na werandzie;
wpatrywała się w mężczyznę, którego nienawidziła. Ilekroć
coś takiego się zdarzało, instynktownie łapała się za brzuch
i szukała nieistniejących ran, na szczęście po chwili znowu
była myślami w szpitalu, gdzie siedziała pod świetlówkami
i czekała na nowiny.

Martwiła się o Kristen i Josha. Dzieci przybędą tu wkrótce;
Joyce przywiezie je, aby zobaczyły ojca. Katie zastanowiła się,
czy maluchy znienawidzą ją z powodu tego wszystkiego, co się
stało, i na tę myśl jej oczy wypełniły się łzami. Zakryła twarz
dłońmi i zapragnęła zakopać się w jakiejś dziurze, tak głębo-
kiej, że nikt nie zdoła jej tam znaleźć.

Takiej, żeby Kevin nigdy nie mógł mnie znaleźć, pomyślała, a potem przypomniała sobie po raz kolejny, że mąż umarł na werandzie na jej oczach. Słowa: „On nie żyje" powtarzały się w jej głowie jak mantra, przed którą nie mogła uciec.

— Katie?

Podniosła wzrok i zobaczyła lekarza, który zajmował się Alexem.

— Możesz teraz pójść do Alexa — powiedział. — Obudził się dziesięć minut temu. Nadal leży na oddziale intensywnej terapii, więc nie możesz zostać długo, ale wejdź, bo pragnie cię widzieć.

— Nic mu nie będzie?

— W chwili obecnej rokowania są naprawdę dobre. Chociaż otrzymał potężny cios.

Katie pokuśtykała za lekarzem do sali, w której przebywał Alex. Zanim weszła, wzięła głęboki wdech i wyprostowała się, mówiąc sobie, że nie wolno jej się rozpłakać.

W pomieszczeniu stało wiele urządzeń medycznych i płonęło oślepiające światło. Alex zajmował łóżko w narożniku. Głowę miał owiniętą bandażem. Odwrócił się do niej i popatrzył spod lekko uchylonych powiek. Z monitorującej jego stan maszynerii dobiegało miarowe brzęczenie. Katie podeszła do łóżka i wzięła go za rękę.

— Jak dzieci? — wyszeptał.

Słowa wymawiał powoli. Z trudem.

— Dobrze. Są z Joyce. Zabrała je do domu.

Słabiutki, niemal nieuchwytny uśmiech przemknął przez jego wargi.

— A jak ty się miewasz?

— W porządku.

Pokiwała głową.

— Kocham cię — powiedział.

Nie chciała się znów rozkleić, więc ze wszystkich sił starała się zapanować nad emocjami.

— Ja też cię kocham.

Jego powieki opadły i mężczyzna spytał:

— Co właściwie zaszło?

*

Opowiedziała mu, co się wydarzyło w ciągu minionych dwunastu godzin, lecz w połowie opowieści zauważyła, że zamknął oczy. Kiedy obudził się ponownie rano, zapomniał większą część historii, więc musiała po raz drugi zrelacjonować fakty. Próbowała mówić opanowanym, rzeczowym tonem.

Joyce przyprowadziła Josha i Kristen i chociaż zazwyczaj dzieciom nie zezwala się na odwiedziny na oddziale intensywnej terapii, tym razem lekarz prowadzący wyraził zgodę, aby parę minut posiedziały przy ojcu. Kristen narysowała dla Alexa obrazek przedstawiający mężczyznę w szpitalnym łóżku. Pod obrazkiem nabazgrała kredką: WRACAJ SZYBKO DO ZDROWIA, TATUSIU. Josh dał ojcu czasopismo dla wędkarzy.

W miarę upływu dnia stan Alexa stopniowo się poprawiał. Do popołudnia mężczyzna nie kiwał już chaotycznie głową, chociaż skarżył się na potworny ból w czaszce. W dużym stopniu wróciła mu też pamięć. Głos miał coraz silniejszy, a kiedy powiedział pielęgniarce, że jest głodny, Katie uśmiechnęła się z ulgą. W końcu była pewna, że jej mężczyzna z tego wyjdzie.

*

Alexa wypisano następnego dnia, a później w domu Joyce odwiedził ich szeryf i przesłuchał. Powiedział, że poziom alkoholu we krwi Kevina był tak wysoki, iż doszło do zatrucia organizmu. Ponieważ stracił również dużo krwi, cud, że w ogóle do końca był przytomny. Katie milczała i przyszło jej na myśl, że ci ludzie wcale nie znali Kevina ani nie rozumieją demonów, które nim rządziły.

Po odjeździe szeryfa wyszła na zewnątrz i stanęła w słońcu, zastanawiając się nad własnymi emocjami. Chociaż opowiedziała szeryfowi o zdarzeniach, do których doszło tamtej nocy, nie zwierzyła mu się ze wszystkiego. Nie powiedziała wszystkiego nawet Alexowi — jak mogła, skoro sama tak niewiele rozumiała? Nie wyznała nikomu, że chwilę po śmierci męża, gdy już pospiesznie wróciła do nieprzytomnego Alexa, opłakiwała... ich obu.

Chociaż wydawało się to niemożliwe, oprócz rozpamiętywania ostatnich koszmarnych godzin spędzonym z Kevinem przypomniała sobie także ich rzadkie wspólne chwile szczęścia. Pamiętała, jak śmiali się z dowcipów, które tylko oni dwoje rozumieli, albo jak spokojnie leniuchowali razem na kanapie...

Nie wiedziała, jak pogodzić te sprzeczne fragmenty własnej przeszłości z okropnościami, które dopiero co przeżyła. Jeszcze jednej rzeczy w sobie nie rozumiała: została u Joyce, ponieważ bała się wrócić do domu!

*

Później tego dnia Alex i Katie stanęli na parkingu i zapatrzyli się na zwęglone zgliszcza budynku, w którym jeszcze niedawno mieściły się dom i sklep. Tu i ówdzie Katie widziała resztki przedmiotów, które potrafiła rozpoznać: przewróconą, na wpół spaloną kanapę, półkę, na której kiedyś stały artykuły spożywcze, osmaloną wannę.

Paru strażaków przeszukiwało pogorzelisko, Alex poprosił ich bowiem, aby postarali się odnaleźć sejf, który trzymał w szafie. Zdjął już bandaż z głowy i Katie zobaczyła na niej wygolone miejsce i założone szwy. Okolice rany były ciemnosine i spuchnięte.

— Przepraszam — mruknęła. — Za wszystko.

Alex pokręcił głową.

— Nie ma w tym przecież wcale twojej winy. Nic złego nie zrobiłaś.

— Ale Kevin przyjechał tutaj po mnie...

— Wiem — odparł. Milczał przez chwilę. — Kristen i Josh opowiadali, jak pomogłaś im wyjść z budynku. Josh mówił, że rzuciłaś się na Kevina, a później kazałaś im uciekać. Twierdził, że specjalnie odwróciłaś jego uwagę! Chciałbym ci za to podziękować.

Katie zamknęła oczy.

— Nie możesz mi za to dziękować. Gdyby dzieciom przytrafiło się coś strasznego, chybabym tego nie przeżyła. — Kiwnął głową, lecz nie patrzył na nią. Katie kopnęła mały stosik gruzu, z którego nad drogę wzniósł się pył. — Co zamierzasz zrobić? — spytała. — To znaczy ze sklepem?

— Myślę, że go odbuduję.

— Gdzie będziecie mieszkać?

— Nie wiem jeszcze. Na jakiś czas zostaniemy u Joyce, ale postaram się znaleźć jakiś mały, cichy domek z ładnym widokiem. Ponieważ nie mogę pracować, równie dobrze mogę spróbować cieszyć się wolnym czasem.

Katie poczuła napływ mdłości.

— Nawet nie potrafię sobie wyobrazić, jak się teraz czujesz — jęknęła.

— Odrętwiały. Smutny z powodu tego, co przeżyły dzieci. W szoku.

— A gniew?

— Nie — odrzekł. — Nie czuję gniewu.

— Ale przecież wszystko straciłeś.

— Nie wszystko — odparował. — Żadnych ważnych rzeczy. Moje dzieci są bezpieczne. Ty jesteś bezpieczna. Niczym więcej się nie przejmuję. A to... — powiedział, wskazując zgliszcza —...to są tylko rzeczy materialne. Większość z nich można zastąpić innymi. Kwestia czasu. — Po tym zdaniu przymrużył oko i zapatrzył się na coś wśród gruzu. — Poczekaj sekundę — poprosił.

Podszedł do hałdy zwęglonego rumowiska i wyjął wędkę, która tkwiła między poczerniałymi deskami. Była brudna, lecz poza tym wyglądała na nieuszkodzoną. Po raz pierwszy odkąd tu przyjechali, uśmiechnął się.

— Josh się ucieszy — zauważył. — Żałuję tylko, że nie udało mi się znaleźć żadnej z lalek Kristen.

Katie założyła ramiona na piersi. Znów miała łzy w oczach.

— Kupię jej nową.

— Nie musisz. Byłem ubezpieczony.

— Ale chcę. Gdyby mnie tu nie było, w ogóle nie doszłoby do tej tragedii.

Popatrzył na nią.

— Wiedziałem, w co się pakuję, odkąd po raz pierwszy umówiłem się z tobą.

— Ale na pewno nie oczekiwałeś czegoś takiego!

— Nie — przyznał. — Nie tego. Ale wszystko będzie dobrze.

— Jak możesz tak mówić?

— Mogę, ponieważ to prawda. Ocaleliśmy i nic więcej się nie liczy. — Chwycił jej dłoń, a Katie poczuła, jak ich palce się splatają. — Nie miałem okazji powiedzieć ci, że mi przykro.

— Dlaczego miałoby ci być przykro?

— Przyjmij moje kondolencje.

Wiedziała, że Alexowi chodzi o Kevina, i nie była pewna, jak zareagować. Ten mężczyzna najwyraźniej rozumiał, że równocześnie kochała męża i go nienawidziła.

— Nigdy nie chciałam, żeby umarł — zaczęła. — Pragnęłam tylko, żeby zostawił mnie w spokoju.

— Wiem.

Odwróciła się nieśmiało do Alexa.

— Naprawdę wszystko będzie dobrze? To znaczy... w końcu?

— Przypuszczam, że to zależy od ciebie.

— Ode mnie?

— Moje uczucia do ciebie ani trochę się nie zmieniły. Ciągle cię kocham. Ty jednak musisz odpowiedzieć sobie na pytanie, co z twoimi uczuciami.

— Również się nie zmieniły.

— W takim razie bez wątpienia znajdziemy sposób na rozwiązanie wszystkich problemów, ponieważ wiem, że chcę spędzić z tobą resztę życia.

Zanim zdążyła odpowiedzieć, jeden ze strażaków przywołał ich oboje, więc odwrócili się w jego kierunku. Mężczyzna usiłował coś wyjąć z gruzów i po chwili wstał z małym sejfem w rękach.

— Sądzisz, że nie został uszkodzony? — spytała Katie.

— Nie powinien — odrzekł Alex. — Miał być ognioodporny. Właśnie dlatego go kupiłem.

— Co w nim jest?

— Głównie dokumenty, których będę potrzebował. Kilka płyt ze zdjęciami i negatywy. A także przedmioty, które chciałem chronić.

— Cieszę się, że się znalazły.

— Ja także — zapewnił ją. Zrobił pauzę, po czym dodał: — Ponieważ jest w nim również coś dla ciebie.

42

Katie zostawiła Alexa u Joyce, wsiadła do samochodu i wreszcie pojechała do swojego domu. Nie chciała w ogóle wracać, wiedziała jednak, że tego, co nieuniknione, nie można odkładać wiecznie. Nawet jeśli nie zamierzała tam zostać, musiała przecież spakować swoje rzeczy.

Kurz unosił się nad żwir i auto podskakiwało na wybojach, zanim Katie zatrzymała się przed drzwiami frontowymi. Siedziała przez chwilę w jeepie — wklęśniętym tu i ówdzie i poobcieranym, lecz wciąż na chodzie — i wpatrywała się w drzwi wejściowe, przypominając sobie, jak Kevin wykrwawił się na tej werandzie. Pamiętała jego wzrok skupiony na jej twarzy.

Nie chciała widzieć plam krwi. Bała się, że otwierając drzwi, przypomni sobie, jak Alex wyglądał po ciosie Kevina. Niemal słyszała znów histeryczny płacz Kristen i Josha, którzy przylgnęli do ojca. Nie była przygotowana na ponowne przeżycie całego zdarzenia.

Zamiast tego ruszyła więc ku domowi Jo. W ręce trzymała list, który dał jej Alex. Kiedy spytała go, dlaczego do niej napisał, pokręcił głową.

— Nie jest ode mnie — odparł. Zagapiła się wtedy na niego zdezorientowana. — Zrozumiesz, kiedy go przeczytasz — zapewnił ją.

Kiedy zbliżała się do domu sąsiadki, coś jej się przypomniało. Coś zdarzyło się w noc pożaru. Katie coś wówczas widziała, choć teraz niezupełnie pamiętała, o co chodziło. Przez moment sądziła, że sobie przypomina, chwilę później jednak wspomnienie znów gdzieś umknęło. Przed domem Jo zwolniła kroku i zmieszana zmarszczyła czoło.

W oknie wisiały pajęczyny, a okiennica spadła na ziemię, gdzie połamana leżała w trawie. Balustrada werandy była pęknięta, a spomiędzy desek podłogi wyrastały chwasty. Katie widziała te wszystkie szczegóły, lecz przez dobrą chwilę nie była w stanie pojąć ich znaczenia: zardzewiała gałka na wpół zwisająca z drzwi, brud na szybach, które wyglądały na niemyte od lat.

Żadnych firanek...

Żadnej wycieraczki przed wejściem...

Żadnego dzwonka wiatrowego...

Zawahała się, próbując zrozumieć sens tych detali. Czuła się dziwnie i była osobliwie lekka, jakby przebywała we śnie na jawie. Im bliżej podchodziła, tym bardziej zrujnowany wydawał jej się budynek, który miała przed sobą.

Zamrugała i zauważyła, że drzwi są pęknięte w środku i zwisają z kruszejącej futryny.

Zamrugała po raz kolejny i teraz odkryła, że część ściany w górnym narożniku przegniła i powstał wyszczerbiony otwór.

Zamrugała po raz trzeci i zdała sobie sprawę, że dolna połowa okna jest wyłamana i rozbita; kawałki szkła pokrywały podłogę werandy.

Katie weszła na werandę, ponieważ nie mogła się powstrzymać. Pochyliła się i zajrzała przez okna do ciemnych pomieszczeń domu.

Kurz i brud, zdekompletowane meble, stosy śmieci. Żadne ściany nie były pomalowane, nic nie było sprzątnięte ani wyczyszczone. Gwałtownie wycofała się na werandę, niemal potykając się na pękniętym stopniu. Nie, to nie było możliwe, po prostu nie było! Co się stało z Jo i wszystkimi naprawami, których dokonała w domu? Katie widziała przecież wcześniej, jak przyjaciółka wiesza dzwonek wiatrowy. Sąsiadka odwiedziła ją i narzekała, że musi malować i sprzątać. Piły razem kawę i wino, jadły ser, a Jo dogadywała Katie na temat roweru. Jo czekała na nią pod restauracją i poszły we dwie do baru. Kelnerka na pewno widziała je obie... Katie zamówiła dla nich wino...

Tyle że kieliszek Jo pozostał nietknięty, przypomniała sobie. Pomasowała sobie skronie. W głowie miała mętlik. Szaleńczo poszukiwała odpowiedzi na swoje pytania. Pamiętała, że Jo siedziała na schodach, kiedy Alex ją podwoził. Nawet Alex ją widział...

Ale czy widział?!

Odeszła od zrujnowanego domu. Jo istniała! Nie mogła wszak stanowić wytworu jej wyobraźni.

Na pewno jej nie wymyśliłam! — wmawiała sobie. Jednakże Jo lubiła to samo co ja: piła kawę w ten sam sposób, podobały jej się ubrania, które kupiłam, jej oceny pracowników restauracji U Ivana odzwierciedlały moje opinie.

Tuzin przypadkowych drobiazgów zaczął nagle cisnąć jej się do głowy. W jej umyśle spierały się dwa przeciwstawne głosy...

Jo mieszkała tutaj!

„Więc czemu panuje tu taki bałagan?".

Patrzyłyśmy razem w gwiazdy!

„Sama patrzyłaś i dlatego ciągle nie znasz ich nazw".

Piłyśmy wino w moim domu!

„Sama wypiłaś butelkę, oto, dlaczego rano byłaś taka oszołomiona".

Powiedziała mi o Alexie! Chciała, żebyśmy byli razem!

„Nie wymieniła jego imienia, póki sama go nie poznałaś. Po prostu ten mężczyzna interesował cię od samego początku".

Była psychologiem dziecięcym!

„I dlatego nigdy nie wspomniałaś o niej Alexowi?".

Ale...

Ale...

Ale...

Odpowiedzi pojawiały się natychmiast, jedna po drugiej. Powód, dla którego Katie nigdy nie poznała nazwiska Jo ani nie zobaczyła jej w samochodzie... Powód, dla którego Jo nigdy nie zaprosiła jej do siebie ani nie przyjęła jej propozycji pomocy przy malowaniu... A wtedy gdy niemal w cudowny sposób ukazała się u boku Katie w stroju do biegania...

Katie poczuła, że coś się w niej załamuje. Tak, te wszystkie elementy układały się w całość.

Tak, ni stąd, ni zowąd uprzytomniła sobie, że Jo nigdy tu nie było.

43

Nadal czuła się jak we śnie, wróciła jednak chwiejnym krokiem do siebie. Zajęła miejsce w fotelu na biegunach i przez długą chwilę wpatrywała się w sąsiedni dom, zastanawiając się, czy kompletnie oszalała.

Wiedziała, że wymyślanie sobie przyjaciół jest typowe dla dzieci, ale ona nie była przecież dzieckiem. No cóż, w Southport żyła w wielkim stresie. Przyjechała tu sama i była samotna, ponieważ uciekała i stale oglądała się przez ramię, przerażona, że Kevin jej szuka... Kto by nie był zaniepokojony i spięty? Ale czy taki stan wystarczy, aby człowiek powołał do życia wyobrażoną istotę, swoje alter ego? Może niektórzy psychiatrzy udzieliliby na to pytanie odpowiedzi twierdzącej, lecz Katie nie była tego taka pewna.

Problem w tym, że nie chciała w coś takiego uwierzyć, i już. A nie potrafiła w to uwierzyć, gdyż Jo była taka... rzeczywista. Świetnie pamiętała rozmowy z nią, wciąż miała przed oczami miny sąsiadki, ciągle w uszach dźwięczał jej śmiech. Wspomnienia związane z nią były równie prawdziwe jak chwile spędzane w towarzystwie Alexa. Taaa, jasne, Alex też prawdopodobnie nie był rzeczywistą istotą. Prawdopodobnie i jego sobie wymyśliła. I Kristen, i Josha. Tak naprawdę pewnie leżała przypięta pasami do łóżka w szpitalu psychiatrycznym, gdzie żyła we własnym świecie, niedostępnym dla innych. Potrząsnęła głową, sfrustrowana i zdezorientowana. A jednak...

Coś jeszcze ją dręczyło, coś nieuchwytnego. Na pewno zapominała o czymś. O czymś ważnym! Chociaż bardzo się starała, nie potrafiła określić, o co chodzi. Tak wiele przeżyła w ostatnich kilku dniach i teraz czuła się pusta, wyczerpana emocjonalnie, a równocześnie roztrzęsiona. Popatrzyła na niebo. Zaczął zapadać zmierzch i temperatura spadała. W pobliżu drzew zbierała się mgła.

Katie odwróciła wzrok od domu Jo (cóż, zawsze będzie go tak nazywała, niezależnie od faktów), podniosła otrzymany od Alexa list i obejrzała kopertę. Nie dostrzegła na niej żadnego napisu.

Było coś przerażającego w tym nieotwartym liście, chociaż nie była pewna, dlaczego tak uważa. Może chodziło o poważną minę, z jaką Alex jej go wręczył? Skądś wiedziała, że sprawa nie tylko jest poważna, lecz również ma dla niego ogromne znaczenie, toteż zastanawiała się, dlaczego nic więcej jej o tym liście nie powiedział.

Nie znała odpowiedzi, ale wkrótce zrobi się ciemno, więc postanowiła, że nie będzie się dłużej ociągać. Odwróciła kopertę i rozerwała ją. W słabnącym świetle przesunęła palcem po żółtym papierze, a później rozłożyła kartki. W końcu zaczęła czytać.

Do kobiety, którą pokocha mój mąż,
Jeśli wydaje Ci się dziwaczne, że czytasz te słowa,
proszę, uwierz, że pisząc je, czuję się dokładnie tak samo.
Z drugiej strony nic, co wiąże się z tym listem, nie jest

zwyczajne. Chcę Ci powiedzieć tak wiele i kiedy brałam długopis do ręki, dokładnie wiedziałam, co zamierzam Ci przekazać. Teraz jednakże przyłapałam się na tym, że wytężam umysł i zupełnie nie wiem, od czego zacząć.

Może tak: Zaczęłam wierzyć, że w życiu każdego człowieka pojawia się pewien jednoznaczny moment, który nazwę „czasem zmian" czy może „serią okoliczności, które nagle zmieniają wszystko". Dla mnie takim momentem było poznanie Alexa. Chociaż nie wiem, kiedy ani gdzie czytasz ten list, wiem, że skoro go czytasz, Alex Cię kocha. Oznacza to także, że pragnie dzielić z Tobą życie. Jeśli okaże się, że Ciebie i mnie nie łączy nic innego, zawsze wspólną płaszczyzną pozostanie dla nas jego miłość.

Jak prawdopodobnie wiesz, na imię mam Carly, ale przez większą część życia przyjaciele nazywali mnie Jo...

Katie przestała czytać i zagapiła się na list, który trzymała w rękach. Początkowo nie potrafiła pojąć tych słów. Wzięła więc głęboki wdech i ponownie przeczytała ostatnią linijkę: *przez większą część życia przyjaciele nazywali mnie Jo...*

Chwyciła kartki, walcząc ze wspomnieniem, którego nadal nie umiała nazwać. I nagle oczami wyobraźni znów zobaczyła siebie w głównej sypialni domu Alexa w noc pożaru. Poczuła napięcie w ramionach i plecach, kiedy dźwignęła fotel bujany i rzuciła go w okno, pamiętała panikę, która ogarnęła ją, gdy owijając Josha i Kristen kołdrą, usłyszała za sobą głośny trzask. Z nagłą jasnością umysłu przypomniała sobie, że odwróciła się i obejrzała wiszący na ścianie portret. Przedstawiał żonę Alexa! W owym czasie Katie była straszliwie zdezorientowana, nerwy miała napięte jak postronki, tkwiła w piekle dymu i ognia...

Ale widziała tę twarz. Tak, nawet zrobiła krok w stronę obrazu, aby lepiej mu się przyjrzeć.

Ta kobieta bardzo przypomina Jo, pomyślała wtedy, chociaż później zapomniała o tym spostrzeżeniu. Teraz jednak, kiedy siedziała na werandzie pod powoli ciemniejącym niebem, wiedziała z całą pewnością, że się pomyliła. Pomyliła się w wielu sprawach.

Podniosła wzrok i ponownie przyjrzała się domowi Jo. Kobieta przypominała Jo, ponieważ (z czego Katie nagle zdała sobie sprawę) to była Jo!

Przez głowę Katie mimowolnie przemknęło wspomnienie z pierwszego ranka, kiedy zjawiła się sąsiadka.

„Przyjaciele nazywają mnie Jo" — oznajmiła.

O mój Boże!

Katie zbladła.

Jo...

Nagle wiedziała, że wcale nie wyobraziła sobie miłej sąsiadki. Nie, nie wymyśliła jej sobie, na pewno nie.

Jo naprawdę tu była i Katie poczuła, że coś ściska ją za gardło. Nie dlatego, że w to nie wierzyła, ale ponieważ nagle zrozumiała, że jej przyjaciółka Jo — jej jedyna prawdziwa przyjaciółka, jej mądra doradczyni, stronniczka i powierniczka — nigdy nie wróci.

Nigdy już nie wypiją razem kawy ani kolejnej butelki wina, nigdy nie posiedzą na werandzie przed domem. Katie nigdy nie usłyszy śmiechu Jo ani nie zobaczy, jak tamta marszczy brew. Nigdy nie usłyszy, jak Jo skarży się, że musi w swoim domu pracować fizycznie. Myśląc o tym wszystkim, zaczęła łkać, opłakując cudowną przyjaciółkę, której nigdy więcej nie spotka.

*

Nie była pewna, ile czasu upłynęło, zanim zdołała ponownie podnieść list i wznowić czytanie. Robiło się ciemno, więc westchnąwszy, wstała i otworzyła kluczem frontowe drzwi. Weszła i usiadła przy kuchennym stole. Przypomniała sobie, że Jo kiedyś zajęła krzesło naprzeciwko niej, i teraz z jakiegoś powodu, którego nie potrafiła wyjaśnić, poczuła, że zaczyna się odprężać.

No dobrze, pomyślała. Jestem gotowa i mogę wysłuchać, co masz mi do powiedzenia.

...ale przez większą część życia przyjaciele nazywali mnie Jo. Proszę, nie krępuj się i nazywaj mnie tak samo. Zresztą już wiesz, że uważam Cię za przyjaciółkę. Mam nadzieję, że nim skończysz czytać ten list, będziesz mnie traktowała tak samo.

Umieranie nie jest przyjemne i nie zamierzam zanudzać Cię szczegółami. Chociaż brzmi to jak wyświechtany frazes, prawda jest taka, że w trakcie choroby rzeczy, które wcześniej wydawały mi się bardzo ważne, teraz przestały cokolwiek znaczyć. Nie czytam już gazet, nie interesuje mnie rynek papierów wartościowych ani nie martwię się, czy spadnie deszcz podczas naszego pobytu na wakacjach. Zamiast tego odkrywam, że zastanawiam się nad istotnymi chwilami mojego życia. Myślę o Alexie i o tym, jak pięknie prezentował się w dniu naszego ślubu. Przypominam sobie uniesienie i dumę, które mimo zmęczenia poczułam, gdy po raz pierwszy wzięłam w ramiona Josha i Kristen. Oboje byli wspaniałymi niemowlakami; często kładłam je sobie na kolanach i wpatrywałam się w nie, kiedy spały. Mogłam patrzeć na nie godzinami, próbując odgadnąć, czy mają oczy i nosy po mnie, czy po Alexie. Czasami w trakcie snu zaciskały małe piąstki wokół mojego palca i pamiętam, jak pomyślałam, że nigdy nie doświadczyłam czystszej formy radości.

Póki nie urodziłam dzieci, tak naprawdę nie pojmowałam, czym jest miłość. Nie zrozum mnie źle. Bardzo kocham Alexa, ale jest to inne uczucie niż miłość, którą czuję do Josha i Kristen. Nie wiem, jak wytłumaczyć różnicę, i nie wiem, czy muszę cokolwiek wyjaśniać. Wiem jedynie, że mimo choroby i tak uważam się za szczęściarę, ponieważ dane mi było doświadczyć obu rodzajów miłości. Żyłam pełnym, cudownym życiem i przeżyłam uczucie, którego wiele osób nigdy nie poznaje.

Niestety, rokowania mnie przerażają. Przy Alexie próbuję udawać odważną, a dzieci są wciąż za małe, aby zrozumieć, co naprawdę się dzieje, jednakże w chwilach spokoju, gdy jestem zupełnie sama, po prostu nie mogę powstrzymać łez i czasami zadaję sobie pytanie, czy kiedykolwiek przestaną płynąć. Chociaż wiem, że nie powinnam, przyłapuję się na rozpamiętywaniu myśli, że nigdy nie zaprowadzę żadnego z moich dzieci do szkoły albo że nigdy więcej nie będę świadkiem ich podniecenia w bożonarodzeniowy poranek. Nigdy nie pomogę Kristen kupić sukienki na bal kończący rok szkolny ani nie będę patrzeć, jak Josh gra w baseball. Tak wielu rzeczy nigdy nie zobaczę i w tak wielu czynnościach nie będę towarzyszyć moim pociechom, że nierzadko tracę nadzieję, czy do czasu, aż dzieci same się zakochają i kogoś poślubią, nie stanę się dla nich jedynie zamierzchłym wspomnieniem.

Jak powiem im, że je kocham, skoro już mnie nie będzie?

A Alex? Był moim marzeniem, partnerem, kochankiem i przyjacielem. Jest oddanym ojcem, lecz — co więcej —

jest też idealnym mężem. Nie potrafię opisać, jaką radość odczuwam, gdy Alex bierze mnie w ramiona, albo jak cieszę się na myśl o nocy u jego boku. Jest w nim jakieś niezachwiane człowieczeństwo i wiara w dobroć, więc myśl, że zostawiam go samego na tym świecie, łamie mi serce. Właśnie dlatego prosiłam go o przekazanie Ci tego listu. Pomyślałam: Może w ten sposób skłonię go do obietnicy, że znajdzie sobie znowu kogoś szczególnego — kobietę, która go pokocha i którą on potrafi pokochać. Alex potrzebuje takiej kobiety.

Dane mi było cieszyć się małżeństwem z Alexem przez pięć lat, a matką dla moich dzieci byłam przez czas jeszcze krótszy. Teraz moje życie prawie dobiegło końca, a moje miejsce zajmiesz Ty. Staniesz się żoną, która zestarzeje się z moim mężem, i jedyną matką, jaką moje dzieci będą kiedykolwiek znały. Nie możesz sobie wyobrazić, jak strasznie jest leżeć w łóżku, wpatrywać się we własną rodzinę, wiedzieć to wszystko, co ja wiem, i mieć świadomość, że nie mogę nic zrobić, aby zmienić fakty. Czasami marzę, że znajdę sposób powrotu i powiedzenia mojej rodzinie, iż wszystko na pewno będzie dobrze. Lubię wierzyć, że będę z nieba czuwać nad nimi albo że zdołam odwiedzać ich w snach. Mam nadzieję, że moja podróż jeszcze się nie skończyła, i modlę się o to, żeby bezgraniczna miłość, jaką do nich czuję, jakoś mi to umożliwiła.

Tu pojawiasz się Ty. Chcę, żebyś coś dla mnie zrobiła.

Jeśli kochasz Alexa teraz, postaraj się kochać go zawsze. Spraw, aby znowu śmiał się i cieszył czasem, który spędzicie razem. Spacerujcie lub pojedźcie gdzieś na rowerach, tulcie się na kanapie i oglądajcie filmy pod kocem. Rób mu śniadanie, ale go nie rozpieszczaj. Pozwól czasem także, niech on zrobi śniadanie Tobie, niech pokaże

Ci w ten sposób, że uważa Cię za kogoś szczególnego. Całuj go, kochaj się z nim i uważaj się za szczęściarę, ponieważ go spotkałaś, bo to wspaniały i wart Twoich uczuć mężczyzna. Pragnę również, ażebyś pokochała moje dzieci tak bardzo, jak ja je kochałam. Pomagaj im przy lekcjach, a kiedy upadną, całuj ich podrapane łokcie i kolana. Głaszcz je po włosach i mów im, że mogą zrobić wszystko, co tylko przyjdzie im do głowy. Utul je w nocy i pomagaj im odmawiać modlitwy. Przygotowuj im drugie śniadanie, wspieraj w przyjaźniach. Uwielbiaj je, śmiej się z nimi, pomagaj im wyrosnąć na dobrych i niezależnych dorosłych. To, co Ty dasz im dzięki miłości, one odpłacą z czasem dziesięciokrotnie, choćby tylko dlatego, że ich ojcem jest Alex.

Proszę! Błagam Cię, zrób to dla mnie. Przecież ci troje są teraz Twoją rodziną, nie moją.

Nie jestem zazdrosna i nie gniewam się, że mnie zastępujesz; jak już wspomniałam, uważam Cię za przyjaciółkę. Uszczęśliwiasz mojego męża i dzieci i przykro mi, że nie ma mnie tutaj, abym podziękowała Ci osobiście. Mogę cię więc jedynie zapewnić, że zasłużyłaś na moją dozgonną wdzięczność.

Skoro Alex Cię wybrał, powinnaś wierzyć, że i ja Ciebie wybrałam.

Twoja duchowa przyjaciółka

Carly Jo

Kiedy Katie skończyła czytać list, wytarła łzy i przesunęła palcem po kartkach, po czym wsunęła je z powrotem do koperty. Siedziała przez chwilę bez ruchu, myśląc o słowach, które Jo napisała, i już wiedziała, że zrobi dokładnie to, o co poprosiła ją sąsiadka i przyjaciółka.

Pomyślała, że postąpi tak nie z powodu listu, lecz ponieważ w jakiś niewytłumaczalny sposób wiedziała, że właśnie Jo łagodnie nakłoniła ją, aby w ogóle dała Alexowi szansę.

Uśmiechnęła się.

— Dziękuję, że mi zaufałaś — wyszeptała.

Uprzytomniła sobie, że Jo od samego początku miała rację. Katie pokochała Alexa i dzieci i zdawała sobie sprawę, że nie umie już sobie wyobrazić bez nich swojej przyszłości. Powiedziała sobie, że nadeszła pora pojechać do domu i spotkać się z członkami nowej rodziny.

Księżyc wyglądał jak olśniewająca biała tarcza i kierował jej krokami z nieba, kiedy szła w stronę jeepa. Ale zanim wsiadła, zerknęła przez ramię w kierunku domu przyjaciółki. Światła były włączone, okna domu jarzyły się żółto. W pomalowanej kuchni zobaczyła Jo, która stała przy oknie. Chociaż Katie znajdowała się tak daleko, że niewiele widziała, miała poczucie, że Jo uśmiecha się do niej. Sąsiadka podniosła do niej rękę w przyjaznym pożegnaniu, a Katie znowu przypomniała sobie, że miłość czasami dokonuje niemożliwego.

Kiedy jednak zamrugała, w domu Jo znów zapadła ciemność. Żadne światła nie były włączone, a przyjaciółka zniknęła, lecz Katie wydało się, że słyszy słowa z listu, które niósł lekki wiatr.

Skoro Alex Cię wybrał, powinnaś wierzyć, że i ja ciebie wybrałam.

Uśmiechnęła się i odwróciła, wiedząc, że nie ma do czynienia ze złudzeniem ani z wytworem własnej wyobraźni. Wiedziała, co widzi.

I wiedziała, w co wierzy.

PAMIĘTNIK

W starym wytartym notatniku kryje się kronika pewnej miłości, która rozkwitła po zakończeniu II wojny światowej gdzieś w Karolinie Północnej. Noah Calhoun odczytuje ją wieczorami w domu opieki starej kobiecie cierpiącej na chorobę Alzheimera. Dzięki sile uczucia przeżywa na nowo cudowne chwile swojej wielkiej miłości. Przypomina sobie, kiedy w 1932 roku po raz pierwszy zobaczył Allie Nelson – ich potajemne spotkania, wspólne wakacje i trudny okres rozstania, gdy zniknęła z jego życia na czternaście lat...

SZCZĘŚCIARZ

Logan Thibault jest urodzonym szczęściarzem. Służył w piechocie morskiej, ma za sobą służbę w Iraku, gdzie wielokrotnie otarł się o śmierć. Przeżył i wrócił do domu z pamiątką – znalezionym na pustyni zdjęciem młodej kobiety, które traktuje jak przynoszący mu szczęście talizman. Kiedy w bezsensownym wypadku ginie jego przyjaciel, Logan stawia sobie za cel odszukanie dziewczyny z fotografii. Przemierzając pieszo kraj w towarzystwie wilczura Zeusa, odnajduje ją w Hampton, miasteczku w Karolinie Północnej. Beth nie jest jednak księżniczką z bajki, ale rozwódką z dziesięcioletnim synem. Skonfliktowaną z niedojrzałym psychicznie byłym mężem Keithem, zastępcą szeryfa i wnukiem najbogatszego, najbardziej wpływowego obywatela Hampton. Keith nadal jej pragnie. Pomiędzy nim a Loganem dochodzi do nieuchronnej rywalizacji...

OSTATNIA PIOSENKA

Siedemnastoletnia Ronnie reaguje z niechęcią na informację, że całe lato spędzi z ojcem, z którym od dawna nie utrzymuje kontaktów. Trzy lata wcześniej jej rodzice rozwiedli się, a zmęczony robieniem kariery ojciec Ronnie, utalentowany pianista wykładający w konserwatorium Juilliarda, porzucił Nowy Jork i przeniósł się do miasteczka w Północnej Karolinie. Dla zbuntowanej dziewczyny to ciężka próba: przyzwyczajona do zgiełku wielkiego miasta, zakochana w jego nocnym życiu i modnych klubach, musi zmierzyć się z senną atmosferą małej mieściny oraz stawić czoło ojcu, do którego wciąż czuje żal. Czy będzie to najgorsze lato w jej życiu? Wszystko na to wskazuje. Pewnych rzeczy nie da się jednak przewidzieć – na przykład tego, że pozna Willa, przystojnego siatkarza, obiekt westchnień miejscowych dziewcząt, ani tego, że zakocha się z wzajemnością...